采 煤 概 论

郭靖　主编

山西出版传媒集团
山西人民出版社
山西科学技术出版社

图书在版编目（CIP）数据

采煤概论 / 郭靖主编. -- 太原 : 山西人民出版社，山西科学技术出版社 2014. 6

山西省煤炭中等职业教育系列教材

ISBN 978-7-203-08531-7

Ⅰ. ①采… Ⅱ. ①郭… Ⅲ. ①煤矿开采-岗位培训-教材 Ⅳ. ①TD82

中国版本图书馆CIP数据核字(2014)第092852号

采煤概论

主　　编：郭　靖
责任编辑：李建业

出 版 者：山西出版传媒集团·山西人民出版社·山西科学技术出版社
地　　址：太原市建设南路21号
邮　　编：030012
发行营销：0351-4922220　4955996　4956039
0351-4922127　（传真）　4956038(邮购)
E-mail：sxskcb@163.com　发行部
sxskcb@126.com　总编室
网　　址：www.sxskcb.com

经 销 者：山西出版传媒集团·山西人民出版社
承 印 厂：山西惠民印务有限公司

开　　本：787mm×1092mm　1/16
印　　张：15
字　　数：350 千字
印　　数：1—3000册
版　　次：2014年6月 第1版
印　　次：2014年6月 第1次印刷
书　　号：ISBN 978-7-203-08531-7
定　　价：32.00元

如有印装质量问题请与本社联系调换

《山西省煤炭中等职业教育系列教材》编委会

前　言

为认真落实山西省政府、山西省煤炭厅对煤炭行业从业人员素质提升的指示精神，适应山西省煤炭资源整合、企业兼并重组后现代化矿井建设对技术技能型人才的迫切需求，推进全省煤矿从业人员“人本安全、培训教育、素质提升”工程实施，促进煤矿企业人才队伍“变招工为招生”素质专业化目标实现，按照课程改革、课堂教学改革方案的要求，加快中等职业教育“送教下矿”培养模式的教材改革，使之适应煤炭工业机械化、信息化、现代化建设的人才需求，按照煤矿生产、建设、安全管理实际和对从业人员的具体要求，在认真调研、广泛征求意见的基础上，我们组织骨干教师对2010版山西省煤矿关键岗位从业人员中等职业教材进行了重新修订。

本系列教材在编写修订过程中着重突出以下特点：1.参照教学计划和教学大纲执行两个课改方案要求；2.新技术、新装备、新工艺单独成章，提高学生对现代化矿井的综合认知；3.将“山西省煤矿六个标准”按各专业要求编入其中，并融入“人人都是通风员”的思想理念；4.编入了企业现场实用的系统知识、技能、工艺；5.教材每章均按系统理论、核心知识点、专业技能训练三部分编写，突出技能训练内容，同时编有复习题，新增了讨论题，力求实现理论联系实际的教学目的；6.本系列教材力求简洁、实用、通俗易懂。

本书主编：郭靖

编写人员在教材修订过程中，得到了有关领导和专家的支持、帮助，并参考了大量的文献资料和煤矿企业技术资料。在此，向提供帮助的有关专家、领导及企业表示诚挚的感谢！

希望各位教师、企业工程技术人员、专家能够结合煤矿企业发展现状，将更为先进的、适用的专业技术内容提供给我们。

由于时间仓促，编者水平有限，书中难免有不妥之处，恳请广大师生、企业工程技术人员批评指正。

目　　录

第一章　煤矿地质基础知识

第二章　矿　图

第三章　井田开拓

第四章　井巷掘进与支护

第五章　采煤方法

第六章　矿井通风

第七章 矿井灾害防治技术

第八章 矿井生产系统

第九章　现代化矿井采煤工作面新工艺、新设备

第十章　山西省煤矿“六个标准”涉及内容

第一章　煤矿地质基础知识

第一部分　系统理论知识

第一节　地壳及其运动

一、地壳

地球由表及里分为地壳、地幔、地核三个圈层。地壳是指地球表面及其以下一层极薄的固体硬壳，其平均厚度为16km，约为地球半径的四百分之一；质量占地球总质量的1.5%；体积只有地球的0.3%。地壳的厚度变化很大，主要与地势有关。一般海洋部分较薄，只有5～8km，平均厚度为6km；大陆平均厚度33km，山区较厚，最厚处可达70km左右，如我国青藏高原厚达65km以上。地壳是煤及其各种矿产资源形成和赋存的场所，各种矿产资源的形成和保存又与地壳的物质运动及演化有密切关系。

二、地壳的物质组成

地壳是由岩石组成的，而岩石是由矿物组成的，矿物又是自然元素或化合物。在地质作用下形成的一种或一种以上矿物的集合体，称为岩石。

岩石的种类和数量都很多，根据它们的成因，岩石可分为岩浆岩、沉积岩和变质岩三大类。煤矿中常见的岩石主要为沉积岩。

（一）岩浆岩

岩浆是在地下深处天然形成的、富含挥发性组分的高温、黏稠的硅酸盐熔融体。岩浆侵入到地壳不同深度或喷出地表逐渐冷凝而形成岩石，称为岩浆岩，又称火成岩。

（二）变质岩

变质岩是地壳内先已形成的岩浆岩、沉积岩或变质岩，受到高温、高压或外来物质的渗入，使原有岩石的矿物成分、结构及构造发生部分或全部变化而形成的一种新岩石。

（三）沉积岩

沉积岩是由母岩（早期形成的岩浆岩、变质岩和沉积岩）经过风化、剥蚀及搬运后在一定的地质条件下沉积下来，形成各种沉积物，然后这些沉积物再经过压实、胶结和重结晶作用，形成坚硬的岩石。在组成沉积岩的物质中还可能有大量的生物遗体或火山喷发的物质。

沉积岩在地壳表层分布最广，它覆盖的面积约占地表面积的75%，因此它是最常见的一类岩石。有许多重要的矿产资源，它本身就是沉积岩，例如煤、油页岩、盐矿、石灰石等。石油和天然气等也生成于沉积岩中。据统计，目前全世界每年开采的矿产资源的75%来自沉积岩中。

煤本身就是一种沉积岩。在煤层的上下绝大多数也都是沉积岩,煤矿的井巷工程绝大多数分布在沉积岩中。

三、地质作用

地球自形成到现在,已经经历了漫长而复杂的变化。地球内部的每一个圈层以及地壳表面的形态、内部结构和物质成分,都在不断地运动和变化着。由于自然动力所引起的地壳物质组成、内部构造和地壳形态变化与发展的作用称为地质作用。根据地质作用进行的场所和能量来源的不同,把地质作用分为内力地质作用和外力地质作用两大类。

(一)内力地质作用

内力地质作用发生在地球内部,主要由地球本身的能量——地球旋转能、重力能和地球内部的热能、化学能等引起地壳物质组成、内部构造及地表形态发生变化的地质作用。内力地质作用包括地壳运动、岩浆作用、变质作用和地震作用。

(二)外力地质作用

外力地质作用是指在地壳表面,主要由太阳辐射的热能引起的大自然物理和化学变化的各种地质作用。这些作用具体是通过日光、大气、风、霜、雨、雪、河流、海浪、冰川和生物活动等因素进行的。外力地质作用使地壳表层原有的矿物和岩石不断遭受破坏,同时又不断形成新的岩石;它使元素不断富集或分散,形成可供工业开采的新矿产。同时也引起地表形态的不断变化。外力地质作用包括风化作用、剥蚀作用、搬运作用、沉积作用和固结成岩作用。

四 、地质年代及地层

划分地质年代和地层系统,对研究地壳的矿物、岩石、生物界等演化规律具有重要的理论意义,并对寻找和勘探矿产资源、矿山开采,均具有重要的实际意义。因此,要求对各地的地层建立统一的系统和地质年代表,以便进行对比。

(一)地质年代单位及年代地层单位的概念

地球形成已有46亿年以上的历史。在漫长的岁月里,地球在不停地转动,地壳也在不停地运动,地球上的生物也在不断地发展。在不同的地质历史阶段都有岩石、矿物和生物的形成与发展,也有着岩石、矿物和生物的破坏与淘汰。为了便于研究,通常根据地壳运动及古生物的发展,把地壳的历史划分为 6 个地质年代单位,由大到小依次为宙、代、纪、世、期、时。其中,宙是地质年代中最大单位,大单位对小单位是包容关系。

在各个地质年代中,都有相应的地层形成。地层一般是指某一年代形成的一套成层岩石。因此,地层是有时间概念和空间关系的。将地层划分为不同的分层单位,称为地层单位。以形成地层时间为主要依据而划分的地层单位,称为年代地层单位。年代地层单位与地质年代单位相对应,从大到小依次为宇、界、系、统、阶、时间带 6 个等级。如表1-1所示,“宇”表示在“宙”这个时间单位内形成的地层,依次类推。

表1–1　　　　年代地层单位及地质年代单位的对应关系

年代地层单位	地质年代单位
宇	宙
界	代
系	纪
统	世
阶	期
时带(时间带)	时

(二)地质年代表

地质年代表是地壳发展历史的时间表。它是通过对地层生成顺序的研究编制而成的。如表1–2所示。

由表可知:地壳的发展历史分为隐生宙和显生宙两大阶段。然后根据地球上生物演变及大的地壳运动等阶段性特点,进一步划分为冥古代、太古代、元古代、古生代、中生代与新生代。每个代又分为若干个纪;纪内又分为若干个世。依照表1–2类推。

表 1-2　　地质年代表

年代地层单位、地质年代单位及其代号					同位素年龄值/Ma	地壳运动	生物演化		
宙(宇)	代(界)	纪(系)		世(统)			植物	动物	
显生宙(宇)Ph	新生代(界)Kz		第四纪(系)Q	全新世(统)Q_h		喜马拉雅运动阶段	被子植物繁盛	哺乳动物及鸟类繁盛 出现人类	无脊椎动物继续演化发展
				更新世(统)Q_p					
		第三纪(系)R	新第三纪(系)N	上新世(统)N_2	2				
				中新世(统)N_1					
			老第三纪(系)E	渐新世(统)E_3	22.5				
				始新世(统)E_2					
				古新世(统)E_1					
	中生代(界)Mz		白垩纪(系)K	晚白垩世(统)K_2	65	燕山运动阶段		爬行动物繁盛	
				早白垩世(统)K_1			裸子植物繁盛		
			侏罗纪(系)J	晚侏罗世(统)J_3	137				
				中侏罗世(统)J_2					
				早侏罗世(统)J_1					
			三叠纪(系)T	晚三叠世(统)T_3	195	印支运动阶段			
				中三叠世(统)T_2					
				早三叠世(统)T_1					
	古生代(界)Pz	晚古生代(界)	二叠纪(系)P	晚二叠世(统)P_2	230	海西运动阶段		两栖动物繁盛	
				早二叠世(统)P_1					
			石炭纪(系)C	晚石炭世(统)C_3	258				
				中石炭世(统)C_2			孢子植物繁盛		
				早石炭世(统)C_1					
			泥盆纪(系)D	晚泥盆世(统)D_3	350			鱼类繁盛	
				中泥盆世(统)D_2					
				早泥盆世(统)D_1					
		早古生代(界)	志留纪(系)S	晚志留世(统)S_3	400	加里东运动阶段		海生无脊椎动物繁盛	
				中志留世(统)S_2					
				早志留世(统)S_1			藻类及菌类植物繁盛		
			奥陶纪(系)O	晚奥陶世(统)O_3	440				
				中奥陶世(统)O_2					
				早奥陶世(统)O_1					
			寒武纪(系)$\in$	晚寒武世(统)$\in_3$	500				
				中寒武世(统)$\in_2$					
				早寒武世(统)$\in_1$	570				
隐生宙(宇)Cp	元古代(界)Pt	晚	震旦纪(系)Z	晚震旦世(统)Z_2					
				早震旦世(统)Z_1	800	晋宁运动			
					1000	吕梁运动			
		中			1900	五台运动			
		早			2500	阜平运动	生命开始出现		
	太古代(界)Ar				3800	地壳形成			
	冥古代(界)				4500	地球初始阶段的天文时期			
					4600	地球形成			

第二节 煤的形成、用途与分类

一、煤的形成

(一)成煤的原始物质

煤是一种沉降作用形成的可燃有机岩,是由地质历史时期的古植物遗体经过复杂的生物化学和物理化学作用转变而成的。即成煤的原始物质是植物。植物可分为高等植物和低等植物两大类。其中,低等植物的最大特点是没有根、茎、叶等器官的分化,如菌类、藻类,多数生长在水中;高等植物的最大特点是有根、茎、叶等器官的分化,主要包括苔藓植物、蕨类植物、裸子植物和被子植物,这些植物除苔藓外,常能形成高大的乔木,具有粗大的茎和根。无论是高等植物还是低等植物,它们都能转变成煤,但自然界大多数具有工业价值的煤层都是由高等植物转变而成的。我们把由低等植物转变成的煤叫腐泥煤;由高等植物转变成的煤叫腐植煤。

(二)煤的形成过程

植物从死亡及其遗体堆积到转变成煤的一系列演变过程,称为成煤作用。成煤作用大致分为泥炭化或腐泥化作用阶段和煤化作用阶段,如表1–3所示。

表1–3 成煤作用及各阶段产物

<table>
<tr><th colspan="4">地质作用</th><th colspan="2">原始物质及递变产物</th></tr>
<tr><td rowspan="3">成煤阶段</td><td>第一阶段</td><td colspan="2">泥炭化作用 或 腐泥化作用</td><td colspan="2">植物
高等植物 → 泥炭 →   低等植物 → 腐泥</td></tr>
<tr><td rowspan="2">第二阶段</td><td rowspan="2">煤化作用</td><td>成岩作用</td><td rowspan="2">褐煤
↓
烟煤
↓
无烟煤</td><td rowspan="2">↓
腐泥煤</td></tr>
<tr><td>变质作用</td></tr>
</table>

1.泥炭化或腐泥化作用阶段

生长在沼泽中的高等植物死亡后,其遗体首先堆积在沼泽水体的浅部,在喜氧细菌和氧的作用下,部分变为气体和液体,部分转为化学性质活泼的简单化合物。随着沼泽覆水程度的增加及植物遗体的不断堆积加厚,使得正在分解的植物遗体逐渐与空气中的氧隔绝,在厌氧菌的作用下,植物遗体中的分解产物之间以及分解产物与未分解的物质相互作用,形成新的化合物。这些物质与少量泥沙物质混合在一起,即形成了泥炭。这一过程称为泥炭化作用阶段。

低等植物和低等动物死亡后,经过沉降、氧化、还原、分解、化合作用形成了腐泥,这一过程称为腐泥化作用阶段。

2.煤化作用阶段

泥炭或腐泥形成后，由于地壳下降，泥炭或腐泥被泥沙等沉积物覆盖掩埋，在长期地热及上覆沉积物静压力的作用下，它们分别转变为腐植煤或腐泥煤的过程称为煤化作用。

煤化作用又可分为成岩作用和变质作用。

(1)成岩作用

泥炭形成后，由于地壳运动的影响，使其沉降到地壳较深处，在上覆泥沙等沉积物的压力作用下，泥炭逐渐被压紧、脱水、固结，趋于致密。同时，泥炭中有机质的分子结构和化学成分发生一定变化，其中碳含量增加，氢氧含量减少，腐植酸含量降低，使泥炭转变为褐煤。这一过程为成岩作用。

腐泥形成后，经成岩作用转变为腐泥煤。

(2)变质作用

褐煤形成后，当地壳继续下降，使其沉降到地壳更深处，在温度和压力的作用下，褐煤内部的分子结构、物理性质、化学性质等发生变化，碳含量进一步增加，氢氧含量继续减少，光泽增强，密度增大，挥发分逐渐减少，腐植酸完全消失，褐煤转变为烟煤、无烟煤。这一过程为变质作用。

腐泥煤形成后，经变质作用，使煤的变质程度不断提高，形成高变质的腐泥煤。

(三)成煤的必要条件

煤是由植物遗体转变而成的，但并不是有了植物就能形成煤，必须具备以下四个条件：

1.植物条件

植物遗体是成煤的原始物质，没有植物的生长繁殖，就不可能有煤的形成。因此，植物的大量繁殖是形成煤的基本条件。例如：我国最主要的三个聚煤期(石炭二叠纪、侏罗白垩纪和第三纪)，就分别是植物界的孢子植物、裸子植物和被子植物繁殖的极盛时代。

2.气候条件

气候直接影响植物的生长和分解。只有在温暖、潮湿的气候条件下，植物才能大量繁殖。植物死亡后，其遗体也只有在积水的沼泽等地带，才能被水淹没免遭完全氧化分解而逐渐堆积起来。因此，温暖、潮湿的气候是成煤的重要条件。

3.自然地理条件

形成分布面积较广的煤层，必须要有适宜于植物广泛分布和大量繁殖，且又能使植物遗体得以保存的自然地理环境。自然界中，只有沼泽具备这种条件。因此，形成煤就必须有适于发育大面积沼泽化的自然地理环境。

4.地壳运动条件

形成具有工业价值的煤层，需要有一定厚度的泥炭层。而泥炭层的堆积和保存，是与地壳的升降运动有关。首先，泥炭层的堆积，要求地壳不断缓慢地沉降，其沉降的速度最好与植物遗体堆积的速度大致平衡，这种平衡持续的时间越长，形成的泥炭层就越厚，否则就不能形成泥炭层或形成的泥炭层较薄。其次，泥炭层的保存也需要地壳不断沉降。此外，为使一个地区能形成较多的煤层，又要求地壳在总的沉降过程中发生多次小型升降或间歇性沉降。因此，形成煤要求地壳运动总的趋势是不断地缓慢沉降。

总之，在地壳发展的过程中，只要某个地区同时具备了上述四个条件，而且彼此之间配合得较好，持续的时间也较长，就能形成具有工业价值的煤层。如果彼此之间的配合只是短暂的，虽然也可能形成煤，但不可能形成具有工业价值的煤层。

二、煤系

煤系是指在一定的地质时期内，形成的一套含有煤层并具有成因联系的沉积岩系。

根据煤系形成时古地理环境的不同将煤系分为：近海型煤系和内陆型煤系两类。近海型煤系中存在有海相沉积的石灰岩及泥炭岩；内陆型煤系有陆相沉积层存在，含有大量的植物化石，在有火山活动地区的煤系中有火山岩及火山碎屑岩存在。

煤系命名有多种方式，最常采用的是按其形成的地质年代命名。例如，我国华北的石炭二叠纪煤系、山西大同的侏罗纪煤系、华南的晚二叠世煤系等。也有的是根据煤系发育良好，发现、研究较早的地区名称来命名。例如，华南的晚二叠世煤系在江苏龙潭、江西乐平等地发现与研究较早，故称为龙潭煤系或乐平煤系。因此，同一地质时代形成的煤系，在不同地区常有不同的地区名称。

三、煤的性质

不同的煤，其各种元素的含量和化学结构是不同的，这就造成了煤在化学性质和物理性质上的差异性，并使其在开采、加工和利用过程中表现出不同的工艺性质。

（一）煤的物理性质

煤的物理性质是指煤的颜色、条痕、光泽、硬度、脆度、视密度、裂隙及导电性等。

（二）煤的化学组成

煤是由有机物质和无机物质（包括矿物杂质、水分等）混合组成。有机物质是煤的主要成分，也是加工利用的对象，主要由碳、氢、氧三种元素组成。其含量占有机质的95%以上。

此外，还有少量的氮、硫、磷及其他金属元素等。各种元素的含量往往随煤化程度的增加而有规律地变化。

四、煤的工业分类

（一）常用的煤质指标

为了满足国民经济和工业生产对煤炭的需求，国家规定了煤炭的质量指标。常用的煤质指标如下：

1.水分（M）

煤含有水分，煤中水是非可燃成分，其含量的多少与煤的变质程度及外界条件有关。煤中的水分根据存在状态又分为内在水分（吸附或凝聚在煤内部毛细孔中的水分）和外在水分（在煤的开采、储运、洗选过程中存留在煤表面的水分）。内在水分和外在水分的总和称为全水分。煤中的水分是一种有害物质。储存时，水分过多则会加速煤的风化、破碎，甚至自燃；运输时，会增加运输负担和费用；燃烧时，会降低煤的发热量。因此，煤中水分越少越好。煤的全水分是煤炭产品的质量指标之一。

2.灰分(A)

灰分是指煤完全燃烧后所剩的残渣。灰分有内在灰分和外在灰分两种,内在灰分是指存在于成煤原始物质中的无机物,在洗选过程中很难选掉。外在灰分是指在采煤运输过程中混入煤中的顶底板岩石碎块,这种灰分通过洗选可以选掉。灰分增加将使煤的发热量降低,导致运输中的浪费并造成炼铁过程消耗增加、生产率下降。灰分过高的煤则可能成为没有开采价值的劣质岩石。因此,灰分是评价煤质的重要指标。

根据煤的灰分产率的高低,将煤分为6级(GB/T1522.4–94),如表1–4所示。

表1–4　　根据煤灰分产率的高低进行煤的分级

级别名称	代码	灰分Ad范围/%
特低灰煤	SLA	小于等于5.00
低灰分煤	LA	5.01~10.00
低中灰煤	LMA	10.01~20.00
中灰分煤	MA	20.01~30.00
中高分煤	MHA	30.01~40.00
高灰分煤	HA	40.01~50.00

国家规定:矿井生产的原煤灰分应小于40%;炼焦用煤的灰分最好不超过10%。

3.挥发分(V)

挥发分是指在隔绝空气条件下,将煤样置于900℃的温度下加热7min,分解出来的气态物质。主要是氮、氢、甲烷、二氧化碳、硫化氢及其他有机化合物。煤中挥发分含量随煤的变质程度增高而降低,如褐煤挥发分高达40%以上,而无烟煤则不到10%。挥发分是评价煤质的重要指标,它也是我国目前煤炭分类的主要指标之一,通过它大致可以判断煤的种类和工业用途。

4.胶质层厚度(Y)

胶质层厚度是指煤样在密闭的条件下加热到350℃,煤中有机质就开始分解软化,形成胶质体,继续加热到510℃,使其重新固结成焦炭为止。在这一过程中,所连续测得的胶质体最大厚度,称为胶质层厚度。胶质层厚度能反映煤的黏结性强弱,胶质层厚度越大,煤的黏结性越强;没有黏结性的煤,加热时不产生胶质体。

煤的胶质层厚度随着煤的变质程度增加有规律地变化。变质程度很高或很低的煤,胶质层厚度Y值很小或为零,即黏结性差或没有黏结性。胶质层厚度是评价煤炼焦性能的指标,也是我国目前煤炭分类的指标之一。

5.发热量(Q)

单位重量的煤完全燃烧后所产生的全部热量,称为煤的发热量。其单位为每千克兆焦(MJ/kg)。它对评价煤的燃烧价值有很重要的意义。

煤发热量的大小主要取决于煤中可燃元素(碳、氢)的含量,因而也与煤的变质程度有关。

一般来说，变质程度越高发热量越大。但是，由于烟煤向无烟煤过渡时，氢的含量下降很快，所以某些烟煤的发热量略高于无烟煤。

此外，煤发热量还受水分、灰分等因素的影响，灰分高、水分大时，发热量较低。

（二）煤的工业分类

我国煤炭资源丰富，煤种齐全。为了合理利用煤炭资源，我国制定了煤炭分类国家标准。中国煤炭分类国家标准（GB 5751-86），如表1-5所示。

按照新的煤炭分类国家标准，将我国煤炭分为14类。该标准的分类指标为：V_{daf}（干燥无灰基挥发分）、$G_{R.I.}$（烟煤的黏结性指数）、Y（烟煤的胶质层最大厚度）、b（烟煤的奥—阿膨胀度）、H_{daf}（干燥无灰基氢含量）、P_M（煤样的透光率）、Qgr，maf（煤的恒温无灰基高位发热量）。各类煤均用汉语拼音代号表示，即以煤类名称前两个汉字的拼音第一个字母表示，如无烟煤用WY表示。为了适合计算机的应用，该标准还采用数码编号表示煤种。数码编号的十位数表示挥发份的大小，数码越小，挥发分越少。数码编号的个位数对烟煤表示黏结性，数码越小，黏结性越差；对无烟煤和褐煤则表示煤化程度，数码越小，煤化程度越高。

表1-5　　**中国煤炭分类国家标准（GB 5751-86）**

类别		符号	数码	分类指标						
				V_{daf}/%	$G_{R.I.}$	Y/mm	b/%	P_M/%	H_{daf}/%	Qgr.maf/MJ·kg
无烟煤	一号 二号 三号	WY_1 WY_2 WY_3	01 02 03	≤3.5 >3.5~6.5 >6.5~10.0					≤2.0 >2.0~3.0 >3.0	
贫煤		PM	11	>10.0~20.0	≤5					
贫瘦煤		PS	12	>10.0~20.0	>5~20					
瘦煤		SM	13 14	>10.0~20.0 >10.0~20.0	>20~50 >50~65					
焦煤		JM	15 24 25	>10.0~20.0 >20.0~28.0 >20.0~28.0	>65 >50~65 >65	≤25 ≤25	(≤150) (≤150)			
1/3焦煤		1/3JM	35	>28.0~37.0	>65	≤25	(≤220)			
肥煤		FM	16 26 36	>10.0~20.0 >20.0~28.0 >28.0~37.0	(>85) (>85) (>85)	>25 >25 >25	(>150) (>150) (>220)			
气肥煤		QF	46	>37.0	(>85)	>25	(>220)			
气煤		QM	34 43 44 45	>28.0~37.0 >37.0 >37.0 >37.0	>50~65 >35~50 >50~65 >65	≤25	(≤220)			
1/2中黏煤		1/2ZN	23 33	>20.0~28.0 >28.0~37.0	>30~50 >30~50					
弱黏煤		RN	22 32	>20.0~28.0 >28.0~37.0	>5~30 >5~30					
不黏煤		BN	21 31	>20.0~28.0 >28.0~37.0	≤5 ≤5					
长焰煤		CY	41 42	>37.0 >37.0	≤5 >5~35			>50		
褐煤	一号 二号	HM_1 HM_2	51 52	>37.0 >37.0				≤30 >30~50		≤24

第三节 煤层的埋藏特征

由于成煤时期的条件和受地壳运动的影响不同，煤层的埋藏状况差别是很大的。煤层的埋藏特征包括：煤层的赋存条件、地质构造对煤层的影响、煤层顶底板岩石、含水性、含瓦斯性和煤的自燃等。煤层的埋藏特征与煤层的开采关系十分紧密。

一、煤层的赋存条件

煤层的赋存条件包括：煤层埋藏深度、层数、厚度、倾角、结构及其稳定性等。

（一）煤层赋存的形态

煤层赋存形态是指煤层赋存的空间几何形态。根据煤层在一定范围内连续成层的程度和开采情况，可将煤层赋存形态分为层状、似层状和不规则状三类，如图1-1所示。

层状煤层在一定范围内层位稳定、连续，厚度变化小，而且有一定规律；似层状煤层的层位比较稳定，不完全连续或大致连续，煤层厚度变化较大，无一定的规律性。其形态有藕节状、串珠状、瓜藤状等；不规则煤层层位不稳定，基本不连续，分叉、尖灭现象较普遍，煤层厚度变化大，无规律可循，煤层可采面积小于不可采面积，有鸡窝状、扁豆状或透镜体状等。

煤层形成不同的几何形态，主要取决于当时的沉积特点。如地壳沉降不均衡、泥炭沼泽基底起伏不平或分布不连续，以及地质构造作用的破坏、古河流的冲刷与海水冲蚀等，都能造成煤层厚度的变化，形成各种不规则形状的煤层。

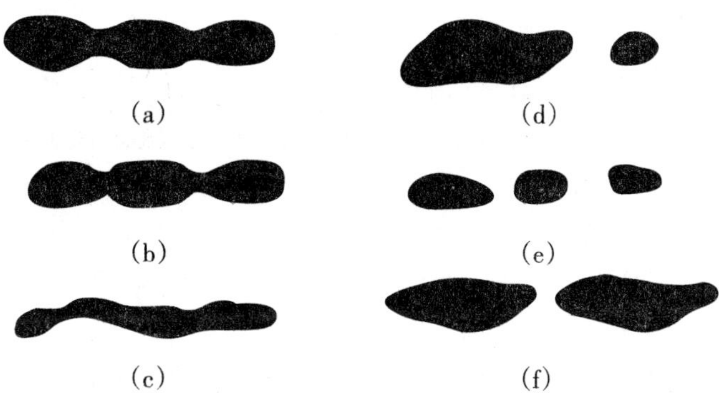

图1-1 煤层赋存形态（似层状、不规则状）示意图

(a)藕节状；(b)串珠状；(c)瓜藤状；(d) 鸡窝状；(e) 扁豆状；(f)透镜体状

（二）煤层的结构

煤层结构是指煤层中含岩石夹层（称夹石层、矸石层或夹矸）的情况。根据煤中有无夹石层存在，将煤层结构分为简单结构和复杂结构两种。

简单结构指煤层中不含夹石层或局部含有少量的矸石透镜体。简单结构煤层反映在当时煤层形成过程中，植物堆积是连续的。厚度较小的煤层往往简单结构，如图1-2所示。

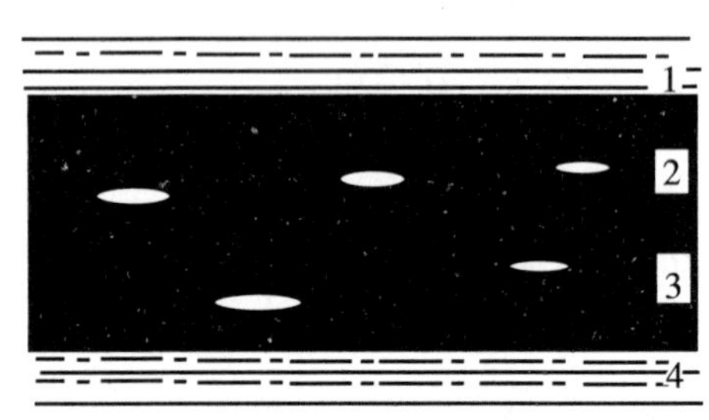

图1-2　简单结构煤层

1——顶板；2——矸石透镜体；3——煤层；4——底板

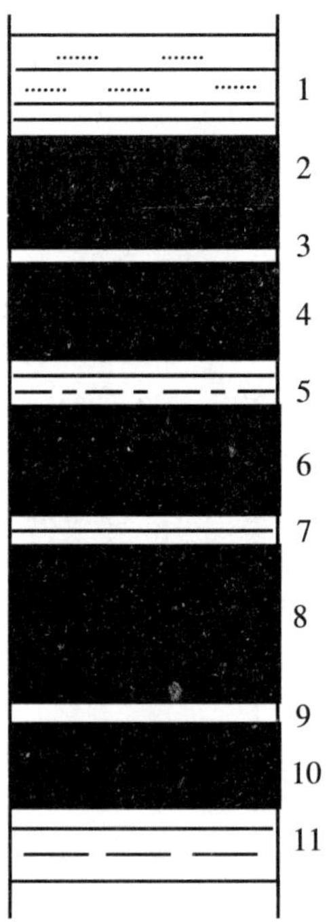

图1-3　复杂结构煤层

1——顶板；2、4、6、8、10——煤分层；

3、5、7、9——夹矸层；11——底板

复杂结构煤层中含有较稳定的夹石层，其夹石层数一般为1～2层，多时可达数层。复杂结构煤层反应当初成煤时，沼泽中植物遗体堆积曾发生过一次或多次间歇。通常厚煤层或巨厚煤层是复杂结构煤层，如图1-3所示。

煤层结构对矿井生产和原煤煤质有一定影响，如含矸石层数较多的煤层不利于使用机组开采；矸石层厚度超过一定限度需要分层开采；矸石层的存在增加原煤灰分、降低原煤质量等。

（三）煤层厚度

煤层厚度是指煤层顶底板之间的垂直距离。根据煤层结构，把厚度分为总厚度、有益厚度与可采厚度3种，如图1-4所示。

煤层总厚度是指煤层顶底板之间各煤分层和夹矸厚度的总和。有益厚度是指煤层总厚度中，除去矸石夹层厚度的各煤分层厚度的总和。可采厚度是指达到国家规定的最低可采厚度以上的煤层厚度或煤分层厚度之和。其中矸石夹层厚度和低于最低可采厚度的煤层不计。煤层最低可采厚度是指在目前开采技术条件下，可开采的煤层最小厚度。国家主管部门根据有关技术政策，依据煤种、煤层产状、开采方式和地区的不同，规定了煤层可采厚度的下限标准，如表1-6所示。

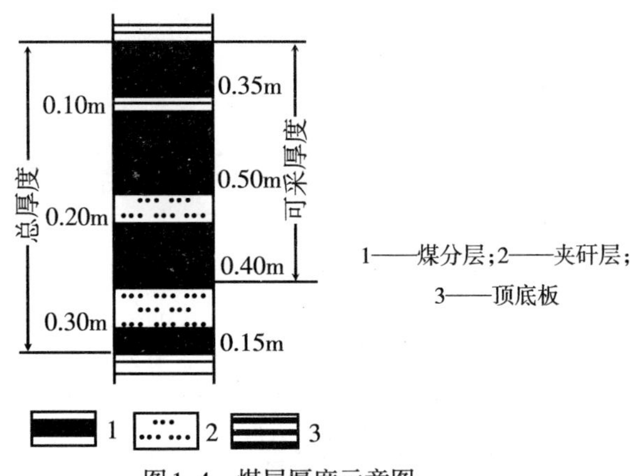

图1-4　煤层厚度示意图

煤层厚度相差很大,而厚度又是影响采煤方法选择的主要因素之一。因此,将煤层厚度分为4个级别,如表1-7所示。

表1-6　　　　煤层最低可采厚度

地区			一般地区			缺煤地区		
项目　　煤种			炼焦用煤	非炼焦用煤	褐煤	炼焦用煤	非炼焦用煤	褐煤
最低可采厚度/m	矿井开采	倾角<25°	0.7	0.8	1.0	0.6	0.7	0.8
		倾角25°~40°	0.6	0.7	0.9	0.5	0.6	0.7
		倾角>40°	0.5	0.6	0.8	0.4	0.5	0.6
	露天开采		1.0			0.5		

表1-7　　　　煤层厚度分级

级别	煤层厚度/m
薄煤层	<1.3
中厚煤层	1.3~3.5
厚煤层	3.5~8.0
特厚煤层	>8.0

二、煤层顶底板

煤层的顶底板是指含煤岩系中位于煤层上下一定距离内的岩层,如图1-5所示。

(一)顶板

直接覆盖于煤层上部一定距离内的岩层称为顶板。从采煤工作的角度,根据顶板岩层变形和垮落的难易程度,顶板可分为伪顶、直接顶及基本顶3种。

(1)伪顶。直接位于煤层之上,为一层极易垮落的薄层岩石,常随采随落。其厚度一般在几厘米到数十厘米。岩性多为炭质泥岩、泥岩或页岩等。

(2)直接顶。位于伪顶之上,有的则直接位于煤层之上,由较易垮落的一层或几层岩石组成,经常是煤采出后不久便自行垮落。厚度一般为数米,岩性常为砂岩、泥岩及石灰岩等。

(3)基本顶。一般位于直接顶之上,有时也直接位于煤层之上,为不易垮落的坚硬岩层,通常在煤采出后较长时间内不垮落,而是发生大面积的缓慢沉降。厚度较大,岩性多为砂岩、砾岩、石灰岩等。

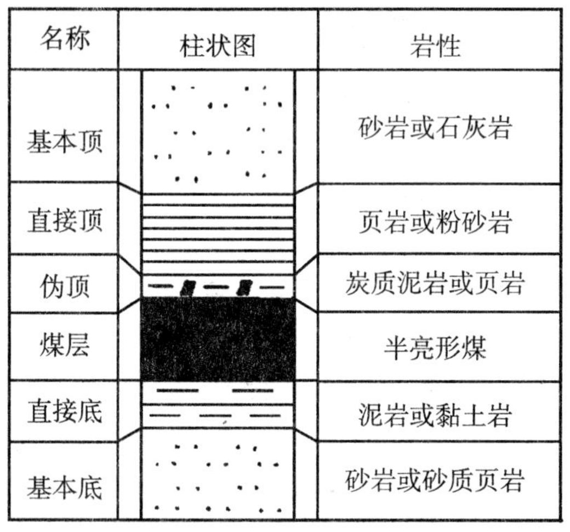

图1-5　煤层顶底板示意图

实际工作中,并不是所有煤层的顶板都可以分为伪顶、直接顶及基本顶,有的煤层没有伪顶,只有直接顶和基本顶;有的煤层甚至没有伪顶和直接顶,只有基本顶。要注意观察。

(二)底板

直接位于煤层下部一定距离内的岩层称为底板。底板可分为直接底和基本底两种。

(1)直接底。直接位于煤层之下,厚度数十厘米至数米,多为富含植物根化石的泥岩或黏土岩。有的直接底遇水膨胀,容易发生底鼓现象,致使巷道遭到破坏。

(2)基本底。通常位于直接底之下,厚度较大,岩性常为砂岩或粉砂岩。

三、地质构造对煤层的影响

在地壳运动的作用下,煤和岩层改变原始埋藏状态所产生的变形或变位的形迹称为地质构造。地质构造的形态多种多样,概括起来可分为单斜构造、褶皱构造、断裂构造。

(一)单斜构造

在一定的范围内,一系列岩层大致向一个方向倾斜,且倾斜角度变化不大,这种构造形态称为单斜构造。单斜构造仅局限于一定范围,在更大的区域内往往是其他构造形态的一部分,如褶曲的一翼,或断层的一盘,如图1-6所示。

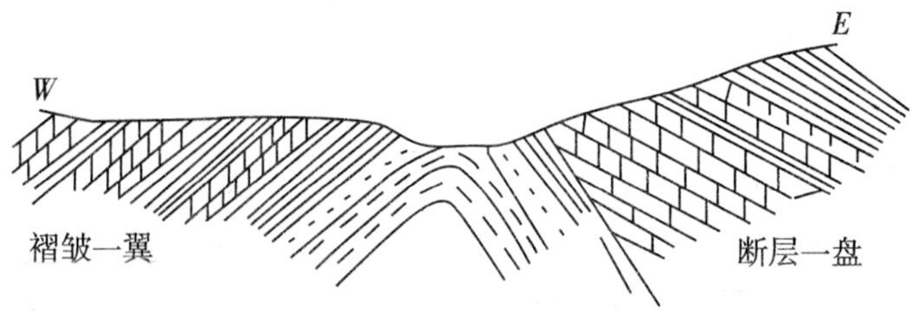

图1-6　构造形态基本类型

岩层的空间位置及特征通常用产状要素来描述。产状要素有走向、倾向和倾角,如图

1-7所示。

走向：煤层或岩层层面与水平面相交的线称为走向线。走向线两端延伸的方向称为走向。倾向：岩层层面上垂直于走向线，并沿层面倾斜向下的直线叫真倾斜线。真倾斜线在水平面上的投影线称为倾向线。倾向线指向岩层下斜的方向即为倾向。倾角：煤层或岩层层面与水平面之间的夹角（锐角）叫做煤或岩层的倾角。倾角变化在0°～90°之间。

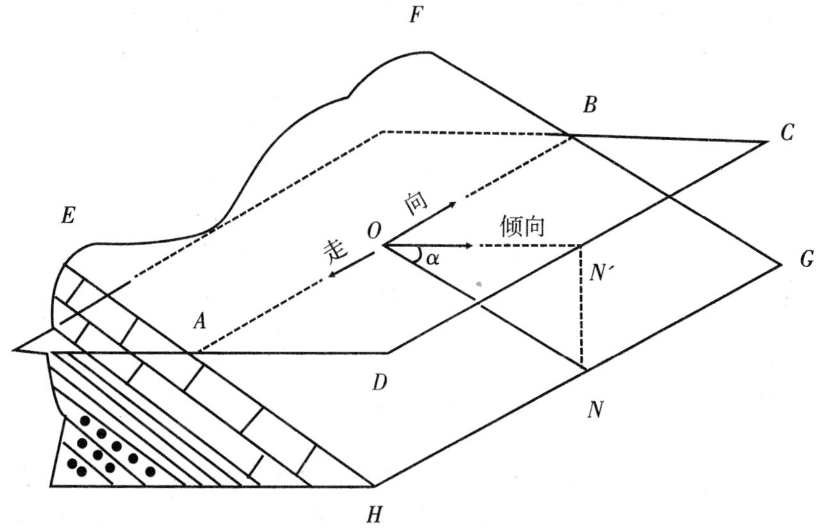

图1-7　岩层产状要素示意图

ABCD——水平面；EFGH——岩层层面；AOB——走向线；ON——倾斜线；ON′——倾向线；α——（真）倾角

（二）褶皱构造

在地壳运动的影响下，岩层受地应力作用发生塑性变形，形成的波状弯曲，这种构造形态叫褶皱。褶皱构造中岩层的一个弯曲，称为褶曲。如图-8所示。褶曲是褶皱构造的基本单位。褶曲的基本形态有向斜和背斜两种。岩石层面凸起（中间岩石老，两边岩石新）的褶曲称为背斜。岩层层面凹下（中间岩石新，两边岩石老）的褶曲称为向斜。从图1-8中可见，背斜和向斜彼此相连，背斜的一翼同时也是相邻向斜的一翼。

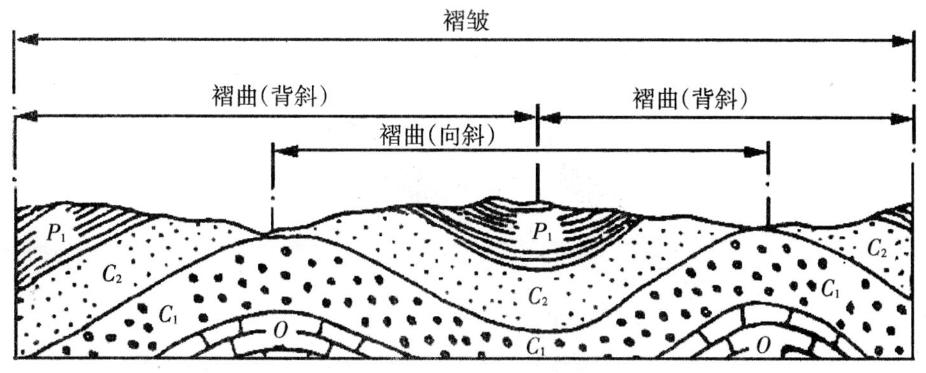

图1-8　褶皱和褶曲示意图

(三)断裂构造

岩层受力后产生变形,当应力达到或超过岩层的强度极限时,岩层连续完整性遭到破坏,在岩层一定部位和一定方向上产生破裂,即形成了断裂构造。断裂面两侧的岩层没有发生明显位移的叫裂隙或节理。当断裂面两侧的岩石产生了明显位移的断裂构造称为断层。

1.断层要素

断层各组成部分的名称叫断层要素,如图1-9所示。断层要素有断层面、断盘、断层线和断距。

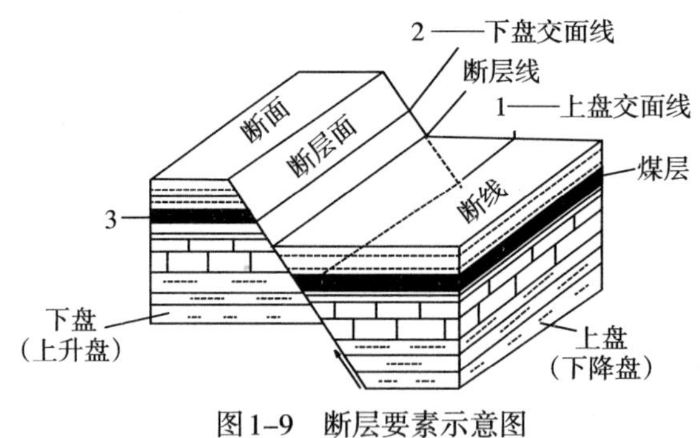

图1-9 断层要素示意图

(1)断层面。岩层发生断裂位移时,相对滑动的断裂面,称为断层面。断层面多数是波状起伏的曲面,少数是比较规则的平面。断层面的产状与倾斜岩层一样,可用产状要素——走向、倾向、倾角来确定。

(2)断盘。断层面两侧的岩体称为断盘。断层面如果是倾斜的,则断层面上方的断盘称为上盘,断层面下方的断盘称为下盘。

(3)断层线。断层面与地面的交线称为断层线。断层线有时呈直线,有时呈曲线,主要取决于断层面的形状及地形起伏形状情况。断层面与煤层面的交线称为断煤交线,断层面与上盘煤层面的交线,称为上盘断煤交线,与下盘煤层面的交线称为下盘断煤交线。

(4)断距 。断层两盘相对位移的距离,叫断距。断距可分为地层断距(断层两盘同一岩层面被错开的垂直距离)、垂直断距(断层两盘相对位移的铅直距离) 和水平断距(断层两盘相对位移的水平距离)。如图1-10所示。

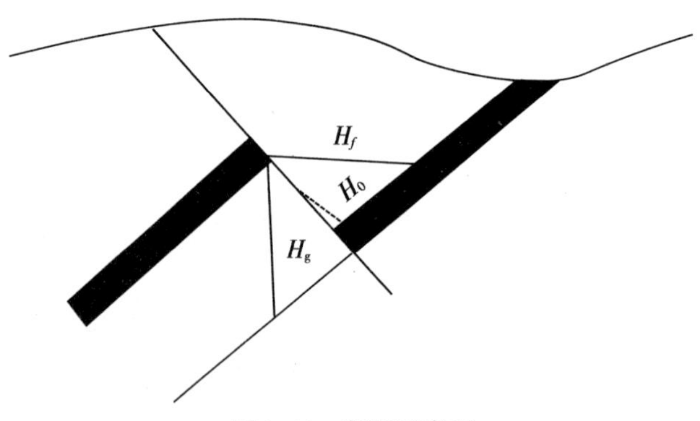

图1-10 断距示意图

H_0——地层断距;H_f——水平断距;H_g——垂直断距

2.断层分类

(1)根据断层两盘相对运动的方向分类：

①正断层。上盘相对下降，下盘相对上升。如图1–11(a)所示。

②逆断层。上盘相对上升，下盘相对下降。如图1–11(b)所示。

③平移断层。断层两盘沿水平方向相对移动。如图1–11(c)所示。

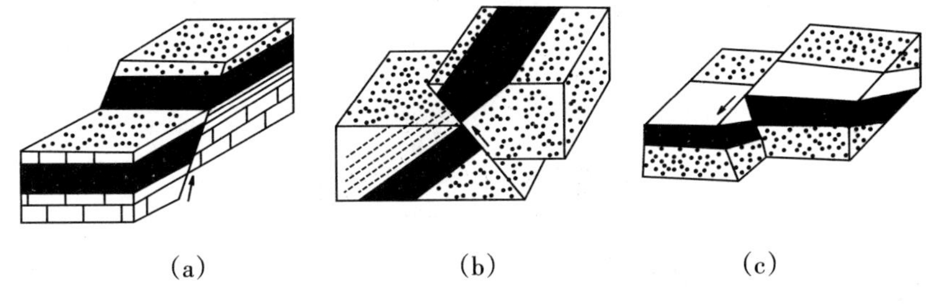

图1–11　断层位移分类示意图

(a)正断层；(b)逆断层；(c)平移断层

(2)根据断层面走向与岩层面走向的相对关系分类：

①走向断层。断层面走向与岩层走向方向一致或近于一致的断层。如图1–12(a)所示。

②倾向断层。断层面走向与岩层走向垂直或近于垂直的断层。如图1–12(b)所示。

③斜交断层。断层面走向与岩层走向斜交的断层。如图1–12(c)所示。

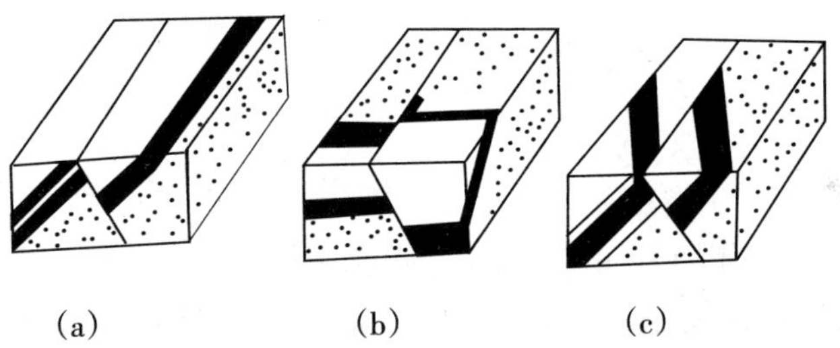

图1–12　断层几何关系分类示意图

(a)走向断层；(b)倾向断层；(c)斜交断层

正断层、逆断层是煤矿生产中最常见到的。在地质构造复杂的地带，断层经常以组合形式出现，成为阶梯状断层、地垒或地堑。如图1–13、图1–14所示。

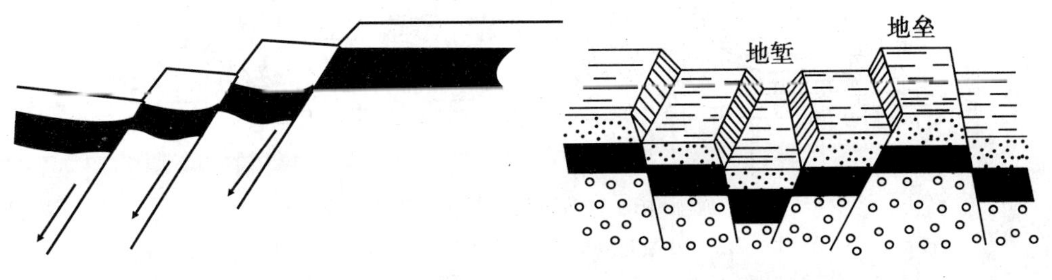

图1–13　阶梯状(叠瓦状)构造示意图

图1–14　地垒、地堑示意图

四、岩浆侵入体

由于岩浆作用，使岩浆侵入到含煤地层时，称为岩浆侵入体。主要有两种产状：一种是层状的岩床；另一种是脉状的岩墙。

地下岩浆沿煤层层面方向侵入的层状侵入体，称为岩床。它既可沿煤层的顶部或底板侵入，亦可顺煤层中间侵入或吞食整个煤层。如图1-15所示。

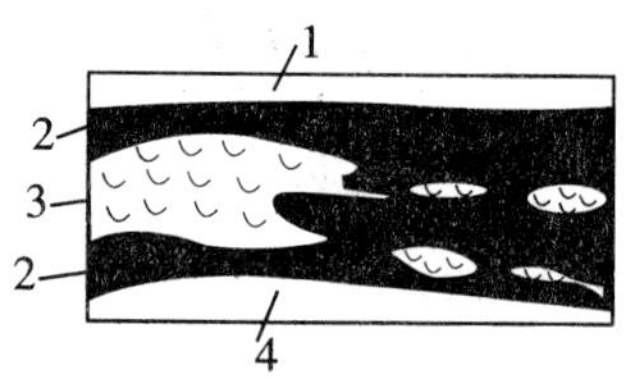

图1-15　岩浆岩侵入煤层—岩床示意图

1——顶板；2——煤层；3——岩浆岩；4——底板

地下岩浆沿断层或裂隙向上侵入到煤层地带，穿过煤层及其顶底板岩层，呈墙状形态的侵入体，称为岩墙。

岩浆侵入煤层，不仅对煤层煤质、煤层形态的完整性造成破坏，而且也给矿井生产带来影响。它使煤炭储量减少，缩短了矿井的服务年限；使煤质变差，煤的灰分增高，挥发分降低，黏结性遭到破坏，降低了煤的工业价值；破坏了煤层连续性，给采掘带来困难，增加了生产成本，降低了生产效益。

五、岩溶陷落柱

当煤系地层下部存在可溶性石灰石、白云岩等时，由于地下水的化学溶蚀作用，形成岩溶空洞，在上覆岩层重力作用下，引起溶洞上部煤系地层塌陷，形成不规则的环形柱状体，称为岩溶陷落柱。如图1-16所示。我国华北地区石炭二叠纪煤系的基底是奥陶纪石灰岩，古溶洞非常发育，因而在阳泉、西山、峰峰等矿区都发现有陷落柱，导致采掘工程量增加，采煤工作面不能连续推进，煤炭损失增加等。

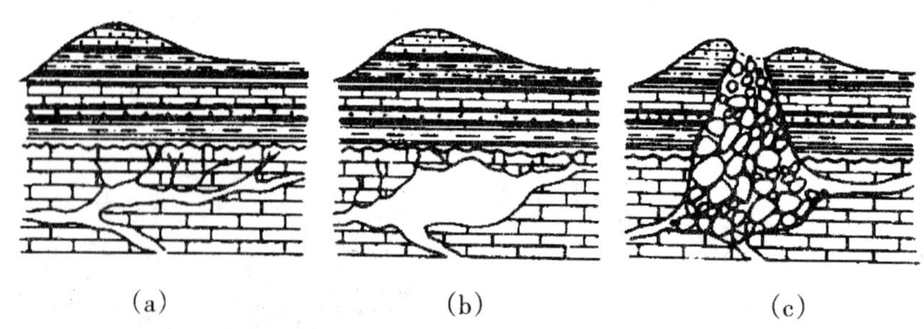

图1-16　岩溶陷落柱形成过程示意图

(a)石灰岩中发育溶洞；(b)溶洞不断扩大；(c)陷落柱形成

第四节 煤田地质勘探及储量

一、煤田地质勘探

在开发煤炭资源前，必须了解煤层埋藏的具体情况，为开采设计、矿井建设及生产提供依据。通过各种手段寻找煤层，了解煤层赋存状态及其开采条件等就是煤田地质勘探的工作。

煤田地质勘探是应用各种地质勘探技术手段，为矿井设计、建设和生产提供可靠的地质资料。煤田地质勘探的任务主要是查明煤系地层构造、煤层赋存状况、煤炭储量，以及煤质和水文地质条件、开采技术条件等。

二、煤炭储量

根据中华人民共和国国土资源部颁布，2003年3月1日起实行的地质矿产行业标准DZ/T 0215-2002《煤、泥炭地质勘查规范》，对煤炭资源/储量分类及类型条件、储量估算等作了新的划分和规定。依照该规范，煤炭储量按可行性评价阶段分为概略研究、预可行性研究和可行性研究储量；从经济意义上分为经济的、边际经济的、次边际经济的、内蕴经济的和经济意义未定的基础储量；从地质可靠程度上分为探明的、控制的、推断的、预测的储量。如表1-9所示。

（一）探明的煤炭储量分类

（1）可采储量（111）：探明的经济基础储量的可采部分。勘查工作程度已达到勘探阶段的工作程度要求，并进行了可行性研究，证实其在计算当时开采是经济的，计算的可采储量及可行性评价结果可信程度高。

（2）探明的（可研）经济基础储量（111b）：同（111）的差别在于本类型是用未扣除设计、采矿损失的数量表述。

（3）预可采储量（121）：同（111）的差别在于本类型只进行了预可行性研究，估算的可采储量可信度高，可行性评价结果的可信度一般。

（4）探明的（预可研）经济基础储量（121b）：同（121）的差别在于本类型是用未扣除设计、采矿损失的数量表述。

（5）探明的（可研）边际经济基础储量（2M11）：勘查工作程度已达到勘探阶段的工作程度要求。可行性研究表明，在确定当时开采是不经济的，但接近盈亏边界，只有当技术、经济等条件改善后才可变成经济的。估算的基础储量和可行性评价结果的可信度高。

（6）探明的（预可研）边际经济基础储量（2M21）：同（2M11）的差别在于本类型只进行了预可行性研究，估算的基础储量可信度高，可行性评价结果的可信度一般。

（7）探明的（可研）次边际经济资源量（2S21）：勘查工作程度已达到勘探阶段的工作程度要求。可行性研究表明，在确定当时开采是不经济的，必须大幅度提高矿产品价格或大幅度降低成本后，才能变成经济的。估算的资源量和可行性评价结果的可信度高。

(8)探明的(预可研)次边际经济基础储量(2S21)：同(2S11)的差别在于本类型只进行了预可行性研究，资源量估算可信度高，可行性评价结果的可信度一般。

(9)探明的内蕴经济资源量(331)：勘查工作程度已达到勘探阶段的工作程度要求，但未做可行性研究或预可行性研究，仅做了概略研究。经济意义介于经济的至次边际经济的范围内，估算资源量可信度高，可行性评价可信度低。

(二)控制的煤炭储量分类

(1)预可采储量(122)：勘查工作程度已达到详查阶段的工作程度要求，预可行性研究结果表明开采是经济的，估算的可采储量可信度较高，可行性评价结果的可信度一般。

(2)控制的经济基础储量(122b)：同(122)的差别在于本类型是用未扣除设计、采矿损失的数量表述的。

(3)控制的边际经济基础储量(2M22)：勘查工作程度达到了详查阶段的工作程度要求，预可行性研究结果表明，在确定当时开采是不经济的，但接近盈亏边界，待将来技术经济条件改善后可变成经济的。估算的基础储量可信度较高，可行性评价结果的可信度一般。

(4)控制的次边际经济资源量(2S22)：勘查工作程度达到了详查阶段的工作程度要求，预可行性研究结果表明，在确定当时开采是不经济的，需大幅度提高矿产品价格或大幅度降低成本后，才能变成经济的。估算的资源量可信度较高，可行性评价结果的可信度一般。

(5)控制的内蕴经济资源量(332)：勘查工作程度达到了详查阶段的工作程度要求。未做可行性研究或预可行性研究，仅做了概略研究，经济意义介于经济的至次边际经济的范围内，估算资源量可信度高，可行性评价可信度低。

(三)推断的煤炭储量分类

推断的内蕴经济资源量(333)：勘查工作程度达到了普查阶段的工作程度。未做可行性研究或预可行性研究，仅做了概略研究，经济意义介于经济的至次边际经济的范围内，估算资源量可信度低，可行性评价可信度低。

(四)预测的资源量(334)?

勘查工作程度达到了预查阶段的工作程度要求。在相应的勘察工程控制范围内，对煤层层位、煤层厚度、煤类、煤质、煤层产状、构造等均有了解后，所估算的资源量。预测的资源量属于潜在煤炭资源，有无经济意义尚不确定。

第二部分　专业核心知识点

1. 地壳、矿物、岩石；了解地史及地层的概念；
2. 煤的形成、用途及煤的分类；
3. 煤层的埋藏状况及常见的地质构造对生产的影响；
4. 煤层的性质及其埋藏特征；
5. 各种地质构造对煤层的影响。

第三部分　专业技能训练

复习题

1.地壳结构有什么特征？组成地壳的岩石有哪几类？
2.简述地质作用的概念及其分类。
3.国际通用的地质年代单位和地层单位有哪些？有何对应关系？
4.简述煤的形成过程和成煤的必要条件。
5.我国地史上有哪几个重要聚煤期？
6.煤的工业指标有哪些？我国煤的工业分类所依据的指标是哪些？
7.煤层的厚度有哪些？什么是煤层的最低可采厚度？
8.影响煤层的地质构造有哪些？断层有哪些分类？
9.煤田地质勘探的阶段及其各阶段的任务有哪些？
10.煤炭储量是如何分类的？

讨论题

1.你知道本矿井的煤是在哪个聚煤期形成的？变质程度如何？属于什么煤种？可采储量多少？服务年限多少？

2.本矿的可采煤层有几层？分别是哪几层？

3.本矿哪些地质构造,对开采有哪些影响？

第二章　矿　图

第一部分　系统理论知识

第一节　矿图基本知识

一、概述

（一）矿图的概念

在矿井设计、施工和生产管理等工作中，需要绘制和应用一系列图纸。人们把为煤炭开发、生产服务的地质测量图、设计工程图、生产管理图统称为矿图。矿图是煤矿企业非常重要的技术资料，是设计、施工和生产的主要技术依据。

（二）矿图的分类

一个生产矿井必须具备的图纸一般可分为三大类：地质测量图、设计工程图和生产管理图。

1.地质测量图

地质测量图分为地质图和测量图。

（1）地质图

根据地质勘查资料和井下地质编录资料经分析推断而绘制的主要反映煤层产状、地质构造、水文地质及资源/储量计算等内容的图纸，称为地质图。

地质图是地质勘探的主要成果，是矿井设计、建设和生产的主要依据。

常用的地质图有：井田地形地质图、井田煤层底板等高线图、各种地质剖面图、各种柱状图、煤岩层对比图、井田水文地质图和资源/储量计算图等。

（2）测量图

根据地面和井下实际测量的资料绘制而成的图纸，称为测量图。由于矿井采掘情况不断变化，因而测量图是随着矿井的开拓、掘进和回采等工作逐步测量并填绘的。

测量图主要反映矿井地面的地物、地貌情况；井下各种巷道和硐室的空间位置；煤层产状和各种地质构造；井下采掘情况以及井上下相互位置关系等情况。

常用的测量图有：井田区域地形图、工业场地平面图、采掘工程平面图、水平主要巷道平面图、采掘工程立面图、井上下对照图和主要保护煤柱图等。

2.设计工程图

由设计部门设计并绘制的一系列图纸，称为设计工程图。

煤矿设计包括矿井新井建设设计、矿井改扩建设计、矿井水平延深设计、采区设计和单项工程设计等。每种类型的设计都必须按其不同设计阶段的要求绘制一系列图纸用以说明设计方案和设计内容。

3.生产管理图

在矿井生产管理过程中，用于指导日常生产工作的主要图纸称为生产管理图，如采掘工程平面图、采掘计划图和各类安全、生产系统图等。

（三）矿图的用途

正确地进行矿井设计，科学地管理和指挥生产，合理地安排生产计划，及时地制定灾害预防措施和处理方案等工作，都离不开矿图。矿图是煤矿建设和生产的工程技术语言，一个煤矿技术人员，只有掌握矿图的基本知识，才能够正确识读、应用和绘制矿图。

二、点的坐标及高程

地面上各种地形、地物，井下各种构造、煤层产状、各种巷道和硐室等的几何形状和位置，可由一些特征点来确定。即测绘矿图和设计矿图是从点开始的，其步骤是：

首先，找出被测对象的特征点，如建筑物的拐角点、道路的交叉点、地表坡度的变化点、井下巷道中心线的转折点及交叉点等；其次，确定点的位置，并将其绘制在图纸上；最后，再把有关特征点连接起来，就可绘出所需的图形。

确定特征点的位置，是指确定它的平面位置和高低位置。点的平面位置一般用坐标表示，点的高低位置一般用高程来表示。坐标系统有地理坐标系、平面直角坐标系和假定平面直角坐标系。

（一）地理坐标系

在大范围内测绘图时，点的位置通常是用经度和纬度来表示的，某点的经度、纬度，称为该点的地理坐标。

（二）平面直角坐标系

在较小范围内，用地理坐标表示地面点的位置很不方便，通常采用平面直角坐标来表示地面点的相对位置。

1.平面直角坐标表示点位的方法

平面直角坐标系统，由两条相互垂直的直线组成。如图2-1所示。

直线xx称为纵坐标轴，通常与某子午线的方向一致，直线yy称为横坐标，与赤道方向一致。纵横坐标的交点O，称为坐标原点。坐标将平面分为4个部分，称为象限。顺时针排列，分别为Ⅰ、Ⅱ、Ⅲ、Ⅳ象限。坐标数值由坐标原点算起，向上（北）、向右（东）为正数，向下（南）、向左（西）为负数。地面上任一点A的位置，是由该点到纵横坐标的垂直距离A_{a1}和A_{a2}来表示。A_{a1}称为A点的纵坐标，亦称X坐标，以X_A表示；A_{a2}称为A点的横坐标，亦称Y坐标，以Y_A表示。

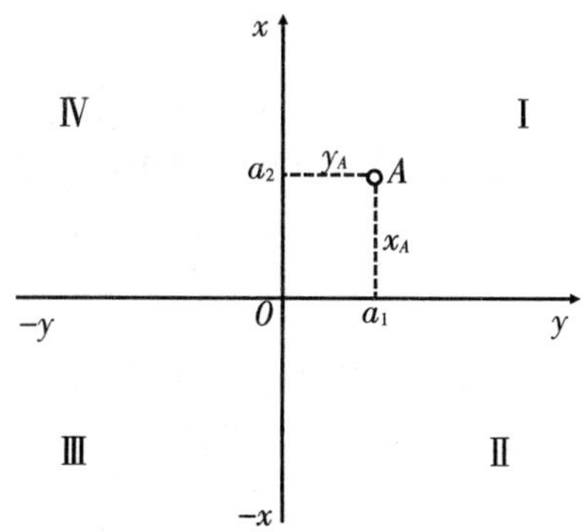

图2–1 平面直角坐标表示点位

2.平面直角坐标系的建立

我国现在采用统一的平面直角坐标系统，如图2–2所示，从首子午线（格林尼治子午线）开始，依次向东每隔6°划分为一个带，整个地球划分为60个6°投影带，用阿拉伯数字1~60表示它的序号，又称高斯投影法。我国地跨11个6°投影带，中央子午线自东经75°至东经135°止。

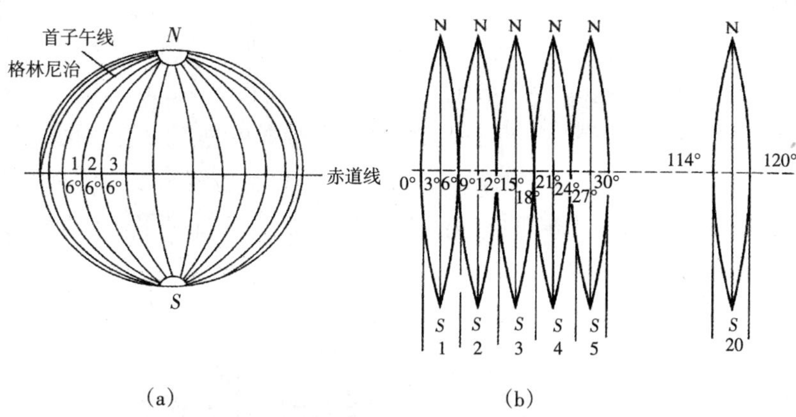

图2–2 高斯投影分带法示意图

采用分带投影后，每一个带就是一个平面直角坐标。以中央子午线作为平面直角坐标系的x轴（纵轴），以赤道为y轴（横轴），这样在每个投影带内便构成了一个独立的平面直角坐标系，如图2–3所示。

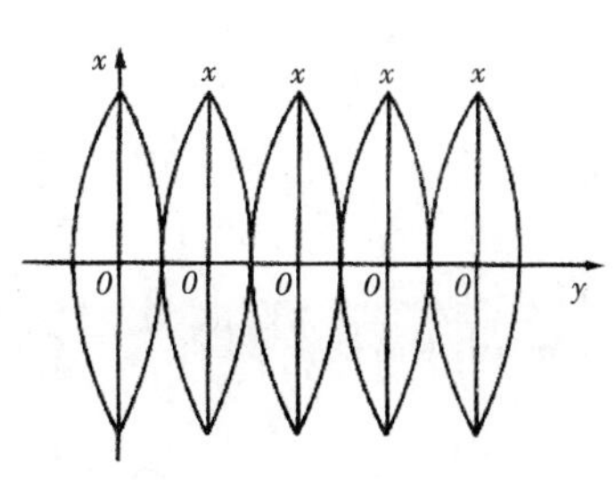

图2–3 投影带纵横轴

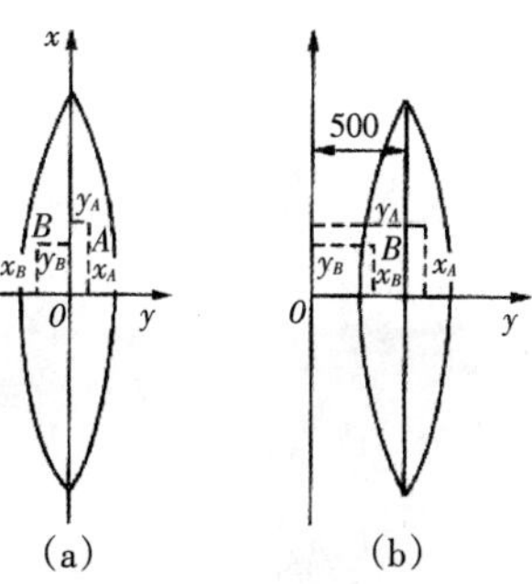

图2–4 平面直角坐标系

纵坐标从赤道算起，向北为正值，向南为负值。由于我国位于北半球，所以纵坐标均为正值。横坐标自中央子午线算起，向东为正值，向西为负值。如图2-4(a)所示，Y_A为正值，Y_B为负值。为了避免横坐标出现负值，习惯上将纵坐标轴向西移动500km，这样位于中央子午线以东的各点，其横坐标数值都大于500km，位于中央子午线以西各点其数值都小于500km，但都是正值，如图2-4(b)所示。

另外，为区别不同投影带内的横坐标值，还应在横坐标值前加注投影带的编号。

在图纸上画出与坐标轴相平行的正方形网线，称为坐标网格。方格线之间的距离均为10cm。根据图纸比例尺不同，方格网所表示的距离也不同。例如，矿图的比例尺为1∶1000时，每格表示100 m；矿图的比例尺为1∶5000时，则每格表示500 m。

(三)假定平面直角坐标系

测绘范围很小且附近没有国家控制点的矿区，可以自设假定平面直角坐标系来测绘矿区内各点的相对位置。为了避免坐标出现负值，将坐标原点设置在测区的西南角，以该地区的子午线为x轴，向北为正值；自坐标原点垂直x轴作直线，即为y轴，这样就构成了这个矿区的假定平面直角坐标系。

(四)高程

空间任一点至水准面的垂直距离称为该点的高程。由于选取的水准面不同，高程又分为绝对高程和相对高程两种。如图2-5所示。

绝对高程又称海拔或标高，是空间一点至大地水准面的垂直距离。我国大地水准面是以黄海平均海平面作为起算面。相对高程是空间任一点至假定水准面的垂直距离，任意点的高程以假定水准面为准，高于水准面的标高为正，低于水准面的标高为负。两点间的高程差称为高差，以绝对值表示。

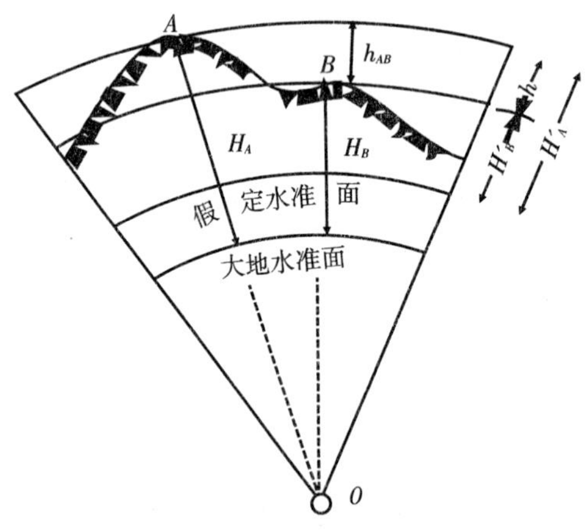

图2-5　高程计算示意图

H_A、H_B——绝对高程；H'_A、H'_B——相对高程

三、直线的方位角和象限角

(一)直线的方位角

直线定向:确定直线与标准方向线之间的角度的工作,称为直线定向。

标准指北方向有三种:坐标纵轴方向,真子午线方向,磁子午线方向。

子午线收敛角:坐标纵线和真子午线方向之间的夹角称为子午线收敛角,用γ表示。坐标纵线偏在真子午线以东,γ取正值;坐标纵线偏在真子午线以西,γ取负值。

磁偏角:磁北方向偏离真北方向的角度,称为磁偏角,用δ表示。磁北方向偏向真北方向以东,δ取正值;磁北方向偏向真北方向以西,δ取负值。

方位角:是某直线与标准指北方向间的水平夹角。方位角分坐标方位角、真方位角和磁方位角。

坐标方位角,在平面直角坐标系统中,从坐标纵线的指北方向起,顺时针量至某直线的水平角度,称为该直线的坐标方位角,简称方位角。

方位角有正负之分,直线前进方向的方位角称为正方位角,其相反方向的方位角称为反方位角。同一直线的正反方位角相差180°。即:

$$\alpha_{正} = \alpha_{反} \pm 180° \tag{2-1}$$

几种方位角的关系:

标准方向的选择不同,同一直线的方位角数值也不同。若标准方向为坐标纵轴的指北方向,则直线的方位角称为坐标方位角,用$\alpha_{坐}$表示;标准方向为真子午线方向,则直线的方位角称为真方位角,用$\alpha_{真}$表示;标准方向为磁子午线方向,则直线的方位角称为磁方位角,用$\alpha_{磁}$表示。

$$\alpha_{真} = \alpha_{坐} + \gamma \tag{2-2}$$

$$\alpha_{真} = \alpha_{磁} + \delta \tag{2-3}$$

$$\alpha_{坐} = \alpha_{磁} + \delta - \gamma \tag{2-4}$$

(二)直线的象限角

直线的象限角是指由坐标纵线的北端或南端,顺时针或逆时针计算到该直线的水平锐角。用象限角定向时,以南北方向为主,以东西方向为辅,说明象限的名称和角度。

方位角和象限角的换算,绘出简图即可很方便的换算。

例:某直线AB的方位角为120°30′,求该直线的象限角。

$$R_{AB} = 180° - \alpha_{AB}$$

$$= 180° - 120°30' = 59°30'$$

即AB直线的象限角为南东59°30′。

第二节 矿图制图基本知识

一、图幅种类及格式

(一) 图纸幅面尺寸:GB/T14689－93技术制图图纸幅面和格式规定

(1)优先采用基本幅面,如表2-1中的规定。

表2-1 图纸基本幅面尺寸 mm

幅面代号	尺寸B×L
A0	841×1189
A1	594×841
A2	420×594
A3	297×420
A4	210×297

表2-2 图纸加长幅面尺寸 mm

幅面代号	尺寸B×L
A3×3	420×891
A3×4	420×1189
A4×3	297×630
A4×4	297×841
A4×5	297×1051

(2)必要时,也可按规定加长幅面,按表2-2和表2-3中的规定加长。即幅面的尺寸是由基本幅面的短边乘整数倍后得出,如图2-6所示。

表2-3 图纸加长幅面尺寸 mm

幅面代号	尺寸B×L	幅面代号	尺寸B×L
A0×2	1189×1682	A3×5	420×1486
A0×3	1189×2523	A3×6	420×1783
A1×3	841×1783	A3×7	420×2080
A1×4	841×2378	A4×6	297×1261
A2×3	594×1261	A4×7	297×1471
A2×4	594×1682	A4×8	297×1682
A2×5	594×2102	A4×9	297×1892

(二)图框格式:GB/T14689－93技术制图图纸幅面和格式规定

(1)图框用粗实线,其格式有不留装订边和留有装订边两种。

(2)不留装订边的图纸,其图框格式:如图2-7、图2-8所示。尺寸按表2-4中的规定。

(3)留装订边的图纸,其图框格式:如图2-9、图2-10所示。尺寸按表2-4中的规定。

(4)加长幅面的图框尺寸,按所选用的基本幅面大一号的图框尺寸确定。

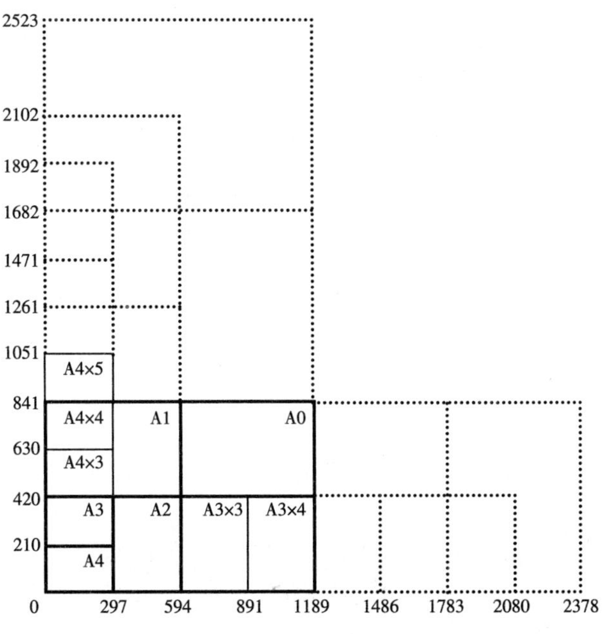

图2–6　图纸幅面

表2–4

图框尺寸

幅面代号	A0	A1	A2	A3	A4
B × L	841 × 1189	594 × 841	420 × 594	297 × 420	210 × 297
e	20		10		
c	10			5	
a	25				

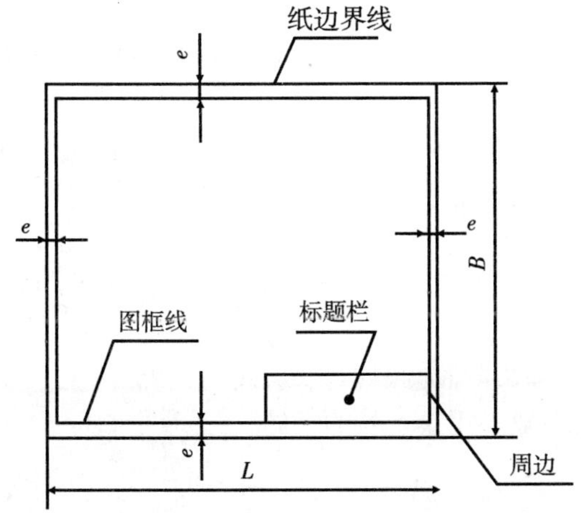

图2–7　不留装订边图框格式一

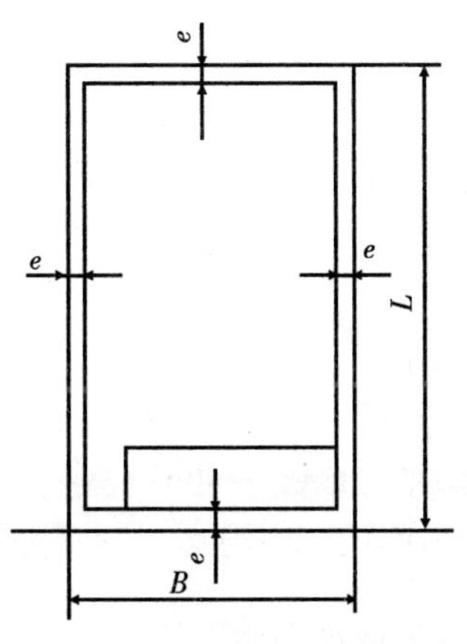

图2–8　不留装订边图框格式二

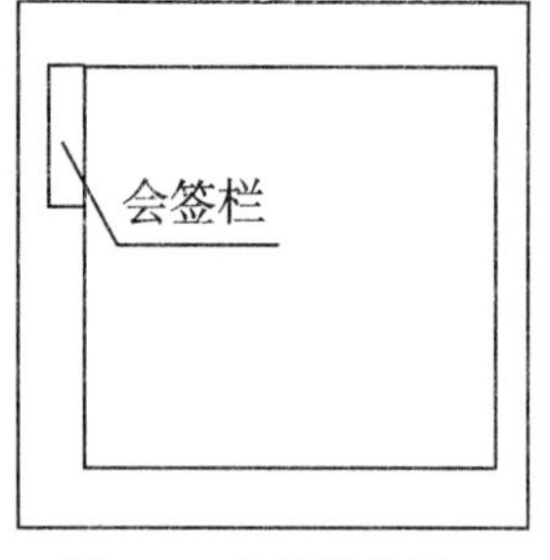

图2-9　会签栏位置

图2-10　会签栏格式

二、比例、字符及字母

(一)比例

比例即图纸上线段长度与实际相应线段水平长度之比,也即图形与实物相对应要素的线性尺寸之比。

常用比例:1∶50,1∶100,1∶1000,1∶2000,1∶5000,1∶10 000等。

比例的精度:我们把图上0.1mm所代表的实际长度,称为比例的精度。

绘制矿图时要遵循下列比例规定:

(1)要求同一幅图中,各个视图应采用相同的比例。当各视图需采用不同比例时,应在图名标注线下居中位置标注,特殊情况也可在右侧标注比例,每套图应采用一种方法标注。

(2)比例的选用要根据图纸内图形的复杂程度确定。

(3)同一视图中图样的纵、横比相差过大,纵向和横向可采用不同比例绘制,在视图名称下方或右侧标注比例。

(4)说明书中的插图或按比例绘制有困难的图样,可不按比例绘制,但要注明"XXX示意图"的字样。

(二)字符及字母

矿图中使用的字符及字母应符合以下规定:

(1)图样和技术文件中书写的汉字、数字及字母等必须做到:字体工整、笔画清楚、排列整齐、间隔均匀。

(2)汉字应写成长仿宋体,字体的宽度约为字体高度的2/3,并应采用国家正式公布推行的简化字。

(3)字体的号数即为字体的高度(单位为mm)。字体号数共分为八种:20、14、10、7、5、3.5、2.5、1.8,其中汉字高度不应小于3.5mm,如需要书写更大的字,其字体高度应按比率递增。

(4)字母和数字分A型和B型。A型字体的笔画宽度(d)为字高(h)的1/14,B型字体的笔画宽度(d)为字高(h)的1/10。

(5)字母或数字可写成斜体或直体。斜体字字头向右倾斜,与水平线约成75°角。

(6)用作指数、分数、注脚等的数字及字母,一般采用小一号的字体。

三、图线及画法

(一)图线

(1)各种图线的名称、型式、代号宽度以及在图上的应用要符合规定。

(2)图线的宽度，分为粗细两种，粗线的宽度b应按图的大小和复杂程度，在0.7～2mm之间选择，细线的宽度约为b/3。

(3)图线宽度的推荐系列为：0.25mm，0.35mm，0.5mm，0.7mm，1mm，1.4mm，2mm。

(二)图线的画法

(1)同一幅图纸中，各图样比例相同时，同类图线的宽度应保持一致。虚线、点划线及双点划线的线段长度和间隔应各自大致相等。

(2)波浪线一般可用徒手绘制，其他各种线条一律用仪器绘制 。

(3)虚线和虚线或者点划线和点划线应交于线段中间，两端应以短线收尾，并应超出物体轮廓界限之外4~5mm。

(4)直径小于12mm的图，其中心线可画成实线。

(5)虚线成为实线的连接线时，应留出一段空隙，但两者成某一角度相交时，结合处不应留出空隙。

四、尺寸标注、标题栏

(一)尺寸标注基本规则

(1)图中所注尺寸数值必须与图纸比例相符。

(2)图纸上的尺寸数字，规定以mm或m为单位，无须写明单位。

(3)每个尺寸一般在图纸上标注一次，特殊情况可重复标注。

尺寸数字、尺寸线和尺寸界限的标注均按规定标注。

(二)标题栏

(1)标题栏的位置：

①每张图纸上都必须画出标题栏，应位于图纸的右下角。

②看图的方向与看标题栏的方向一致。

(2)标题栏的格式如图2-11所示。

(3)会签栏的位置如图2-12所示，会签栏的格式如图2-13所示。

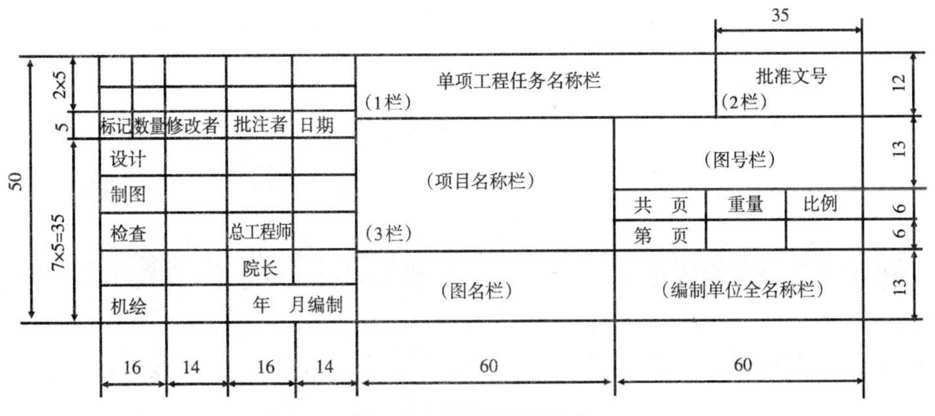

图2-11　标题栏的格式

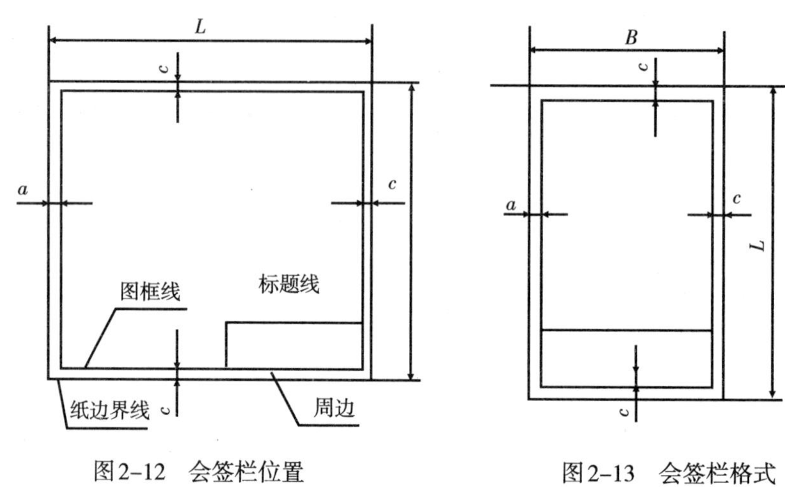

图2-12　会签栏位置　　　图2-13　会签栏格式

第三节　标高投影

一、概述

标高投影是以大地水准面(或假定水准面)作为投影面,将空间物体上各特征点垂直投影于该平面上,以确定各点的平面位置,然后将物体各特征点的高程注于各投影点的旁边,用以说明各点高于或低于大地水准面(或假定水准面)的数值。

特点:标高投影是正投影,矿图就是利用标高投影的方法来绘制的。

物体的外形轮廓由点、线、面构成。

标高投影具有作图简单、便于度量、直观性强等优点。

由于井下巷道纵横交错、非常复杂,必须对这些巷道进行准确的测绘,然后作出巷道的标高投影图。图2-14为巷道投影的示意图,图2-15为相应的巷道标高投影平面图。从投影图的上部可以看出,有两条水平巷道和两条倾斜上山。从图的下部只能看出有4条相互连通的巷道,究竟哪条是水平的,哪条是倾斜的,就辨别不出来,假如将各点的高程标注上,则可一目了然,特别是看图比较熟练以后,见到图纸,就能想象出所绘巷道的空间位置。

二、点和直线的标高投影

空间一点的标高投影,是由点在零水平面上的投影和高程决定的。在平面直角坐标系中,由点的坐标x和y定出点的平面位置,在旁边注上高程,这就是点的标高投影。测绘地形图时,测图控制点、碎部点等,都是点的标高投影的例子。

直线的标高投影通常用直线上两点的标高投影来表示。在地质、采矿中,钻孔中心线和巷道底板中心线,都可以看作空间直线。

空间两直线的相互位置有3种情况:两直线平行;两直线相交;两直线交错。

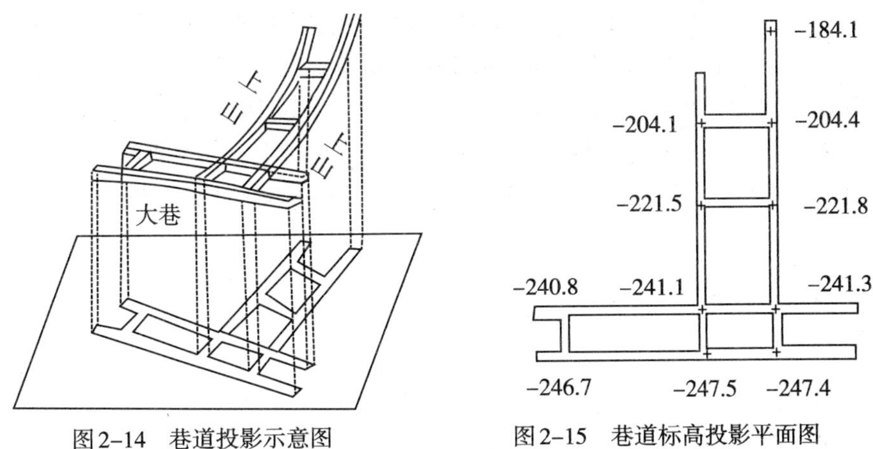

图2-14　巷道投影示意图　　图2-15　巷道标高投影平面图

(一)空间两直线平行

沿煤层掘进上下平巷或者彼此平行的斜井，其底板中心线可以看作平行直线，如图2-16(a)表示空间两平行直线的投影示意图。由图可以看出，平行直线的投影仍然是平行直线，同时直线平行时，倾斜方向相同，倾角相等。

如图2-16(b)是两直线平行的标高投影。由图可知，两直线向同方向倾斜，两端点高差都是7，并且两直线水平长度相等，故两直线在空间上也是平行的。

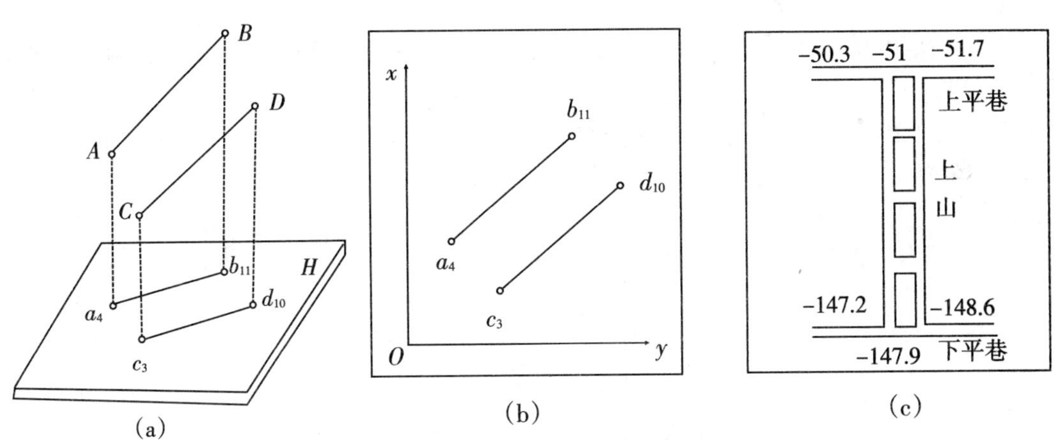

图2-16　空间两平行直线的投影

如图2-16(c)是巷道的平面图。由图可以看出，上平巷和下平巷是相互平行的，因为它们的投影平行，倾向一致，平距相等。

(二)空间两直线相交

井下巷道中，彼此连通的各巷道、巷道底板中心线可看作空间相交的直线，如图2-17(a)表示的是空间两相交直线的投影示意图。由图可以看出，空间两直线相交时，其投影也相交，交点就是空间两直线交点的投影，所以交点只有一个高程值。如图2-17(b)是空间两相交直线的标高投影图。a、b高差为4，将ab等分为4段；c、d高差为6，将cd等分为6段，求得交点K的高程都是6。由此可知，直线*AB*和*CD*在空间是相交的。

如图2-17(c)是两巷道相交的平面图,因为巷道在空间是相交的,故在平面图上表示出巷道是连通的。如果巷道用单线表示时,必须根据巷道的高程辨别两巷道是否相交。

空间两直线相交且垂直时,它们的投影是相交的,但是两投影线之间的夹角,在一般情况下不是直角。只有当两直线平行于投影面时,或者两直线中有一条直线是水平的,两投影线间的夹角才是直角。如图2-17(c)所示,平巷与上山间的夹角就是直角。

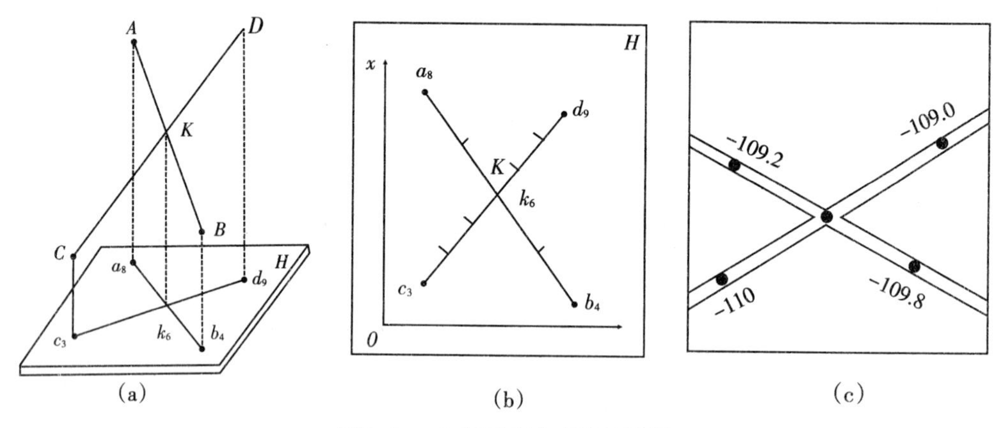

图2-17　空间两相交直线的投影

(三)空间两直线交错

井下巷道纵横交错,形成一个复杂的巷道网。有的巷道彼此平行,有的巷道相互连通,有的巷道在空间交错。图2-18(a)是空间两巷道交错的投影示意图。由图可以看出,它们的投影相交,交点既是*AB*巷道上一个点的投影,又是*CD*巷道上一个点的投影,所以该点有两个高程值。

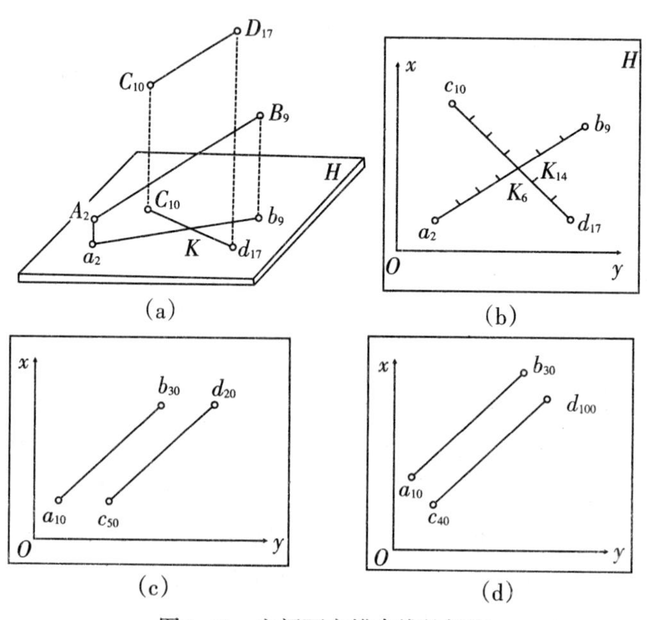

图2-18　空间两交错直线的投影

图2-18(b)是两直线交错的标高投影图。由图可知,两直线在空间是交错的。因为两直线的投影相交,说明两直线在空间彼此不平行。但是根据图中的高程知道,交点有两个高程值,由此可知两直线在空间不相交,是交错的。

此外,两直线的投影平行,直线的倾斜方向相反,那么两直线在空间也是交错的,如图2-18(c)所示。如果两直线的投影平行,倾向相同,但倾角不等,则该两直线在空间也是交错的,如图2-18(d)所示。

三、平面的标高投影

平面的标高投影是指空间倾斜平面在水平面上的投影。平面的标高投影一般以空间平面上的等高线在水平面上的投影来表示。等高线是高程相同的各点的连线,在平面上就是高程一定的水平线,如图2-19(a)所示,0-0,10-10,20-20即为平面的等高线。它们在水平面H上的投影,即为等高线的投影。平面中与等高线垂直的直线*NM*就是平面的倾斜线,它由*N*向*M*方向倾斜。该线的倾斜方向就代表平面的倾斜方向。

图2-19(b)表示平面的标高投影。在此图中,*NM*同样与等高线垂直。*NM*的箭头所指方向就是平面的倾斜方向,它的方位角为225°。平面的等高线也有方向,其方向的规定如箭头所示。等高线的方位角比倾斜线的方位角小90°,图中等高线的方位角为135°,它比倾斜线的方位角225°小90°。

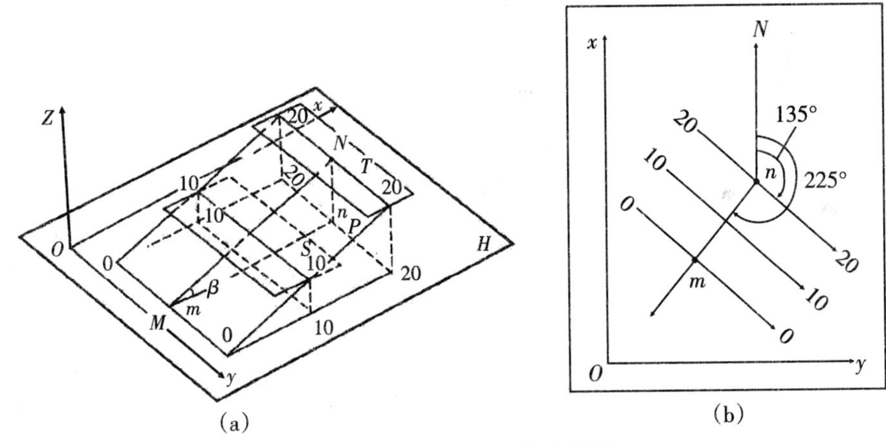

图2-19 平面的标高投影

在煤矿中,如果煤层底板面是倾斜平面,取一系列相等距离的水平面和它相交,得到一系列交线,这些交线就是煤层底板面上一定高程的等高线,把这些煤层底板面上的等高线投影到水平面上,就得到煤层底板等高线图。如果煤层底板面是弯曲的,它同样可以用等高线投影来表示。

第二部分　专业核心知识点

1. 绘制图标准和点的坐标与高程的确定；
2. 制图技巧；
3. 坐标网、标高投影和煤矿常用矿图的基本内容；
4. 识读和绘制常用矿图的基本知识、原理和技能。

第三部分 专业技能训练

技能

1. 掌握煤矿常用矿图的基本内容；
2. 掌握识读和绘制常用矿图的基本知识、原理和技能。

复习题

1.什么是矿图？常用矿图有哪些？如何选择矿图的比例尺？
2.什么是高斯投影法？什么是绝对高程和相对高程？
3.试述矿图坐标网绘制的要求及方法。
4.什么是标高投影？如何利用标高投影图判断空间两直线平行、相交、交错？
5.什么是等高线？等高线有何特性？
6.试述褶曲、断层在地形地质图上的表现形式。
7.试述褶曲、断层在煤层底板等高线图上的表现形式。
8.如何进行煤矿地质图的识读？

讨论题

1.能否用矿图的基本知识看懂本矿的地形地质图、煤层底板等高线图？
2.请将本矿的采掘工程平面图拿出来看一看，说出他的比例、图幅、经纬格尺寸是多少？图上有哪些地质构造，范围有多大？测试一下煤层倾角？
3.能否将你井下工作的地点标注在采掘工程平面图上？

第三章　井田开拓

第一部分　系统理论知识

第一节　井田开拓的基本概念

井田开拓是通过建设井巷工程来完成的，不同的井巷可组成多种井田开拓方式。

一、矿井开采的基本概念

（一）煤田

在地质历史发展过程中，由含碳物质沉积形成的大面积含煤地带称为煤田。

（二）矿区和矿区开发

矿区是指开发煤田形成的社会区域。大的煤田往往被划分为几个矿区开发，煤田面积和储量小的煤田可由一个矿区开发。

（三）井田

井田是指划归一个矿井开采的一部分煤田或全部煤田。

二、矿井巷道的基本概念

矿井开采过程中需要在地下煤层和岩层中开掘大量的井巷和硐室，井巷和硐室种类很多，实际生产中，按巷道所处的空间特征和用途进行分类。

（一）矿井巷道按空间特征分类

（1）垂直巷道：分别有：立井（竖井）、暗立井、溜煤眼等。

（2）水平巷道：平硐、平巷、石门、煤门等

（3）倾斜巷道：斜井、上、下山、行人斜巷、联络斜巷、溜煤斜巷、管子道等。

（二）矿井巷道按用途分类

（1）开拓巷道：开拓巷道是指为全矿井、一个开采水平或阶段服务的巷道，如井筒、井底车场、阶段（或水平）运输大巷和回风大巷、阶段石门、采区石门以及掘进上述巷道的辅助巷道都属于开拓巷道。

（2）准备巷道：准备巷道是指为整个采区、一个以上区段或分段服务的巷道。如采区上（下）山、采区上中下车场、区段集中巷、区段石门等都属于准备巷道。

（3）回采巷道：回采巷道是指为工作面回采煤炭直接服务的巷道，如区段运输平巷、区段回风平巷、回采工作面开切眼等都属于回采巷道。

三、开拓方式的概念及分类

井田开拓是指由地表进入煤层为开采水平服务所进行的井巷布置和开掘工程。

井田开拓方式是指开拓巷道在井田内的总体布置方式。

开拓系统是指开拓巷道的形式、数目、位置及其相互联系和配合的总称。

井田开拓的主要内容包括井硐的形式、数量和位置；水平的数目和标高；布置井底车场和主要巷道；阶段内的划分；确定采掘关系和开采程序；进行矿井延伸和技术改造等。合理的开拓方式要在技术可行的多种开拓方案中进行技术经济分析比较后确定。

四、确定井田开拓方式的原则

井田开拓所要解决的问题是在一定的矿山地质和开采技术条件下，根据矿区总体设计的原则规定，正确解决下列问题：

(1)确定井筒的形式、数目及其配置，合理选择井筒及工业场地的位置。

(2)合理地确定开采水平数目和位置。

(3)布置大巷及井底车场。

(4)确定矿井开采程序，做好开采水平的接替。

(5)进行矿井开拓延深、深部开拓及技术改造。

解决问题是否正确关系到整个矿井生产的长远利益，关系到矿井的基本建设工程量、初期投资和建设速度，从而影响矿井经济效益。矿井开拓方案一经实施，再发现不合理而改动，那将消耗时间并浪费投资。因此确定开拓问题，需根据国家政策，综合考虑地质条件、开采技术条件等因素，经比较后才能确定合理的方案。

第二节 井田开拓的基本知识

井田开拓所要解决的主要问题是确定合理的井田境界、矿井生产能力和服务年限，对井田进行合理的再划分，确定最优的井田开拓方式，确定合理的开采顺序和生产系统。

一、煤田划分为井田

煤田划分为井田，要符合矿区总体规划的要求，保证各井田有合理的尺寸和边界，使煤田各部分都能得到合理的开发利用。

(一)煤田划分为井田时应遵循的原则

1.井田范围、储量、煤层赋存及开采条件应与矿井生产能力相适应

对一个生产能力较大的矿井，尤其是机械化程度较高的现代化大型矿井，要求井田有足够的储量和合理的服务年限。生产能力较小的矿井，储量可少些。

2.保证井田有合理的尺寸

为便于合理安排井下生产，井田走向长度应大于倾斜长度。如井田走向长度过短，则难

以保证矿井各个开采水平有足够的储量和合理的服务年限，造成矿井生产接替紧张；或者在这种情况下为保证开采水平有足够的服务年限使阶段（水平）高度加大，将给矿井生产带来困难。井田走向长度过长，又会给矿井通风、井下运输带来困难。在矿井生产能力一定的情况下，井田走向长度应合理。

3.充分利用自然条件划分井田

利用大断层作为井田边界，或在河流、国家铁路、城镇等下面进行开采存在问题较多或不够经济，须留设安全煤柱时，可以此作为井田边界。这样既降低了煤柱损失，又减少了开采技术上的困难。

4.合理规划矿井开采范围，处理好相邻矿井之间的关系

划分井田边界时，通常把煤层倾角不大，沿倾斜延展很宽的煤田，分成浅部和深部两部分。一般应先浅后深，先易后难，分别开发建井，以节约初期投资，同时也能避免浅、深部矿井形成复杂的压茬关系，给开采带来困难。浅部矿井井型及范围可比深部矿井小。如煤层赋存浅、层（组）间距大，上下煤层（组）开采无采动影响，为加速矿区建设也可在煤田浅部分煤组同时建井，然后再在深部集中建井。

当需加大开发强度，必须在浅、深部同时建井或浅部已有矿井开发需在深部另建新井时，应考虑给浅部矿井的发展留有余地，不使浅部矿井过早地报废。

（二）井田人为境界的划分方法

在不受自然条件的限制时，要用人为划分的方法确定井田境界。人为井田境界的划分方法有垂直划分、水平划分、按煤组划分及按自然条件形状划分几种。

1.垂直划分

相邻矿井以某一垂直面为界，沿境界线各留井田边界煤柱，称为垂直划分。井田沿走向两端，一般采用沿倾斜线、勘探线或平行勘探线的垂直面划分，如图3–1所示，一、二矿之间的边界即是。近水平煤层井田无论是沿走向还是沿倾向，都采用垂直划分法，如图3–2所示。

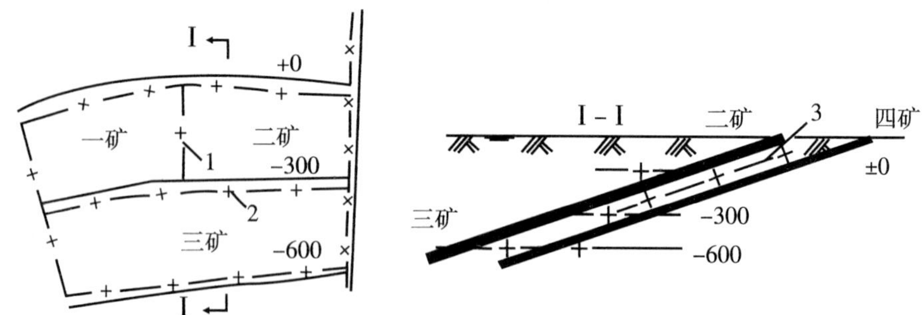

图3–1　井田边界划分示意图

2.水平划分

以一定标高的水平面为界，即以一定标高的煤层底板等高线为界，并沿该煤层底板等高线留置边界煤柱，这种方法称作水平划分。如图3–1所示，三矿井田上部及下部边界就是分

别以-300m和-600m等高线为界的。

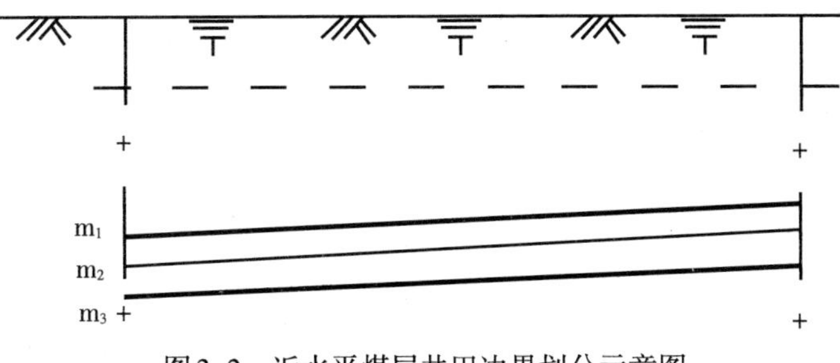

图3-2 近水平煤层井田边界划分示意图

这种方法多用于划分倾斜和急斜煤层以及倾角较大的缓斜煤层井田的上下部边界。

3.按煤组划分

按煤层(组)间距的大小来划分矿界,即把煤层间距较小的相邻煤层划归一个矿开采,把层间距较大的煤层(组)划归另一个矿开采。这种方法一般用于煤层或煤组间距较大、煤层赋存浅的矿区,如图3-3中I矿与II矿即为按煤组划分矿界并且同时建井。

应当指出,无论用何种方法划分井田境界,都应力求做到井田境界整齐,避免犬牙交错,避免造成开采上的困难。

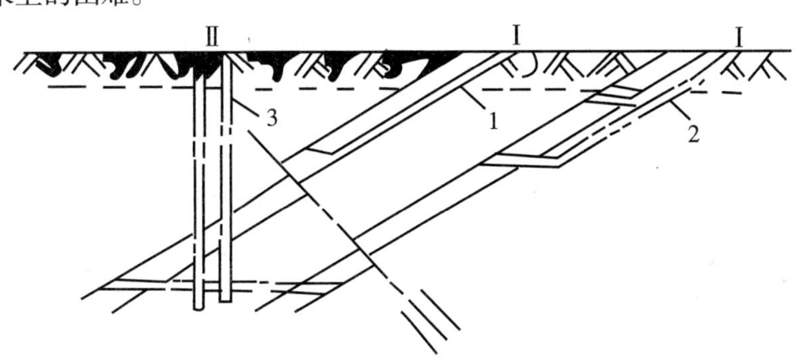

图3-3 矿界划分及分组与集中建井示意图

1、2——浅部分组建斜井;3——深部集中建立井

二、矿井储量、生产能力和服务年限

(一)矿井储量

矿井储量是指井田边界范围内,通过地质手段查明的符合国家煤炭储量计算标准的全部储量,又称矿井总储量。

(二)矿井生产能力

矿井生产能力是指矿井一年内能生产煤炭的数量。

(三)矿井服务年限

煤矿企业的工作对象是埋藏在井田范围内地下有限的煤炭资源,一旦井田内储量开采殆尽,矿井也就随之报废。所以一个矿井有一个从投产到报废的开采年限,称为矿井的服务年限。

矿井设计服务年限、矿井生产能力和矿井储量之间的关系如下:

$$T=\frac{Z_K}{A \cdot K} \tag{3-1}$$

式中　T——矿井设计服务年限,a;

A——矿井设计年产量,kt/a;

Z_K——矿井可采储量,kt;

K——储量备用系数,矿井设计一般取1.4,地质条件复杂的矿井及矿井总体设计时可取1.5,地方小煤矿可取1.3。

矿井储量一定时,其服务年限和生产能力应相适应,有一个合理的匹配关系。煤矿开采需要开掘大量的井巷工程,这些井巷工程都是不可回收工程。

三、井田再划分

为了有计划地按照一定的顺序进行开采,还需要把井田进一步划分成若干个宜于开采的较小部分,对每一个较小部分还可以根据情况再进一步划分为更小的区域,直到能满足开采工艺要求为止,这项工作叫井田再划分。

目前,我国常见的井田再划分方式有以下几种。

(一)井田划分为阶段

在井田范围内,沿煤层倾斜方向,按一定标高将煤层划分为若干平行于走向的并等于井田走向全长的长条形,每一个长条形叫一个阶段。如图3-4所示。

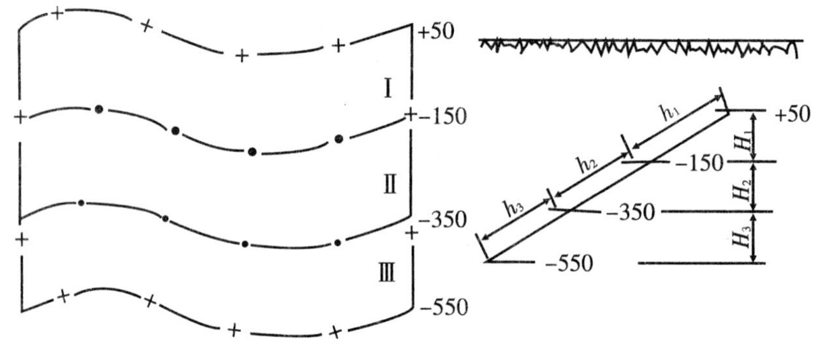

图3-4　井田划分为阶段示意图

Ⅰ、Ⅱ、Ⅲ——阶段序号;h_1、h_2、、h_3——阶段斜长;H_1、H_2、H_3——阶段垂高

阶段大小由阶段走向长和阶段斜长来表示,阶段走向长与该阶段处井田走向长一致。阶段沿倾斜方向的长度称为阶段斜长。阶段斜长由阶段垂高和该阶段处煤层倾角决定。阶段上部与下部分界面间的垂直高度称为阶段高度或阶段垂高。每个阶段都构成独立的生产系统,在阶段的下部边界开掘阶段运输大巷(兼作进风巷),在阶段上部边界开掘阶段回风大巷,为整个阶段服务。

(二)井田划分为盘区

当井田内煤层倾角很小,接近水平时,由于煤层沿倾斜方向高差很小,无法再按标高划分阶段。这时,可沿煤层主要延展方向布置主要大巷,将井田分为两翼,然后以大巷为轴将两翼分成若干适宜开采的块段，每个块段叫一个盘区。每个盘区都是一个独立的开采单元，通过盘区石门与主要大巷相连构成相对独立的生产系统，盘区的巷道布置方式一般由采用的采煤方法来确定。盘区内巷道布置方式及生产系统与采区布置基本相同。如图3–5所示。

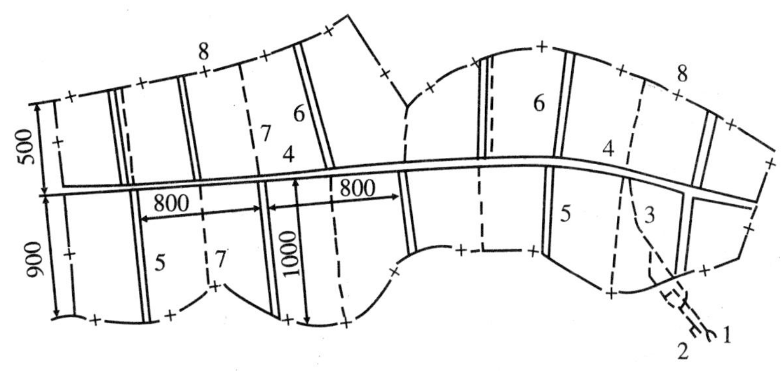

图3–5　井田划分盘区

1——主斜井；2——副斜井；3——主要石门；4——主要运输巷；5、6——盘区运输平巷；7——盘区边界；8——井田边界

当大巷沿煤层走向布置时，上山部分斜长应稍大于下山部分斜长。一般上山部分斜长不宜超过1500m，下山不宜超过1000m。

（三）井田分区域划分

随着我国现代化机械水平和生产管理水平的提高，采煤工作面的推进速度和单产水平都有较大幅度提高，年产数百万吨到千万吨以上的特大型矿井逐渐增多。由于矿井生产能力和井田范围都很大，辅助提升任务非常繁重，井下通风线路很长，通风阻力大。为解决这一矛盾，很多矿井采用了多井筒分区域开拓。

（四）阶段内再划分

井田划分为阶段是我国目前使用最广泛的井田再划分方式。井田划分为阶段后，仍需进一步划分成适合开采的更小单元。根据煤层赋存特征和开采技术条件，阶段再划分可有以下几种形式。

1.分区式划分

将阶段沿煤层走向划分成若干块段，每个块段叫一个采区，如图3–6所示。

采区斜长等于阶段斜长。采区走向长度根据开采技术条件和采煤方法确定。

每个采区都有独立的运输和通风系统，由采区上（下）山与主要运输巷、回风巷相连。

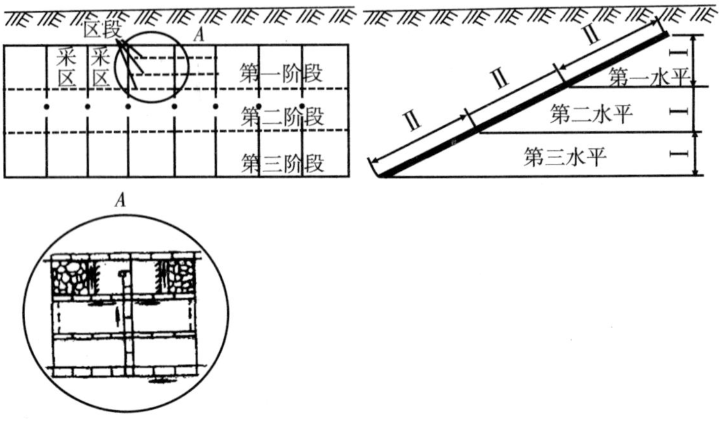

图3-6　阶段内分区布置

I——阶段垂高；II——阶段斜长

2.分带式划分

该划分方式是将整个阶段沿走向方向划分成若干倾斜长条，沿走向宽度布置一个采煤工作面，工作面沿煤层倾斜方向推进。这种划分方式称为分带式布置，其采煤方法称为倾斜长壁采煤法。条带沿倾斜长度等于阶段斜长，如图3-7所示。

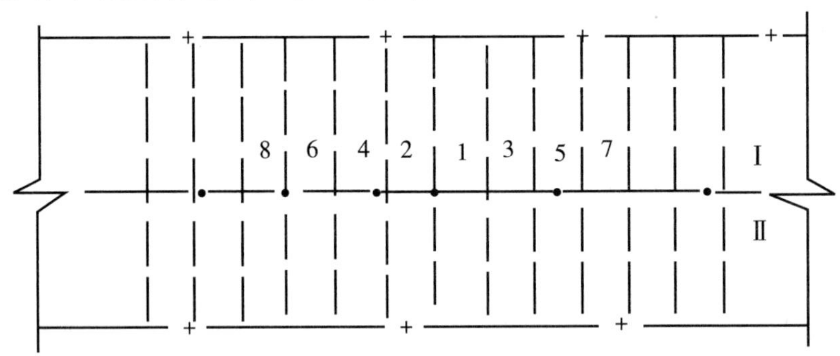

图3-7　阶段内分带布置

I、II——阶段序号；1、2、3……——分段带号

3.分段式划分

分段式划分就是将整个阶段看作一个采区，沿走向方向不再划分，而是沿倾斜方向划分为若干区段，每个分段（相当于采区内的区段）斜长用来布置一个工作面，走向长等于阶段走向长。整个阶段布置阶段上（下）山，其他回采巷道同区段巷道布置，如图3-8所示。

4.整阶段布置

当井田走向、倾斜尺寸都较小时，可直接将井田沿倾斜方向划分成若干阶段，每个阶段宽度用来布置一个回采工作面。这样整个井田就相当于一个采区，其巷道布置方式与采区相同，这种布置方式生产系统简单、工程量小、投资省。但只适用于井田范围小、地质条件简单的矿井。目前许多小煤矿采用此种布置方式。

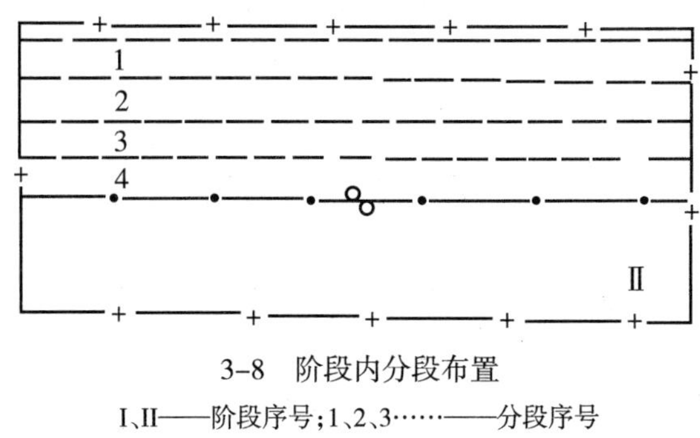

3-8　阶段内分段布置

I、II——阶段序号；1、2、3……——分段序号

四、井田内的开采顺序

井田内可采煤层有上下之分，同一煤层有深有浅，特别是井田进一步划分后，形成许多的开采单元。为使矿井在安全生产中取得较好的经济效果，必须按一定的顺序进行开采。

(一)煤层沿倾斜的开采顺序

由于煤层在地下大多为倾斜赋存，对同一层煤，一般都是由上而下(由浅入深)地逐步开采，这种开采顺序称为煤层的下行开采顺序。反之，称为煤层的上行开采顺序。下行开采顺序可以减少初期建井工程量和初期投资，建井快、出煤早。当煤层倾角较大时，采用下行开采顺序可以避免开采煤层下部时由于采空区顶板移动对煤层上部的破坏。在开采近水平煤层时，由于上行、下行开采在技术上区别不大，上行、下行开采均可采用。

当煤层顶板涌水量较大时，为了避免上面区段涌水给下面区段生产造成影响。有时在区段间采用上行开采顺序，可以利用下部区段采空区疏泄上部区段的顶板水，减轻顶板水对开采的影响。

不论是整个井田，还是阶段内、采空区内，对同一煤层，都应首先考虑使用下行开采顺序。

(二)煤层沿走向的开采顺序

煤层沿走向的开采顺序有前进式和后退式两种。在井田范围内，以井筒为基准，由井筒向边界依次推进的叫前进式，反之叫后退式，如图3-9所示。

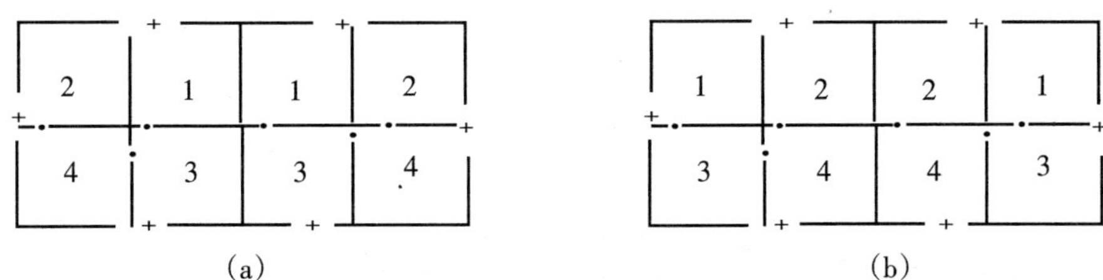

图3-9　阶段内的开采顺序

1、2、3、4——采区开采序号；(a)——采区前进式开采顺序；(b)——采区后退式开采顺序

在采区内，工作面由上(下)山向边界推进的称为区内前进式，反之称为区内后退式。

后退式开采可以通过巷道掘进摸清整个开采范围内地质条件和煤层赋存特征的变化情

况，有利于开采准备，而且开采和掘进之间相互干扰小，巷道维护条件好。后退式开采的主要缺点是初期工程量大，建井工期长，投产慢。前进式开采与后退式相反。

第三节 井田开拓方式

开拓巷道在井田内的总体布置方式，称为井田开拓方式。由于井田范围、煤层埋藏深度和煤层层数、倾角、厚度以及地质构造等条件各不相同，矿井开拓方式可分为斜井开拓、立井开拓、平硐开拓、综合开拓和分区域开拓等几种类型。井田开拓方式决定了全矿生产系统的总体布局，影响着矿井建设和生产时期的技术经济指标。

一、斜井开拓

主副井均为斜井的开拓方式称为斜井开拓。

以斜井单水平分区式开拓为例：

斜井进入煤体，由一个开采水平开采整个井田。井田可划分为一个阶段，也可以划分为两个阶段。阶段沿走向划分为采区。

图3-9为斜井单水平分区式开拓方式。井田划分为两个阶段，每个阶段沿走向划分采区。开采水平在上、下两阶段分界面。上山阶段每个采区沿倾斜划分区段，下山阶段每个采区沿倾斜划分区段。矿井可采煤层为一层中厚煤层，煤层倾角较小。

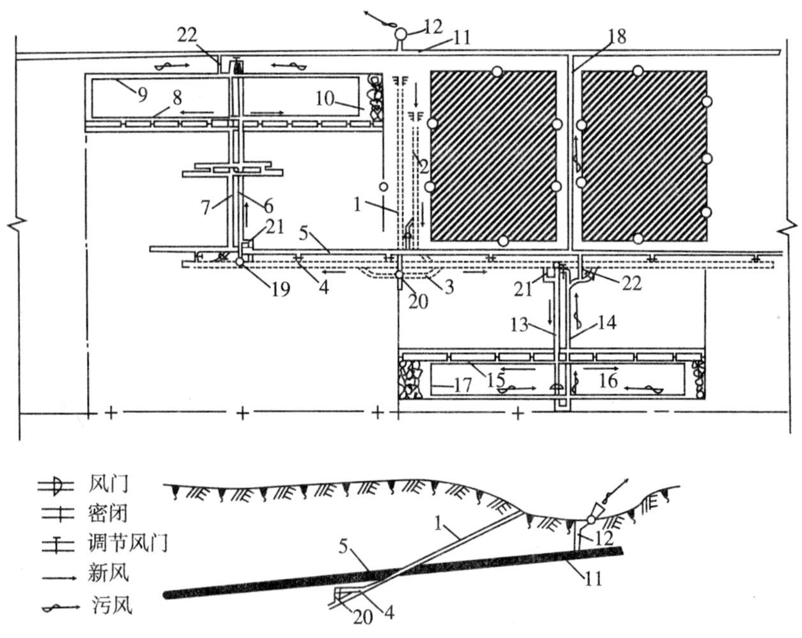

图3-9 斜井单水平分区式开拓

1——主井；2——副井；3——井底车场；4——阶段运输平巷；5——阶段辅巷；6——采区运输上山；7——采区轨道上山；8、15——区段运输平巷；9、16——区段回风平巷；10、17——采煤工作面；11——阶段回风平巷；12——回风井；13——采区运输下山；14——采区轨道下山；18——专用回风上山；19——采区煤仓；20——井底煤仓；21——行人进风斜巷；22——回风联络巷

二、立井开拓

主副井均为立井的开拓方式称为立井开拓。立井开拓也是广泛采用的一种进入煤体的方式，立井开拓对井田地质条件适应性很强，除井硐形式外，其他开拓巷道布置与斜井相同，也是我国广泛采用的一种开拓方式。

以立井单水平分带式开拓为例：

开拓方式井田划分为两个阶段，阶段内采用分带式布置。如图3–10所示。

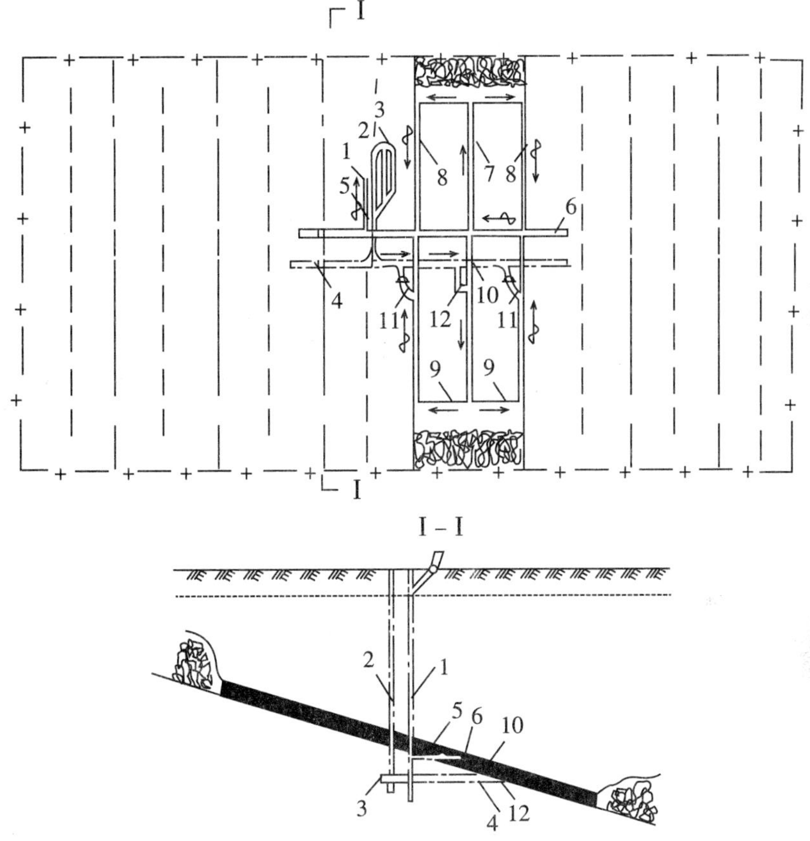

图3–17　立井单水平分带式开拓（带区式准备）示意图

1——主井；2——副井；3——井底车场；4——运输大巷；5——回风石门；6——回风大巷；7——分带运输巷；8——分带回风巷；9——采煤工作面；10——带区煤仓；11——运料斜巷；12——行人进风斜巷

三、平硐开拓

从地面利用水平巷道进入煤体的开拓方式称为平硐开拓。这种开拓方式，常用在一些山岭和丘陵地区，在矿井地面工业场地标高以上埋藏有相当储量的煤炭。开采这部分煤炭最简单、经济的开拓方式就是平硐开拓。除进入煤体方式不同外，井田内的划分和巷道布置与斜井、立井开拓基本相同。

四、综合开拓方式

主、副井筒采用不同的井硐形式进行开拓的称为综合开拓方式。

第二部分　专业核心知识点

1. 煤田、井田的意义及划分方法；
2. 井田内的阶段、开采水平、系统、区段等的意义和划分方法；
3. 井田的开拓方式；
4. 井底车场的主要作用和基本类型。

第三部分　专业技能训练

技能一　平硐开拓

1.简述平硐的适用条件及常见装备。

技能二　斜井开拓

1.简述斜井的适用条件及常见装备。
2.简要说明斜井开拓主要生产系统。

技能三　立井开拓

1.简述主、副、回风立井的适用条件及常见装备。
2.简要说明立井开拓主要生产系统。

讨论题

1.本矿井的开拓方式是什么？为什么这样开拓？
2.本矿井采区布置方式是怎样的？为什么这样布置？
3.能否把本矿的井底车场形成叙述清楚？

思考题

1.煤田划分为井田的影响因素。
2.井田边界的划分方法有几种？各用于什么条件？
3.简述矿井生产能力、服务年限与矿井储量之间的关系。
4.井田开拓有几种形式？有何优缺点？

第四章　井巷掘进与支护

第一部分　系统理论知识

第一节　岩石的性质与分级

一、概述

岩石:组成地壳的基本物质,由矿物或岩屑在地质作用下按一定规律而形成的自然地质体,包括岩浆岩、沉积岩、变质岩。

岩块:从地壳中切取出来的小块体,不包含软弱面(岩体中的地质遗迹、层理、节理、断层、裂隙面,强度低,易变形),近似认为各向同性的连续介质。

岩体:地下工程周围较大范围内的自然地质体。从煤矿采掘工程角度来说包括岩石、地下水、瓦斯。岩体的性质复杂,是我们研究的主要对象。

表土:建井工作者把覆盖在地壳上部的第四纪沉积物称为表土,也称为松散性岩石,如黄土、流沙、黏土等。

基岩:表土以下的固结性岩石称为基岩,如岩浆岩、沉积岩、变质岩。

二、岩石的物理性质

(一)岩石的相对密度、密度

1.相对密度

岩石的相对密度是指岩石固体实体积(不包括孔隙体积)的质量与同体积水的质量的比值。

2.密度

岩石单位体积(包括岩石内孔隙体积)的质量,称为岩石的密度,亦称质量密度。有干密度和湿密度,前者是单位体积岩石绝对干燥后的质量,后者是天然含水或饱水状态下的密度。

(二)岩石的孔隙性

岩石的孔隙性是指岩石的孔隙和裂隙的发育程度,它通常用孔隙度和孔隙比来表示。

(三)岩石的碎胀性

岩石的碎胀性是指岩石破碎后因岩块间空隙增多而总体积增大的性质。碎胀程度的大小可用碎胀系数表示。

三、岩石的力学性质

(一)岩石的变形特征

岩石受到外部载荷时首先发生变形,当载荷增加超过极限强度时,就会导致岩石破坏。

所以岩石的变形和破坏是岩石在载荷作用下力学性质变化过程中的两个阶段。

岩石的弹性是指在外力作用下产生变形，当取消外力后，能完全恢复到原形状的性质。这种完全能恢复的变形，称为弹性变形。弹性变形是可逆的。

岩石的塑性是指在外力作用下产生变形，当取消外力后，仍保持变形后的形状和尺寸的性质。这种不能恢复的永久变形，称为塑性变形。塑性变形具有不可逆性。

岩石与一般固体材料不同，它的弹性变形和塑性变形往往是同时出现的。

（二）岩石的强度特性

在载荷的作用下岩石变形，达到一定程度就会破坏。岩石发生破坏时所能承受的最大载荷叫极限载荷，用单位面积表示则称为极限强度。

（三）岩石各种强度之间的关系

岩石因受力状态不同，其极限强度悬殊。根据实验研究可知，岩石在不同应力状态下的各种强度值，一般符合下列顺序：三向等压抗压强度>三向不等压抗压强度>双向抗压强度>单向抗压强度>抗剪强度>抗拉强度。

针对岩石强度的特点，在破岩时应使岩石单向或双向受力处于拉伸或剪切的状态。在井巷维护时使岩石处于受压状态。

四、岩石分级和围岩分类

我国煤矿普遍应用的是以坚固性为基础的普氏岩石分级法和以围岩稳定性为基础的围岩分类法。

（一）普氏岩石分级法

1926年苏联采矿工程师M.M.普洛托吉雅可诺夫（简称普氏）提出用一个综合性的指标“坚固性系数”来划分岩石等级。

岩石的坚固性系数表示岩石破坏的相对难易程度，用f来表示，f亦称为普氏系数。

f值等于岩石的单向抗压强度R（MPa）除以10，即：

$$f=R/10 \tag{4-1}$$

根据f值的大小，普氏将岩石分为10级共15种。普氏系数分类见表4-1。

表4-1　　岩石分级表

级别	坚固性程度	岩　　石	坚固性系数(f)
Ⅰ	最坚固的岩石	最坚硬、最致密的石英岩及玄武岩，其他最坚硬的岩石	20
Ⅱ	极坚固的岩石	极坚硬的花岗质岩石、石英斑岩；极坚硬的花岗岩、砂质板岩、较软的石英岩；最坚硬的砂岩及石灰岩；极硬的铁矿石	15

续表

级别	坚固性程度	岩　　石	坚固性系数(f)
Ⅲ	坚固的岩石	致密的花岗岩类;极坚硬的砂岩及石灰岩;石英质矿脉,坚硬的砾岩;坚硬的铁矿石	10
Ⅲa		坚硬的石灰岩;不坚硬的花岗岩;坚硬的砂岩;坚硬的大理岩;白云岩;黄铁矿	8
Ⅳ	相当坚固的岩石	砂质页岩;层状砂岩	6
Ⅳa			5
Ⅴ	坚固性中等的岩石	坚硬的页岩;不坚硬的砂岩及石灰岩;软的砾岩	4
Ⅴa		各种(不坚固的)页岩;致密的泥灰岩	3
Ⅵ	相当软的岩石	软的页岩;很软的石灰岩;岩盐;石膏;冻土;无烟煤;普通泥灰岩;破碎的砂岩;碎石;多石块的土	2
Ⅵa		碎石土;破碎的页岩;堆放的碎砾石;坚硬的烟煤;硬化的黏土	1.5
Ⅶ	软岩	黏土(致密的);软煤;坚硬的表土层	1.0
Ⅶa		微砂质黏土;黄土;细砾石	0.8
Ⅷ	土质岩石	腐植土;泥炭;微砂质黏土;湿砂	0.6
Ⅸ	松散岩石	砂岩屑;小的细砾石;填方土;采下的煤	0.5
Ⅹ	流沙状岩石	流沙;沼泽土;含水黄土及其他含水土壤	0.3

注:1.将每一种岩石划分到这种或那种等级时,不仅仅单独地按照其名称,而且必须按照岩石的物理状态,并根据它的坚固性与分级表中列出的诸岩石进行比较。风化的、破碎的、打碎成个体的、经断层挤压过的、接近于地表的等状态岩石,一般说来,应当把它划分到比处于完整状态的同种岩石稍低的等级中。

2.上述的岩石坚固性系数,可以认为是对所有各种不同方面岩石相对坚固性的表征,它在采矿中的意义在于:手工开采时的采掘性;浅眼以及深眼孔的凿岩性;应用炸药时的爆破性;在冒落时的稳定性,作用于支架上的压力等等。

3.在分级表中指出的数值,是对某一类岩石中所有岩石而言的(如页岩类、石英岩类、石灰岩类等等),而不是对此类个别岩石而言的。因而,在特定情况下确定f值时,必须十分慎重,并且这一f数值在不同的情况下是不一样的。

(二)围岩分类法

按围岩松动圈的分类方法,井下巷道开挖后,围岩应力超过围岩强度,围岩即产生变形松动现象。围岩在原始状态,是一个被压密实的实体,处于应力平衡状态。巷道开挖后,破坏了围岩的原始应力平衡状态,即产生松动变形。如不及时支护,任其发展,就会产生岩层破坏、围岩冒落。这种由于巷道开挖而使围岩应力平衡状态破坏,产生松动变形的范围被称为围岩松动圈。围岩松动圈的大小与工程因素(巷道断面的形状和大小、施工方法和支护形式等)有关,同时,也和地质因素有关,都是围岩应力和围岩强度的函数。因此,它是一个综合指标。

围岩松动圈是巷道开挖后,由于受地压作用和岩石性质不同等多种因素影响,在巷道周围形成不同大小的破裂带,即围岩内部发生的松动现象,是一个定量的综合指标。用超声波仪测定松动圈范围值比较简单、实用。用围岩松动圈进行围岩分类，确定支护结构和参数，是一种行之有效的好方法。

经过大量的现场松动圈测试及其与巷道支护难易程度相关关系的调研之后，结合锚喷支护机理，依据围岩松动圈的大小将围岩分成小松动圈（0~40cm）、中松动圈（40~150cm）、大松动圈（＞150cm）三大类，六小类，见表4–2。

表4–2　　巷道支护围岩松动圈分类表

<table>
<tr><th colspan="2">围岩类别</th><th>分类名称</th><th>围岩松动圈（cm）</th><th>支护机理及方法</th><th>备　注</th></tr>
<tr><td>小松动圈</td><td>Ⅰ</td><td>稳定围岩</td><td>0~40</td><td>喷混凝土支护</td><td>围岩整体性好，不易风化的可不支护</td></tr>
<tr><td rowspan="2">中松动圈</td><td>Ⅱ</td><td>较稳定围岩</td><td>40~100</td><td>锚杆悬吊理论
喷层局部支护</td><td></td></tr>
<tr><td>Ⅲ</td><td>一般围岩</td><td>100~150</td><td>锚杆悬吊理论
喷层局部支护</td><td>刚性支护有局部破坏采用可缩性支护</td></tr>
<tr><td rowspan="3">大松动圈</td><td>Ⅳ</td><td>一般不稳定围岩（软岩）</td><td>150~200</td><td>锚杆组合拱理论，喷层，金属网局部支护</td><td>刚性支护大面积破坏，采用可缩性支护</td></tr>
<tr><td>Ⅴ</td><td>不稳定围岩（较软围岩）</td><td>200~300</td><td>锚杆组合拱理论，喷层，金属网局部支护</td><td>围岩变形有稳定期</td></tr>
<tr><td>Ⅵ</td><td>极不稳定围岩（极软围岩）</td><td>＞300</td><td>待定</td><td>围岩变形在一般支护下无稳定期</td></tr>
</table>

该分类法的主要特点是按锚喷支护机理划分围岩类别，分类区间是以支护的难易程度及锚喷支护机理而确定的；锚喷支护是指锚杆、锚、喷、网、锚网、网梁等以锚杆为支护主体的支护的总称。

第二节　钻眼爆破

一、钻眼机具

井巷掘进破岩常用的方法有机械破岩与钻眼爆破破岩两种。使用普通的仍是钻眼爆破破岩。钻眼机械按使用的动力不同可分为风动凿岩机、电动凿岩机、液压和内燃凿岩机。按破岩机理可分为冲击式、旋转式和旋转冲击式3类。井巷掘进在岩石上钻眼，主要采用冲击式风动凿岩机；在煤和软岩中钻眼则主要采用旋转式煤电钻。

二、爆破材料

（一）矿用炸药

矿用炸药分为三大类，第一类为煤矿许用炸药；第二类为岩石炸药；第三类为露天爆破工程中使用的炸药。

1.煤矿许用炸药

煤矿井下爆破必须使用此类炸药，共分5级多个型号，级别越高，安全性越好。目前，我国煤矿常用的炸药有煤矿水胶炸药和煤矿乳化炸药。

(1)煤矿水胶炸药

水胶炸药是在浆状炸药的基础上发展起来的含水炸药。它是由氧化剂饱和水溶液和悬浮在溶液中的其他固体成分颗粒所组成的浆状物，其中水溶性为连续相，悬浮的固体颗粒为分散相。它与浆状炸药的本质区别在于用硝酸甲铵这种水溶性的敏化剂取代了猛炸药，因而使爆轰感度大为增加，并且有威力高、安全性好、抗水性强、适应坚硬岩石深孔爆破的特点。

(2)煤矿乳化炸药

根据瓦斯的安全性，煤矿乳化炸药分为5级，目前生产的主要有2、3、4级3种。2级适用于高沼气矿井，3级适用于双突矿井，4级适用于突出最危险的矿井。在选用时应严格根据矿井沼气等级选用，不得相互混用。

乳化炸药的氧化剂为硝酸铵和硝酸钠饱和水溶液被乳化成微细液滴分散在连续的油相中，构成油包水型乳胶体。敏化剂采用猛炸药、发泡剂或空心微球，用于提高含水炸药的敏感度。可燃剂主要是柴油或石蜡。

乳化炸药的猛度、爆速和感度均较高，可以用一只8号雷管起爆，密度在较宽范围内($1.05\ g/cm^3$~$1.30\ g/cm^3$)可调，且具有良好的抗水性，加工使用安全。

2.岩石炸药

岩石炸药适用于无瓦斯和煤尘爆炸危险的井巷掘进，它比煤矿许用炸药威力高，适用硬岩或中硬岩爆破，坚硬岩爆破应选用高威力炸药或水胶炸药。

3.露天炸药

露天炸药目前有1、2、3号露天炸药和1、2、3号露天抗水炸药及露天铵油炸药。这类炸药和岩石炸药基本相同，只是TNT含量少、威力低，适应露天爆破剥离和煤岩松动爆破。对爆破时生成有害气体要求不严，也不考虑对煤尘和瓦斯的引爆问题。

(二)起爆器材

在爆破工程中，任何炸药都需要借助于起爆器材，并按一定起爆过程引爆炸药，完成爆破工程，并要求做到安全爆破。我国煤矿必须使用煤矿许用瞬发电雷管和煤矿许用毫秒延期电雷管。

1.煤矿许用瞬发电雷管

煤矿许用瞬发电雷管的主要结构有：管壳、加强帽、起爆药、加强药及电引火装置。

煤矿瞬发电雷管的结构图(图4–1)，适用于起爆各种煤矿炸药。

2.煤矿许用毫秒延期电雷管

通入足够的电流，各段雷管间隔若干毫秒后起爆的雷管，称毫秒延期雷管又称微差电雷管。煤矿许用毫秒延期电雷管的延期药是用氧化剂、可燃剂和缓燃剂混合物做延时药，并通过调整配比达到以毫秒量级不同的时间间隔。《煤矿安全规程》规定最后一段的延期时间不得超过130ms。

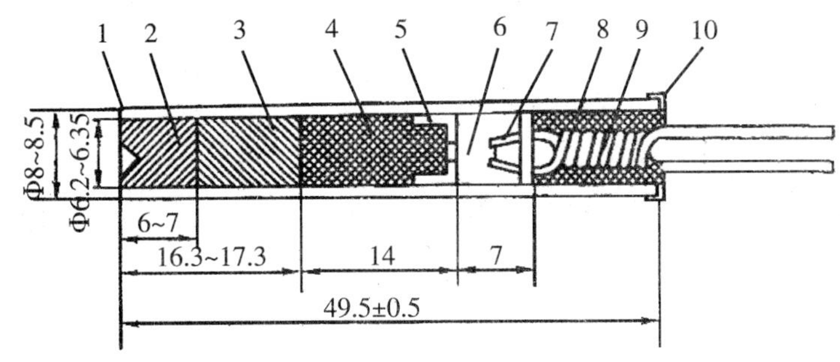

图4-1 煤矿许用瞬发电雷管

1——纸管壳;2——黑索金(加氯化钾);3——黑索金;4——二硝基重氮粉;5——加强帽;6——引焰球;7——镍铬丝;8——塑料柱;9——脚线;10——铁箍

煤矿毫秒电雷管的构造如图4-2所示。

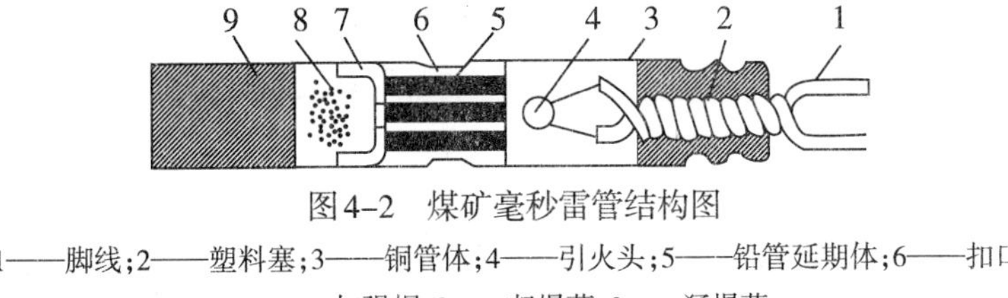

图4-2 煤矿毫秒雷管结构图

1——脚线;2——塑料塞;3——铜管体;4——引火头;5——铅管延期体;6——扣口;7——加强帽;8——起爆药;9——猛爆药

3.电雷管的主要性能参数

(1)电雷管的全电阻。雷管全电阻指脚线电阻与桥丝电阻之和,它是计算电爆网路的基本参数。在同一电爆网路中必须经过测试选定电阻值相近的雷管,尤其串联网络,各个雷管的电阻值差应小于0.3Ω,不同厂家、不同日期、不同型号的雷管更不能混用。

(2)最大安全电流。技术标准中,以50mA恒定直流电通人雷管5分钟,不引爆任何一发雷管的最大电流,称最大安全电流,它的实际意义是在保证爆破安全是选择仪表输出电流的依据。

(3)最小发火电流。在技术标准中,以700mA恒定直流电通入单个雷管持续300ms,必须起爆的电流为最小发火电流。为使起爆可靠,必须保证通过单个雷管的电流大于700mA。对于多发雷管的网路,要求全部爆炸,通过各个雷管的电流必须比最小发火电流高得多。

(4)准爆电流。在技术标准中,直流电起爆时,串联准爆电流值,康铜丝雷管为2A,镍铬丝雷管为1.5A。

三、巷道掘进爆破技术

目前破碎岩石的主要手段仍是钻眼爆破法,为了获得良好的爆破效果,必须正确地布置工作面炮眼、合理确定爆破参数、选用适宜的炸药和改进爆破技术等多方面采取综合性作业的措施。

(一)掘进工作面炮眼布置及爆破图表

正确布置炮眼是取得良好爆破效果的前提。由于其影响因素较多,故掘进工作面炮眼的布置不能一成不变，必须根据岩石性质、巷道断面形状以及所使用的炸药等影响因素的实际情况，合理地布置炮眼和确定各类炮眼的装药量，才能获得良好的爆破效果。

掘进工作面的炮眼，按其用途和位置可分为掏槽眼、辅助眼和周边眼3类。

1.掏槽眼

掏槽眼的方法，可分为斜眼掏槽和直眼掏槽两大类，如表4-5所示。目前我国煤矿巷道掘进中常用的掏槽形式仍以斜眼掏槽为多。

2.其他炮眼的布置

辅助眼（又称崩落眼）是布置在掏槽眼和周边眼之间的炮眼。在巷道掘进中它是扩大掏槽、大量崩落岩石的主要炮眼。

周边眼的布置是控制巷道成型好坏的关键。按照光面爆破的要求，其眼口中心都应布置在巷道设计掘进断面的轮廓线上，眼底应稍向轮廓线外偏斜，一般不超过100~150毫米，这样就便于在下循环打眼时钻机有足够的工作空间，同时要尽量减少超挖量。

3.爆破参数的确定

巷道掘进中的爆破参数包括：炸药消耗量、炮眼直径、炮眼深度和炮眼数目等。正确地确定这些参数才能取得良好的爆破效果。

（二）光面爆破

光面爆破简称光爆，是一种合理利用炸药能量的控制爆破技术。用这种方法开掘出来的井巷成形规整，符合设计的断面轮廓尺寸，岩壁无明显的爆震龟裂，保护了围岩的强度和整体性，提高了围岩的稳定性与自承能力。

第三节　巷道掘进

一、巷道断面形状及尺寸

（一）巷道断面形状

巷道断面形状种类很多，我国煤矿巷道常用的断面形状是梯形、矩形和直墙拱形（如半圆拱形、圆弧拱形、三心拱形，简称拱形）。巷道断面形状的选择，主要取决于围岩坚固程度、矿山压力、巷道的服务年限、用途和支护方式等因素。一般情况下，服务年限较短的回采巷道，如顺槽和开切眼等多用梯形或矩形断面。服务年限较长的开拓巷道，如斜井、平硐、井底车场、运输大巷和石门等用拱形断面。巷道断面形状如图4-3所示。

（二）巷道断面尺寸

《煤矿安全规程》规定，巷道净断面必须满足行人、运输、通风、安全设施、设备安装、检修和施工的需要。因此，巷道断面尺寸主要取决于巷道的用途；存放和通过它的机械、器材或运输设备的数量和规格；人行道宽度与各种安全间隙以及通过巷道的风量等。

巷道断面分为掘进断面和净断面。刚开掘出未进行支护的毛断面，称为掘进断面。支护后的断面称为净断面。相应地巷道断面尺寸亦有掘进断面尺寸和净断面尺寸之分。确定巷道断面尺寸的主要依据是巷道的用途、支护方式、运输设备外形尺寸、轨道数目（单轨或双轨）及《煤矿安全规程》中的有关规定。

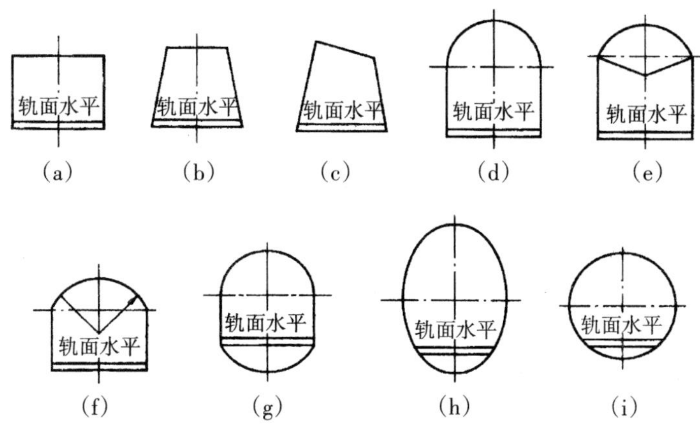

图4-3　巷道断面形状

(a)矩形;(b)梯形;(c)半梯形;(d)半圆拱形;(e)圆弧拱形;
(f)三心拱形;(g)封闭拱形;(h)椭圆形;(i)圆形

二、岩巷掘进

岩巷掘进在我国煤矿目前主要采用钻眼爆破破岩法,其主要工序包括:打眼、装药放炮、工作面通风、装运岩石及巷道支护等作业。这些工序组成工作循环,不断重复这种循环,使巷道掘进不断向前推进。

三、煤及半煤岩巷掘进

沿煤层掘进的巷道,如果在掘进断面中煤层占4/5以上者(包括4/5在内),称为煤巷。

当巷道在薄煤层中掘进时,为保证巷道的使用高度,必须挑顶或卧底掘进,因而在巷道掘进断面上同时有煤层和岩层。当岩层(包括夹石层)占据进工作面面积的1/5~4/5时,即称半煤岩巷道。

第四节　巷道支护

一、巷道支护材料

矿用支护材料主要有:木材、石材、金属材料、混凝土、钢筋混凝土、水泥砂浆等。

(一)木材

木材是井巷中应用最早的支护材料,用于矿山井巷的木材叫坑木。常用的坑木有松木、杉木、桦木和柞木等,其中以松木用得最多。木材重量轻、易加工、架设方便,但强度小、易腐朽、服务年限短且不防火。随着锚喷支护新技术的不断发展,我国煤矿中坑木消耗量在逐年减少。

(二)金属材料

井巷支护所用的金属材料有:钢轨、矿用工字钢、槽钢、角钢以及钢筋、钢丝绳等。金属支护具有强度高,使用期长,安装容易,耐火性强等优点,但一次性投资较大。

（三）石材

石材分天然石材和人工石材。将天然岩石（如花岗岩、砂岩、石灰岩等）经加工而成的石材，常称为天然石材（俗称料石）。

（四）水泥

水泥是水硬性胶凝材料，主要用它来胶结散黏状材料，使其成为具有一定强度的整体。如用来制作水泥砂浆、混凝土等。硅酸盐类水泥是水泥中应用最普遍、生产量较大的一类，主要分为硅酸盐水泥和普通硅酸盐水泥。

（五）混凝土

混凝土由水泥、砂子、石子和水组成。砂子和石子在混凝土中起骨架作用，称为骨料。石子为粗骨料，砂子为细骨料。小石子充填于大石子空隙中，而砂子又充填于石子空隙中。水泥为胶凝材料，掺水后成为水泥浆，将砂子、石子相互胶凝在一起，经凝结、硬化形成坚硬的混凝土。

（六）砂浆

砂浆由胶结材料、水及砂子配合而成。按所用胶结材料不同，分为水泥砂浆、石灰砂浆和混合砂浆。

（七）锚杆

目前最常用的是树脂锚杆。它是由树脂药包和杆体组成。安装时，药包用锚杆体送孔后，转动杆体将药捣破，随后上垫板拧紧螺帽，使化学药剂混合进行化学反应，将锚头与孔壁岩石黏结在一起。

二、巷道支护类型

（一）棚式支架

棚式支架简称棚子，有木棚、金属棚和装配式钢筋混凝土棚等。主要用于服务期不长的采区巷道。

（二）石材整体式支架

石材整体式支架（简称石材支架、俗名砌碹）是指用料石、混凝土或钢筋混凝土砌筑成的连续整体式支架，如图4-39所示。其主要形式是直墙拱顶式，由拱、墙和基础三部分组成，当侧压大时、直墙宜改为曲线形，如底鼓严重时应砌筑反拱。

（三）锚杆支护

棚子和石材支架是在巷道围岩的外部对岩石进行支撑，它只是消极地承受围岩产生的压力和防止破碎的岩石冒落。而锚杆支护则是通过锚入围岩内部的锚杆，改变围岩本身的力学状态，在巷道周围形成一个整体而又稳定的岩石带，利用锚杆与围岩共同作用，达到维护巷道的目的。它是一种积极防御的支护方法，是矿山支护技术的重大变革。

（四）喷射混凝土支护

喷射混凝土支护是将一定配合比的水泥、砂、石子和速凝剂的干拌合料，通过混凝土喷射机、输料管送至喷头处与水混合，以较高的速度层层喷捣于岩面上凝结硬化而成。其支护作用机理有、支撑作用、充填作用、隔绝作用、转化作用。

第二部分 专业核心知识点

1. 岩石分级的方法和意义。
2. 巷道断面的形状和设计方法。
3. 钻眼爆破工序及巷道掘进的施工工序和方法。
4. 巷道支护的类型及使用条件。
5. 掘进机掘进煤巷的技术。

第三部分　专业技能训练

技能

1. 了解钻眼爆破的操作方法；

2. 了解巷道掘进工作面的有关设备和掘进工艺过程；

3. 初步了解所见巷道、硐室、交岔点的断面形状、支护方式和支护材料。

复习题

1.岩体的组成部分有哪些？岩石和岩体有什么区别？

2.简述岩石分级与围岩分类。

3.如何确定巷道的掘进断面？

4.简述岩巷、煤巷和半煤岩巷的区别。

5.简述井下常用的支护类型及优缺点。

6.棚式支架有哪几种？

7.简述锚杆支护的作用原理及特点。

8.简述喷射混凝土支护的作用原理。

讨论题

1.本矿井是什么开拓方式？是否合适？

2.本矿采掘巷道使用什么巷道支护方式？合理吗？

3.本矿是否采用锚杆、锚索、联合支户、长度、直径怎么确定？

第五章　采煤方法

第一部分　系统理论知识

第一节　采煤方法概述

一、采煤方法的基本概念

（一）采场和采煤工作面

用来直接大量开采煤炭的场所，称为采场。在采场内进行回采的煤壁，称为采煤工作面。实际工作中，采煤工作面与采场是同义语。

采煤工作面煤层被采出的厚度称为采高，采煤工作面的煤壁长度称为采煤工作面长度。

（二）采煤工作

在采场内，为了采取煤炭所进行的一系列工作，称为采煤工作。采煤工作可分为基本工序和辅助工序。破煤、装煤、运煤、工作面支护、采空区处理是回采工作中的基本工序。此外，还需进行移置运输机、采煤设备等工序，除了基本工序以外的这些工序，统称为辅助工序。

（三）采煤工艺

采煤工艺是指采煤工作面各工序所用方法、设备及其在时间上、空间上的相互配合。由于煤层的自然条件和采用的机械不同，完成工序的方法也就不同，在一定时间内，按照一定的顺序完成采煤工作各项工序的过程，称为采煤工艺过程。

（四）采煤系统

采煤系统是指采区内的巷道布置系统以及为了正常生产而建立的采区内用于运输、通风等目的的生产系统。通常是由一系列的准备巷道和回采巷道组成的。

（五）采煤方法

采煤方法是指采煤工艺与采煤系统在时间上、空间上相互配合的总称，根据不同的矿山地质及技术条件，可有不同的采煤系统与采煤工艺相配合，从而构成多种多样的采煤方法。

二、采煤方法的分类

按煤炭开采方法的明显特征分，采煤方法可分为井工开采和露天开采两种方法。目前我国煤炭的开采方法是以井工开采为主，关于采煤方法的概念及内容，皆指井工开采而言。通常按采煤工艺、矿压控制特点，在井工开采中将采煤方法分为壁式体系和柱式体系两大类，如图5-1所示。我国煤矿采用的主要采煤方法及其特征见表5-1。

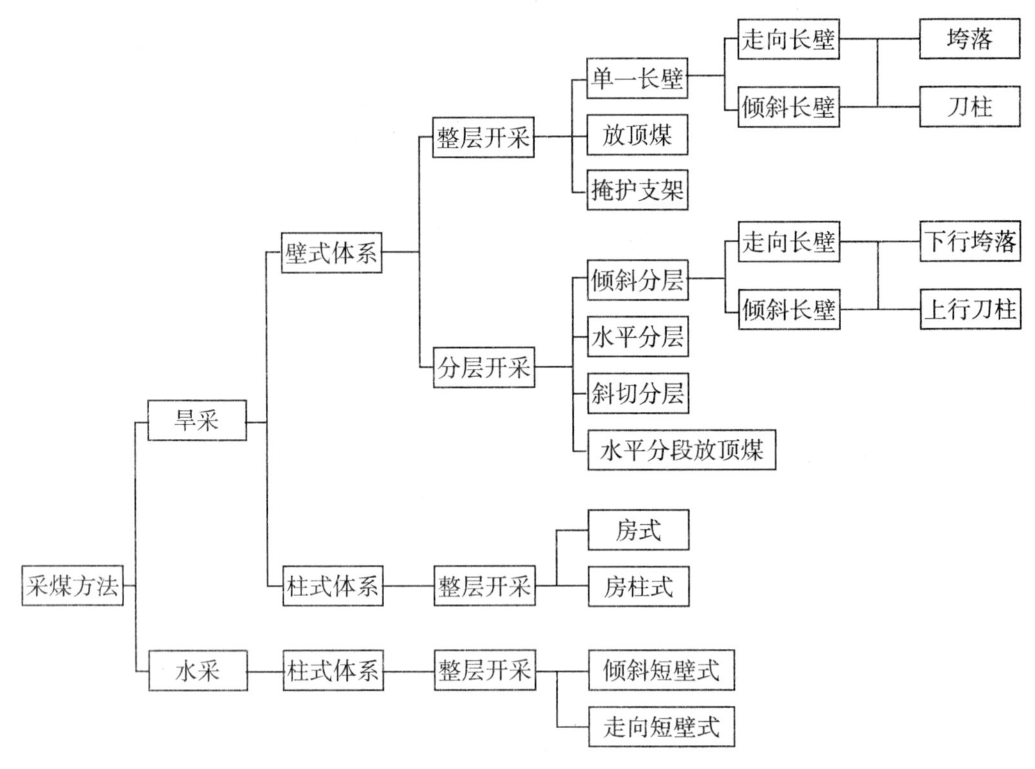

图5-1 采煤方法分类

(一)壁式体系采煤法

壁式体系采煤法又称长壁体系采煤方法,以长壁式工作面采煤为主要标志。

壁式体系采煤法按所采煤层倾角,分为缓斜、倾斜煤层采煤法和急斜煤层采煤法;按开采煤层厚度大小,可分为薄煤层采煤法、中厚煤层采煤法和厚煤层采煤法;按工作面采用的采煤工艺不同,可分为爆破采煤法、普通机械化采煤法和综合机械化采煤法;按采空区处理方法不同,可分为全部垮落采煤法、刀柱(煤柱支撑)采煤法、充填采煤法;按采煤工作面布置及推进方向的不同,可分为走向长壁采煤法和倾斜长壁采煤法。按工作面向仰斜或倾斜推进的方向不同,倾斜长壁又有仰斜长壁和俯斜长壁之分;按是否将煤层全厚进行一次开采,可分为整层采煤法和分层采煤法。薄煤层、厚度小于3m的中厚煤层采用整层采煤法;厚度较大的中厚煤层、厚煤层既可采用整层也可采用分层采煤法。

(二)柱式体系采煤方法

以房柱间隔进行采煤为主要标志。柱式体系采煤法的主要特点是:采煤工作面长度较短,一般10~30m左右,但工作面数目多;需要开掘大量的巷道,掘进率高;采落的煤垂直于采煤工作面煤壁的方向运出采场;回采生产过程中一般没有采空区处理的工序;工作面内的通风条件较差,采出率较低。

高度机械化的柱式体系采煤方法,一般只分为房式采煤法和房柱式采煤法两类。

表5-1　　我国煤矿采用的主要采煤方法及其特征

序号	采煤方法	体系	整层与分层	推进方向	采空区处理	采煤工艺	适应煤层基本条件
1	单一走向长壁采煤法	壁式	整层	走向	垮落	综、普、炮采	薄及中厚煤层
2	单一倾斜长壁采煤法	壁式	整层	倾斜	垮落	综、普、炮采	缓斜薄及中厚煤层
3	刀柱式采煤法	壁式	整层	走向或倾斜	煤柱支撑法	普、炮采	同上、顶板坚硬
4	大采高一次采全厚采煤法	壁式	整层	走向或倾斜	垮落	综采	缓斜5m以下厚煤层
5	倾斜分层走向长壁下行垮落采煤法	壁式	分层	走向	垮落	综、普、炮采	缓斜、倾斜厚及特厚煤层
6	倾斜分层倾斜长壁下行垮落采煤法	壁式	分层	倾斜	垮落	综、普、炮采	缓斜、倾斜厚及特厚煤层
7	倾斜分层走向倾斜长壁上行充填采煤法	壁式	整层	走向或倾斜	充填	炮采为主	缓斜、倾斜厚及特厚煤层
8	放顶煤采煤法	壁式	整层为主	走向或倾斜	垮落	综采为主	缓斜5m以上厚煤层
9	水平分段放顶煤采煤法	壁式	分层	走向	垮落	综采为主	急斜特厚煤层
10	水平分层、斜切分层下行垮落采煤法	壁式	分层	走向	垮落	炮采	急斜厚及特厚煤层
11	掩护支架采煤法	壁式	整层	走向或倾斜	垮落	炮采、风镐	急斜中厚及厚煤层为主
12	台阶式采煤法	壁式	整层	走向	垮落	炮采、风镐	急斜薄及中厚煤层
13	仓储、巷道长壁采煤法	壁式	整层	走向为主	垮落	炮采	急斜薄及中厚煤层
14	水力采煤法	柱式	整层	走向或倾斜	垮落	水采	不稳定煤层、倾斜、急斜煤层等
15	柱式体系采煤法	柱式	整层	走向或倾斜	垮落	炮采	非正规条件、回收煤柱

第二节　采煤工作面矿山压力

一、矿山压力的概念

通常把由于采掘而引起的巷道及采煤工作面周围岩体内的力及其作用过程，称为矿山压力，简称矿压。在矿山压力的作用下，造成围岩变形、移动、破坏等一系列力学现象，称为矿山压力显现，简称矿压显现。如顶板下沉和垮落、底板鼓起、煤壁片帮、支架下缩、支柱钻底、煤的压出等都属于矿压显现。矿压显现会给地下开采工作造成危害，因此必须对巷道及采煤工作空间进行支护，对软岩或破碎的煤岩进行加固，人为地使采空区顶板按要求冒落以减轻采煤工作面的顶板压力，或利用矿压作用松散煤体以利于采煤工作等。所有这些人为地调节、改变和利用矿压作用的各种措施称为矿压控制。

二、采煤工作面顶板的分类

采煤工作面顶板是长壁工作面围岩的重要组成部分，有伪顶、直接顶和基本顶之分。由于伪顶往往是局部的，且随采随冒，因此对生产有直接影响的是直接顶和基本顶。它们的稳定性及其厚度，对矿山压力显现及支护形式的选择有着显著影响，分类指导顶板管理是实现安全控制的基本方式。

直接顶是采煤工作空间直接维护的对象，其稳定性将直接影响工作面安全及生产能力的发挥，而且直接影响支护形式和液压支架架型的选择。

基本顶是影响工作面顶板来压的主要因素，是确定支架支撑能力、可缩性能以及选择采空区处理方法的主要依据。

三、回采工作面顶板岩层移动的一般规律

煤层被开采后，顶板岩层失去了原有的支撑，将会产生下沉、变形、破坏与移动。长壁工作面在整个回采过程中其顶板岩层的移动及矿压显现是不同的，重点可分为3个时期，即直接顶初次垮落、基本顶初次垮落和基本顶周期来压。

第三节　采区准备巷道的布置方式

井田开拓工作结束后，即可转入开采的准备阶段。为了在采区、盘区或带区等开采单元内进行采煤工作，必须在已有开拓巷道的基础上，再开掘一系列准备巷道和回采巷道，建立采（盘、带）区内完整的运煤、材料设备运输、通风、排水、行人和动力供应等生产系统，以便构成完整的采煤系统。根据煤层赋存条件及所用采煤方法的不同，准备和回采巷道布置方式有多种类型。按我国煤矿生产实际应用情况，在缓倾斜、倾斜薄及中厚煤层中，长壁采煤法的巷道布置可归纳为采区式巷道布置、盘区式巷道布置和带区式巷道布置3种类型。通常

采区式巷道布置应用于走向长壁采煤法，盘区式巷道布置应用于近水平煤层的开采，带区式巷道布置应用于煤层倾角较小的倾斜长壁采煤法。

采区准备方式是在阶段开拓巷道已圈定的采区范围内开掘准备巷道。采区式巷道布置基本形式有上山采区和下山采区、单翼采区和双翼采区、单层布置采区和多层联合布置采区、跨多上山采区等布置形式。

上山采区是指在运输大巷的上方布置采区巷道，采出的煤向下运输到运输大巷的采区；下山采区是指在运输大巷的下方布置采区巷道，采出的煤向上运输到运输大巷的采区。

双翼采区是指将采区上山布置在采区的中央，向两翼前进回采或由两翼边界后退回采的采区；单翼采区是指采区上山布置在采区一侧边界附近，向另一侧前进回采或由边界向上山后退回采的采区。

单层布置采区是指一套上山为一层煤服务的采区；联合布置采区是指一套上山为多层煤服务的采区。联合布置采区只在开采煤层群时才用。

下面以单一煤层走向长壁采煤法采区巷道布置为例说明采区巷道布置的基本情况：

单一煤层走向长壁采煤法，主要用于开采煤层倾角为缓斜或倾斜，煤层厚度为薄及中厚煤层或一次采全厚的厚煤层开采，其采煤系统比较简单。如图5-2所示为这种采煤方法的采区巷道布置示意图。

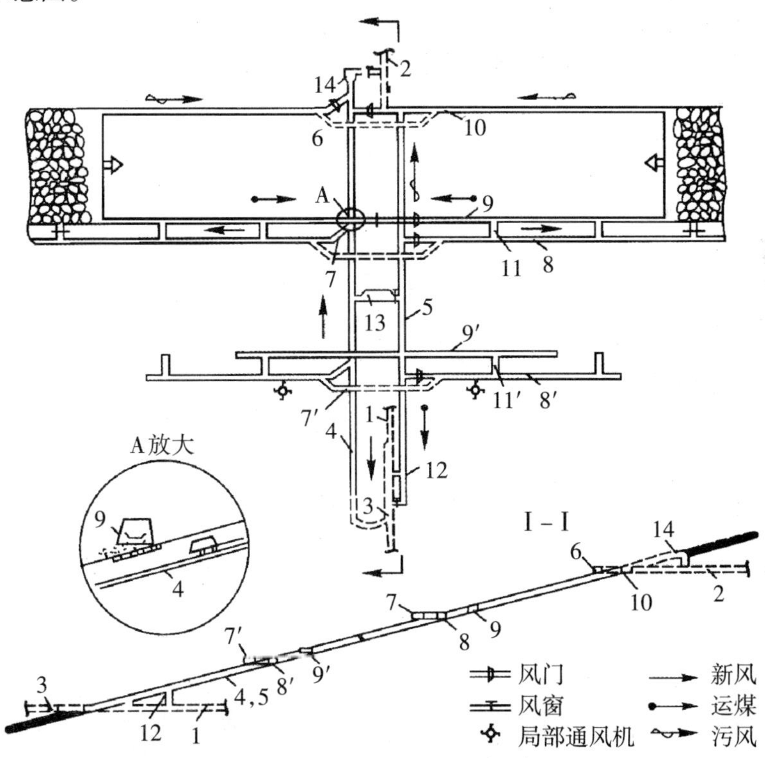

图5-2　单一煤层走向长壁采煤法上山采区巷道布置示意图

1——采区运输石门；2——采区回风石门；3——采区下部车场；4——轨道上山；5——运输上山；6——上部车场；7、7'——中部车场；8、8'、10——区段回风平巷；9、9'——区段运输平巷；11——联络巷；12——采区煤仓；13——采区变电所；14——绞车房

(一)采区巷道构成

为使采区构成完整的生产系统,需要布置及开掘以下几种巷道:

1.采区上山巷道

采区上山巷道是为采区内各区段服务的准备巷道。采区上山巷道至少布置两条,其中一条铺设输送机用作运煤,称为采区运煤上山或运输上山;另一条铺设轨道用作辅助运输(运送材料、设备、矸石等),称为轨道上山。两条上山兼作采区的进风回风巷。对于高瓦斯矿井、有煤与瓦斯突出危险及产量大的采区,需要增设专用的通风行人上山,以利于通风与安全。

2.区段平巷及开切眼

区段平巷及开切眼是直接为采煤工作面服务的回采巷道。其中铺设输送机用作运煤的平巷,称为区段运输平巷;铺设轨道用作辅助运输(运送材料、设备等)的平巷,称为区段回风平巷或区段轨道平巷;在采煤的起始位置,联通区段运输平巷和区段回风平巷进行采煤工作准备的巷道,称为开切眼。

3.采区车场

采区车场是联接采区上山与大巷或区段平巷,作为运输转载用的准备巷道。按其位置不同,有采区上、中、下部车场。

4.采区石门

采区石门是为采区运输或通风服务的准备巷道。根据煤层赋存状况和采区巷道布置方式,有采区运输石门、采区回风石门、区段石门等。

5.采区硐室

采区硐室是安装机电设备或作为其他用途的准备巷道。主要有采区绞车房、采区变电所、采区煤仓等。

6.辅助巷道

辅助巷道是为了保证采区生产系统畅通以及掘进施工的需要,在采区内开掘的联络巷、通风行人巷等。

各种巷道对于不同类型的采区,需要根据煤层的地质条件和生产技术装备,将其合理地布置。

(二)采区生产系统

1.运煤系统

在采煤工作面铺设刮板输送机,区段运输平巷9和运煤上山5内铺设胶带输送机或其他运煤设备。其运煤线路为:工作面运出的煤,经区段运输平巷9、运煤上山5到采区煤仓12,通过采区煤仓在采区运输石门1装车外运。

2.运料排矸系统

在采区轨道上山、区段回风平巷及采区上、中、下部车场铺设轨道并与大巷线路联接,用平板车及矿车运料排矸。材料和设备自采区运输石门1进入采区下部车场3,经轨道上山4到上部车场6,然后经区段回风平巷10送至两翼采煤工作面。区段回风平巷8、8′和运输平巷9、9′所需的物料,自轨道上山4经中部车场7、7′送入。掘进巷道所出的煤和矸石,利用矿车从各平巷运出，经轨道上山运至下部车场。

3.通风系统

采煤工作面所需的新鲜风流，从采区运输石门1进入，经下部车场3、轨道上山4、中部车场7，分两翼经轨道平巷8、联络巷11、运输平巷9到达采煤工作面；清洗工作面后的污风，经回风平巷10，右翼直接进入采区回风石门2，左翼需经上部车场绕道6进入采区回风石门2。

掘进工作面所需的新鲜风流，从轨道上山4经中部车场7′，分两翼送至轨道平巷8′，在平巷内用局部通风机送往掘进工作面。污风从运输平巷9′，经运煤上山5，排入采区回风石门2。

采区绞车房和变电所所需的新风，由轨道上山4直接供给。绞车房的回风是经联络小巷处的调节风窗回入采区回风石门；变电所的回风是经运煤上山进入回风石门；煤仓不能通风，煤仓上口、上山输送机机头硐室的新风，直接由石门1通过联络巷的调节风窗供给。

为保证各用风地点有足够的风量，避免风流短路、漏风，在风流线路上适当位置设置风门、风窗、密闭等通风构筑物。

4.供电系统

采区用电是由井底中央变电所，经运输大巷、采区运输石门、采区下部车场、运煤上山至采区变电所，经降压后的低压电，用低压电缆分别送往采掘工作面附近的配电点，以及上山输送机、绞车房等用电地点，再由配电点送往工作面的用电设备。

5.压气和安全用水系统

掘进岩巷时所用的压气，采掘工作面、平巷以及上山输送机转载点所需的防尘喷雾用水，分别由地面（或井下）压气机房和地面储水池（或井下小水泵）以专用管道送至采区用气用水地点。

第四节　盘区与条带准备巷道的布置方式

通常把5°～8°以下的煤层叫做近水平煤层。由于近水平煤层倾角小，因而在准备方式上与缓倾斜和倾斜煤层相比，有相似之处，又有一些不同的特点。

开采近水平煤层的采区，习惯上称为盘区。盘区式巷道布置的基本形式与采区式巷道布置相似，主要有上山盘区和下山盘区、单翼盘区和双翼盘区、单层布置盘区和联合布置盘区、石门盘区以及跨多石门盘区等布置形式。

下面以上（下）山盘区准备巷道的布置方式说明盘区式准备巷道的基本情况：

上（下）山盘区巷道布置与开采缓斜煤层的采区巷道布置基本相同，也是在盘区内布置两条或两条以上的盘区上（下）山，分别担负盘区开采期间的运煤、运料、通风等任务。盘区布置一般均采用双翼开采，根据煤层数目和间距不同，可以采用单层布置或联合布置等形式。

上山盘区巷道联合布置的准备方式如图5–3所示，盘区内开采两层薄或中厚煤层m_1和m_2，其间距10～15m，地质构造简单，瓦斯涌出量小，煤层平均倾角为5°～8°。根据以上开采条件及大巷布置方式，盘区巷道采用上山盘区联合布置，双翼开采，盘区内划分为若干个区段，上、下区段工作面对采。

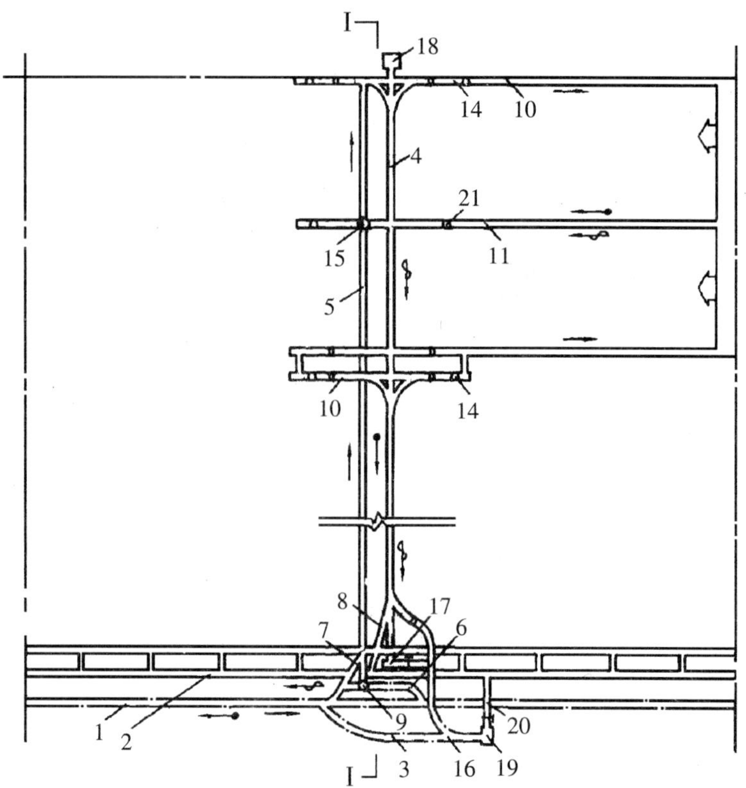

I－I

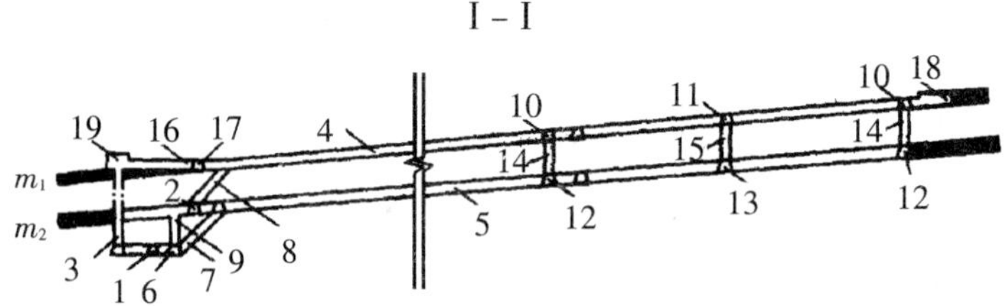

图5-3　上山盘区巷道联合布置示意图

1——岩石运输大巷；2——总回风巷；3——盘区材料斜巷；4——盘区轨道上山；5——盘区运煤上山；6——下部车场；7——进风斜巷；8——回风斜巷；9——煤仓；10——m_1层区段进风平巷；11——m_1层区段运输平巷；12——m_2层区段进风平巷；13——m_2层区段运输平巷；14——区段材料斜巷；15——区段溜煤眼；16——甩车场；17——无极绳绞车房；18——无极绳尾轮；19——盘区材料斜巷绞车房；20——绞车房回风巷；21——下层煤回风眼

其一，上（下）山盘区巷道布置：

运输大巷1布置在m_2煤层底板岩石中，在m_2煤层中布置回风大巷2，并布置盘区下部车场6；在m_1煤层中布置轨道上山4，在m_2煤层中布置运输上山5，上、下煤层的区段平巷采用重叠式布置。

其二,上(下)山盘区生产系统:

(1)运煤系统。m_1煤层工作面采出的煤,经m_1区段运输平巷11运至区段溜煤眼15,然后由盘区运输上山5运至盘区煤仓9,在盘区下部车场6装车外运。

(2)运料系统。m_1煤层采煤工作面所需的材料和设备,由运输大巷1经盘区材料斜巷3、甩车道16转至盘区轨道上山4,然后运至上部或中部车场,经m_1煤层区段进风巷10运至采煤工作面。m_2煤层采煤工作面所需材料,由m_1煤层的区段进风巷10经材料斜巷14下放到m_2煤层区段进风巷12,再转运到m_2煤层的采煤工作面。

(3)通风系统。新鲜风流由运输大巷1经进风斜巷7、运输上山5、m_2煤层进风巷12,再经材料斜巷14,进入m_1煤层进风巷10,冲洗采煤工作面。自工作面出来的污风流,经m_1煤层运输平巷11、盘区轨道上山4、回风斜巷8进入总回风巷2,由风井排至地面。

当开采的煤层层数较多或开采厚煤层时,根据条件可将盘区上(下)山布置在煤层底板岩石中,采用盘区集中上(下)山和区段集中平巷联合布置的方式。

第五节 薄及中厚煤层长壁采煤法的采煤工艺

长壁工作面的采煤生产过程,主要包括破(落)煤、装煤、运煤、支护及采空区处理等工序,其中前三项是为了把煤从采煤工作面采出,简称为采煤;后两项是为了控制顶板,为采煤创造安全的工作条件,通常叫做顶板管理。采煤工作面进行各工序所用的方法、设备及其相互配合,称为采煤工艺。

我国长壁采煤工作面的工艺方式主要有炮采、普采和综采三种方式。

由于我国煤矿地质条件差异很大,多种采煤工艺方式将长期并存。

一、爆破采煤工艺

爆破采煤的工艺过程包括打眼、爆破落煤和装煤、人工装煤、刮板输送机运煤、移置输送机、人工支护和回柱放顶等主要工序。

二、普通机械化采煤工艺

普采工作面布置:

普通机械化采煤(简称普采)工作面一般采用单滚筒采煤机(或用双滚筒采煤机、刨煤机)落煤和装煤、可弯曲大型刮板输运机运煤、金属摩擦支柱或单体液压支柱铰接顶梁(个别用Ⅱ形钢等顶梁或不用顶梁)支护、液压推移器或其他方式移溜。液压推移器可用设置在平巷内的乳化液泵通过管路进行集中供液控制,也可用手动的液压式推移器。

普采工作面上、下区段平巷断面不大,刮板输送机的机头、机尾通常都设在工作面内,故工作面上、下两端需要用人工打眼爆破开切口(又称机窝),上切口长为6~10m,下切口为3~4m。

普采工作面采煤工艺中落煤和装煤与炮采完全不同,其运煤、支架和采空区处理等基本上与炮采相同。

三、综合机械化采煤工艺

综采工艺是用机械破煤、装煤、运煤、液压自移支架支护的采煤工艺系统。

综合机械化采煤与普通机械化采煤工艺的区别在于工作面支护实现了机械化,这种方式使工作面破煤、装煤、运煤、移输送机、支移液压支架等主要作业全部实现了机械化,所以采煤工艺较普采简单,其主要区别是液压自移支架的工作方式和移置。

综采工作面布置及主要设备:

综采工作面的设备布置如图5-4所示。工作面的主要设备有:双滚筒采煤机、可弯曲刮板输送机、液压自移支架。平巷内的主要设备有:桥式转载机、可伸缩胶带输送机、可移动变电站、泵站及电气设备等。

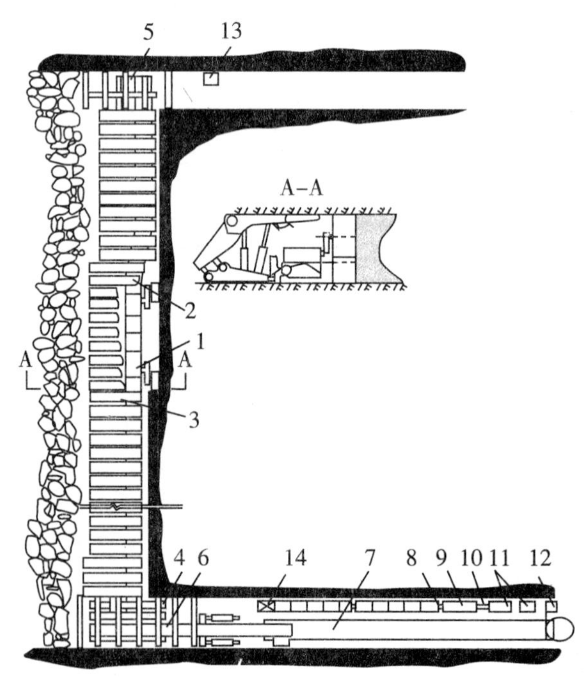

图5-4　综采工作面设备布置示意图

1——采煤机;2——刮板输送机;3——液压支架;4——下端头支架;5——上端头支架;6——转载机;7——可伸缩胶带输送机;8——配电箱;9——移动变电站;10——设备列车;11——泵站;12——喷雾泵站;13——绞车;14——集中控制台

(一)工作面采煤机

综采工作面落煤,有滚筒式采煤机和刨煤机两种。我国广泛使用可调高的双滚筒采煤机,其结构和动作原理与普采工作面所用的采煤机相似,但其功率及生产能力等技术特征大于普采工作面采煤机。

(二)输送机

综采工作面使用的可弯曲刮板输送机,要求运输能力大,铺设长度大,结构强度高。它既是运煤机械,又是采煤机运行的导轨和移置液压支架的支点。

（三）液压支架

综采工作面使用的液压支架是以高压液体为动力，自行完成支撑、降架、支架前移、推移输送机和采空区处理等工序。此外，还有专用于工作面上下出口、维护输送机机头机尾的端头液压支架，用于锚固输送机机头、机尾，防止滑动的锚固支架等。

液压支架的种类很多，其基本结构是由顶梁、支柱、底座、推移千斤顶、液压阀及挡矸装置等组成。根据支架与围岩相互作用的特点，液压支架可分为支撑式、掩护式和支撑掩护式3种类型。

（四）转载机和可伸缩胶带输送机

转载机是一台结构特殊的重型刮板输送机，它的一端与工作面输送机相搭接，另一端在胶带输送机的机尾上，在工作面刮板输送机和区段运输巷可伸缩胶带输送机之间起转载作用。转载机能随采煤工作面的推进，用机械动力将其整体纵向前移。

可伸缩胶带输送机是区段运输巷中的运煤设备，其特点是具有一套储带装置，能储存50～100m的胶带。随着工作面的推进，通过储带装置可调节输送机的长度，工作面每推进25～50m，调整一次胶带输送机的长度。

（五）移动变电站和乳化液泵站

移动变电站是随工作面推进而移动的变电站，它是将采区变电站输送来的高压电变成与综采工作面用电设备相适应的电压后，供工作面设备作为动力电源。乳化液泵站是供给液压支架及其他液压设备高压液体的设备，它随工作面的推进而向前移动。

四、其他条件下机采的工艺特点

由于地质条件的不同，薄煤层（采高小于1.3米）、大倾角煤层（倾斜煤层）、大采高煤层（煤厚3.5～5m）以及赋存不太规则的煤层，由于开采条件特殊，机采工艺各有特点。

（一）薄煤层机采工艺特点

1.薄煤层滚筒采煤机采煤的特点

薄煤层工作面采高低，要求采煤机的机身应当矮一些，要有足够的功率，通常功率为100～200kw；机身应尽可能短，以适应煤层的波状起伏；要有足够的过煤和过机空间高度；尽可能实现工作面不用人工切口；有较强破岩过地质构造能力；结构简单、可靠，便于维护和安装。

2.刨煤机采煤工艺的特点

刨煤机采煤是利用带刨刀的煤刨沿工作面往复落煤和装煤，煤刨靠工作面输送机导向。刨煤机结构简单可靠，便于维修；截深小（一般为5～10cm），只刨落煤壁压酥区表层，故刨落单位煤量能耗少；刨落煤的块度大，煤粉及煤尘量少，劳动条件好；司机不必跟机作业，可在平巷内操作，移架和移输送机工人的工作位置相对固定，劳动强度小。因此，刨煤机对于开采薄煤层是一种有效的落煤和装煤机械。

（二）大采高综采的工艺特点

大采高一次采全厚综合机械化采煤法，是近几年伴随大采高液压支架、大功率采煤机和强力刮板输送机的出现而产生的一种新工艺。适应了我国很多矿区厚度在3.5~5m左右的主采煤层。这类煤层若采用分层综采，则采高较小，影响经济效益。若采用放顶煤综采，则煤层又较薄时，不太适宜。目前大采高一次采全厚采煤法已在我国许多矿区得到了应用。

大采高综采工作面采煤工艺过程与一般综采基本相同，由于设备高度大，煤壁易片帮，管理难度大，采煤多用走向或俯斜长壁，其采煤工艺与一般综采相比有以下特点：

（1）由于支架的支撑高度大，支架各部件的连接销轴与孔之间存在轴向和径向间隙，即使在水平煤层的工作条件下，支架也会产生歪斜、扭转甚至倒架。

（2）大采高综采工作面容易出现煤壁大面积片帮，片帮后端面距加大，顶板失去煤壁支撑，常常造成冒顶事故。

（3）大采高综采工作面端头管理困难，因此运输及回风巷最好沿底留顶掘进，这样有利于端头管理。

（4）初采高度较小，一般为3.5m。在工作面推进到初次直接顶垮落后，逐渐沿走向将采高调整到全高。

（三）大倾角机采面工艺特点

在干燥条件下，金属对金属的摩擦因数为0.23～0.30，其相应的摩擦角为13°到17°；在潮湿条件下，摩擦因数要降低，因此，以输送机为导向和支承的采煤机，在煤层倾角大于12°时必须设防滑装置。

煤层底板对金属的摩擦因数一般为0.35～0.40，相对应的摩擦角为18°到20°。由于工作面常有淋水以及降尘洒水，可使摩擦因数进一步降低，致使煤层倾角在12°就有可能由于输送机和支架的自重引起下滑。

12°以下煤层是机采的最有利条件，设备不会因自重而下滑。生产中出现的倒架、歪架以及输送机上下窜动等问题，可以通过工艺措施加以解决；当煤层倾角大于12°时，工作面设备一般应加防滑装置，并采取相应的工艺措施。

大倾角机采工作面开采时应注意防止输送机下滑、液压支架防滑、采煤机防滑。

五、厚煤层倾斜分层走向长壁采煤法采煤工艺特点

倾斜分层采煤法，是我国长期应用开采缓斜和倾斜厚煤层的一种采煤方法。所谓倾斜分层，是将厚煤层沿倾斜方向，划分为若干个中等厚度（2.0～3.0m左右）的分层，分别布置采煤工作面进行开采。采用倾斜分层采煤法时，一般多采用自上而下逐层开采，为确保下分层回采安全，上分层开采时必须铺设人工假顶或形成再生顶板，由于采用分层开采，厚煤层倾斜分层走向长壁采煤法的采煤工艺与单一薄及中厚煤层走向长壁采煤法相比有其自身的特点。

根据我国目前的技术条件，较合适的分层厚度：普采为2m左右，最大不超过2.4m；综采工作面分层厚度3m左右，一般不超过3.2m。

六、倾斜长壁采煤法采煤工艺特点

倾斜长壁采煤法的实质是长壁工作面沿走向布置，沿倾斜推进。具有生产系统简单，工作面搬家次数少，掘进率低等优点。在近水平煤层中，不论工作面采用仰斜推进还是俯斜推

进,其工艺过程和走向长壁采煤法相似。但随着煤层倾角的增大,工作面矿山压力显现规律及采煤工艺又有一些特点,若仍采用和走向长壁采煤法相同的设备,就会带来一定的困难。

(1)仰斜开采时,水可以自动流向采空区,工作面无积水,劳动条件好,机械设备不易受潮,装煤效果好。当然煤层倾角小于10°左右时,采煤机及输送机工作稳定性尚好.如倾角较大,采煤机在自重影响下,截煤时偏离煤壁减少了截深;输送机也会因采下的煤滚向溜槽下侧,易造成断链事故。为此,要采取一些措施,如减少截深、采用中心链式输送机、下部设三角架把输送机调平、加强采煤机的导向定位装置等。在煤层夹矸多时,滚筒切割反弹力较大,使采煤机收振动和滚筒易"割飘",导向管在煤壁侧磨损严重。

(2)在俯斜开采时,随着煤层倾角的加大采煤机和运输机的事故也会增加,装煤率降低。由于采煤机的重心偏向滚筒,倾斜开采将加剧机组的不稳定,易出现机组掉道或断牵引链的事故,并且采煤机机身两侧向装置磨损严重。俯斜开采最大的问题是装煤困难。这时,可以将采煤机两滚筒对换位置,改为背向旋转,且割底煤滚筒用弧形挡没板,70%的没能靠采煤机装入输送器,30%的煤由铲煤板装入输送器。

七、厚煤层放顶煤采煤法采煤工艺特点

放顶煤采煤法是在开采厚煤层时,沿煤层的底板或煤层某一厚度范围内的底部布置一个采高为2~3m的采煤工作面,用综合机械化采煤工艺进行回采,利用矿山压力的作用或辅以人工松动爆破等方法,使支架上方的顶煤破碎成散体后由支架后方(或上方)的"放煤窗口"放出,并由刮板输送机运出工作面。

综合机械化放顶煤工艺过程如下:在煤层(或分段)底部布置的综采工作面中,采煤机割煤后,液压支架及时支护并移植新的位置,随后将工作面前部刮板输送机推移至煤壁。操作后部刮板输送机使用千斤顶,将后部刮板输送机前移至相应位置。

采煤机割过1~3刀后,按规定的放煤工艺要求,打开放煤窗口,放出已松散的煤炭,待放出的煤炭中含矸量超过一定限度后,及时关闭放煤口。完成采放全部工序为一个放顶煤开采工艺循环。

放顶煤采煤法具有准备工程量少、有利于合理集中生产、经济效益显著、对煤层厚度变化及地质条件具有较强的适应性等优点。但是,采出率低(比分层开采低10%左右)、工作面粉尘大,自然发火、瓦斯积聚隐患较大等缺点。

第六节　采煤工作面生产组织管理

为了采煤工作面各道工序在时间上和空间上相互协调,人力、物力和机械设备得到合理利用,保证采煤工作面获得最佳的技术经济效果,必须对采煤工作面生产过程进行科学合理的组织和管理。

一、采煤工作面的循环作业

采煤工作面的循环是指完成工作面落煤、装煤、运煤、支护和放顶(或放顶煤)等工序的作业方式,并且周而复始地进行下去。普采工作面以工作面放顶工序为完成一个循环的标志,综采工作面是以进刀或移架工序为完成一个循环的标志,放顶煤工作面是按完成一次放煤工序过程为循环标志。

采煤工作面循环作业的主要内容包括循环方式、作业形式、工序安排和劳动组织等。

(一)循环方式

循环方式是指循环进度和昼夜循环次数的总称。采煤工作面的循环分为单循环和多循环。

(1)循环进度。循环进度是指采煤工作面每完成一个循环工作面煤壁向前推进的距离,是每次落煤的深度(截深)和循环落煤次数的乘积。

(2)昼夜循环次数。昼夜循环次数决定于每循环作业所用时间的长短。地质条件、生产条件及管理水平等不同的工作面,昼夜完成循环次数也不完全相同。

(3)正规循环作业。按照作业规程中循环作业图表安排的工序顺序和劳动定员,在规定的时间内保质保量安全地完成循环作业的全部工程量,并保持周而复始地进行采煤工作的一种作业方法。正规循环作业用循环图表来表示,符合规定的循环时间、循环进度、工作质量和劳动定员是正规循环作业的四项基本要求,按照循环图表作业是正规循环的基本特点。

(4)正规循环率。为了加强采煤工作面现场标准化管理,采用正规循环率来评价采煤工作面生产组织管理水平。

(二)作业形式

采煤工作面作业形式是指一昼夜内采煤班与准备班在时间上的配合方式。采煤班是指在规定工作时间内从事落煤、装煤、运煤及支护等工序的班组。准备班是指在工作时间内主要进行支护、运输、机电等设备的日常维护、检修作业、巷道维护、工作面安全措施的施工等准备工作的班组。

现在矿井常用的作业形式有以下几种:

1.“两采一准”作业形式

是指昼夜三个班,其中两个班采煤,一个班准备。适用于准备工作量较大的炮采工作面。

2.“边采边准”作业形式

是指昼夜三个班,每个班生产时落煤与放顶两个主要工序在空间上错开一定安全距离,实行采支回平行作业。这种作业形式可充分利用空间、时间和设备,组织多循环生产。适用于普采工作面。

3.“两班半采煤、半班准备”作业形式

是指昼夜三个班,除两个班进行采煤外,另一个班用一半的时间采煤,另一半的时间进行检修。这种作业形式增加了采煤时间,有利于提高产量。适用于准备工作量较小的综采或普采工作面。

4."三采一准"作业形式

是指昼夜四个班，每班六小时工作，即四六工作制；其中三个班采煤，一个班检修。这种作业形式，既可增加采煤时间，又可保证设备有充分的检修时间，作业人员劳动时间缩短。适用于综采工作面。

5."四班交叉、三采一准"作业形式

是指昼夜四个班，每班八小时工作；每班首尾两小时为两班共同作业时间。可把工作量大的工作集中在人员多的交叉时间内进行。适用于炮采或普采中各工序工作量差别较大的工作面。

（三）工序安排

工序安排是把每个循环的采煤与准备工序，在时间和空间上作出合理的安排。工序安排的基本要求是充分利用工作面的空间和作业时间，避免各工序的相互影响，提高工时利用率；保持工作面的均衡生产，最大限度地提高工作面的生产能力。采煤工作面各工序的安排有顺序作业、平行作业及两种相结合的形式。安排时应分清主、次工序，保证主要工序的顺利进行，尽可能地增加出煤时间；辅助工序尽可能与采煤平行进行，充分利用空间和时间，并保证作业安全。

（四）劳动组织

劳动组织是指各工作班中劳动力定员与各工种的相互配合关系。劳动组织应与循环方式、作业形式、工序安排等互相适应。采煤工作面劳动组织形式有以下几种：

1.追机作业

追机作业组织形式是将工作面工人按专业分组，分别组织挂梁、清浮煤、移溜、支柱、回柱放顶或移架等专业组，各专业组跟随采煤机割煤顺序完成各专业工作。适用于普采和综采工作面。

2.分段作业

分段作业组织形式，除采煤机司机、打眼放炮工、机电工等为专职工种外，将工作面采支工人分成若干小组，按工作面长度分为若干段，每段由一个小组负责。各小组综合作业，在本段内完成挂梁、清浮煤、支柱、回柱、铺网等工作。适用于炮采工作面。

3.分段接力追机作业

分段接力追机作业组织形式是前两种形式的结合。即将工作面分为若干段，将工人分为若干小组，每组一次负责一段内的综合工作。随采煤机割煤，各组轮流接力追机前进。适用于工作面较长的普采和综采。

二、采煤工作面循环作业图表

采煤工作面循环作业图表是将工作面的循环方式、作业形式、工序安排、劳动组织及主要技术经济指标的最终结果，用图表的形式反映出来，以便于组织与指导生产。采煤工作面循环作业图表主要包括工作面的循环作业图、劳动组织表、技术经济指标表和采煤工作面布置图四部分内容。

(一)循环作业图

循环作业图是用来表示工作面内各工序在时间上和空间上的相互关系。循环作业图的构成是以工作面长度为纵坐标,以昼夜24h时间为横坐标,再以带有各种符号的线条绘出各工序所处的时间和地点。如图5-5所示。

表5-2　　　　采煤工作面循环作业图常用符号

序号	工序名称	符号	备注	序号	工序名称	符号	备注
1	采煤机割煤		标准	8	打煤眼		标准
2	采煤机装煤		标准	9	放炮		标准
3	移输送机		标准	10	开切口		标准
4	移支架		标准	11	铺金属网		标准
5	支柱		标准	12	挂梁		非标准
6	准备及检修		标准	13	临时支柱		非标准
7	回柱放顶		标准	14	煤壁注水		非标准

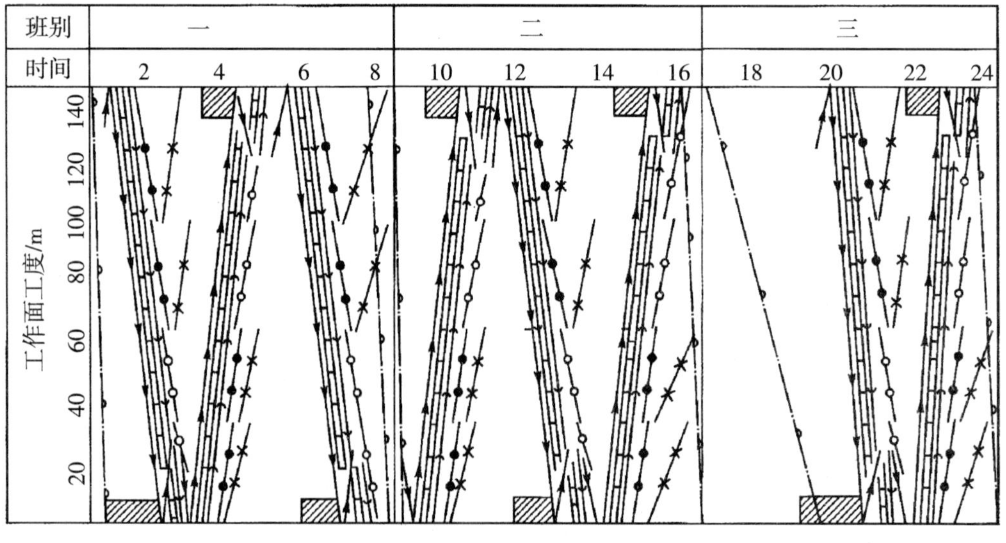

图5-5　普采工作面循环作业图

(二)劳动组织表

劳动组织表是根据工作面的作业形式与循环作业各工种工作量和企业劳动定额规定，计算确定各工种所需定员数目，列表表示工作面各工作班不同工种应出勤人员数目、工作时间、各班及工作面需配备人员总数。

(三)技术经济指标表

技术经济指标表是利用列表的方式表示采煤工作面基本工作条件，配备主要设备技术特征、工作面应达到的技术经济效果等指标，见表5-6。该表主要包括下列指标：

(1)采煤工作面技术条件，包括工作面长度、推进长度、开采煤层厚度、倾角等。

(2)采煤工作面地质条件，包括煤层的基本特征，煤层顶底板岩石性质、顶底板的分级，主要地质构造基本特征，瓦斯赋存、涌出特征，煤尘爆炸危险性、煤层自然发火倾向性，涌水影响情况，煤质的主要指标等。

(3)循环作业组织概况，包括工作面的循环方式、作业形式、劳动组织等基本状况。

(4)主要技术经济指标，包括工作面的各种材料消耗指标和消耗量，工作面采出率、产量、效率，吨煤直接成本等。

(四)工作面布置图

工作面布置图是指按一定比例绘制工作面正常生产时支护设备布置的基本状况，利用断面图反映采煤工作面最大控顶距和最小控顶距断面特征的图件，是进行工作面风量分配、风速计算的基础。见普采工作面设备布置图。

第七节　其他类型采煤方法

一、急倾斜煤层采煤方法

由于急倾斜煤层的倾角比较大，煤层地质因素和矿山压力显现与缓斜、倾斜煤层有着较大的差异，在矿井开拓、采区巷道布置、采煤方法以及提升运输、采煤机械化、安全生产等方面具有独自的特点，因而形成了多种采煤方法。

急斜煤层走向长壁采煤法按工作面布置方式及形式可分为单一煤层走向长壁采煤法、倒台阶采煤法、正台阶采煤法及伪斜柔性掩护支架采煤法等。目前，常用的是伪倾斜柔性掩护支架采煤法。

伪倾斜柔性掩护支架采煤法是指在急倾斜煤层中，沿伪倾斜煤层布置采煤工作面，用柔性掩护支架将采空区和工作空间隔开，工作人员在掩护支架的保护下进行采煤工作，沿走向推进的采煤方法。

伪倾斜柔性性掩护支架采煤工作，有下列优点：工作面倾角变缓，工作面较长，采区巷道掘进量小，煤炭损失少，回采率高；工人在掩护支架下工作，工作安全；利用掩护支架把工作空间与采空区隔开，简化了顶板管理工作，从根本上解决了工作面支柱、回柱的笨重工作，为安全生产和三班出煤，创造了条件；煤炭自滑运输，不用人工攉煤，减轻了工人的劳动强度，通风系统简单，坑木消耗量低；采煤工作面工序简单，管理方便。

这种采煤方法的主要缺点是：掩护支架的宽度不能自动调节，难以适应煤层厚度的变化；采煤工艺落后，工作面基本是单点出煤，机械化程度低；在含有夹石的煤层中使用这种方法，无法排除矸石；工作面煤尘大，工作环境较差。

目前条件下还不能实现机采。

二、柱式体系采煤法

柱式体系采煤法的基本特点是短工作面回采，利用煤柱暂时或永久支撑顶板。它包括房式采煤法和房柱式采煤法两种类型。其实质都是在煤层内开掘一系列宽为5～7m左右的煤房，用短工作面向前推进的方式开采煤房，区段内4～6个煤房同时掘进，煤房间用联络巷相通以构成生产系统，并形成近似于长条形或矩形的煤柱，煤柱宽度由数米至二十多米不等。采完煤房后，煤柱可根据条件留下不采以支撑顶板岩层，也可按要求尽可能采出。只采煤房不采煤柱的称为房式采煤法，既采煤房又采煤柱的称为房柱式采煤法。

三、水力采煤

水力采煤是利用高压水射流破落煤体，并利用水力来完成运输、提升等生产环节的开采技术，简称水采。

由高压泵供给水枪用水的系统称为高压供水系统。供水压力一般为12～20MPa。供水管路根据服务范围可选用内径150～300mm，壁厚7～15mm的钢管。掘进工作面水枪用水一般用中、低压供水管路来完成，供水压力0.6～2MPa。

利用水力将煤炭从工作面运提到地面的系统称为煤水运提系统。采区内煤的运输一般都采用明槽自流水力运输，从煤水仓到地面一般用煤水泵管路水力运输。

第二部分　专业核心知识点

1. 采煤系统方法的定义和种类；
2. 缓倾斜、倾斜薄及中厚煤层走向长壁采煤法巷道布置；
3. 近水平煤层倾斜长壁采煤法巷道布置；
4. 缓倾斜、倾斜厚煤层放顶煤采煤法巷道布置；
5. 机采、综采工艺及设备。

第三部分　专业技能训练

技能一　模型实训

1. 缓倾斜、倾斜薄及中厚煤层走向长壁采煤法巷道布置模型；

2. 近水平煤层倾斜长壁采煤法巷道布置模型；

3. 缓倾斜、倾斜厚煤层放顶煤采煤法巷道布置模型。

技能二　熟悉认知实训

1.各种采煤方法的适用条件；

2.采煤工作面组织管理程序。

复习题

1.简述综采工作面回采工艺过程。
2.采空区处理的方法有哪些？简述全部垮落法管理顶板。
3.采煤工作面常用的作业形式有哪几种？
4.采煤工作面循环作业图表包括哪几项内容？
5.开采急倾斜煤层时有哪些主要特点？
6.说明伪斜柔性掩护支架采煤法回采工作的特点。

讨论题

1.本矿的采煤方法是什么？为什么采用这样的方式？
2.作为你的本职工作应该怎样配合采煤工作？
3.请你叙述本矿的采区生产系统？

第六章　矿井通风

第一部分　系统理论知识

第一节　矿井通风的任务与矿内空气

一、矿井通风的任务

煤矿地下开采工作条件比较恶劣，矿井通风是矿井安全工作的基础，是防治瓦斯、煤尘、火灾和创造良好工作环境最有效的方法。矿井通风的基本任务是：

(1)供给井下人员足够的新鲜空气，每人每分钟不得少于4m^3。

(2)冲淡并排出井下有毒有害气体及矿尘，使各用风地点风流中的瓦斯、二氧化碳、氢气和其他有害气体的浓度在《煤矿安全规程》规定的安全浓度以下。

(3)由于井下条件恶劣，空气常常是湿度大、地热明显，所以要通过通风调节气候条件，创造良好的工作环境。

二、矿井内空气成分及其基本性质

地面空气进入矿井以后，由于受到污染，其成分和性质要发生一系列的变化，如氧浓度降低，二氧化碳浓度增加；混入各种有毒、有害气体和矿尘；空气的状态参数(温度、湿度、压力等)发生改变等。一般来说，将井巷中经过用风地点以前、受污染程度较轻的进风巷道内的空气称为新鲜空气(新风)；经过用风地点以后、受污染程度较重的回风巷道内的空气，称为污浊空气(乏风)。

尽管矿井空气与地面空气相比，在性质上存在许多差异，但在新鲜空气中其主要成分仍然是氧、氮和二氧化碳。在污浊空气中含有大量有毒有害气体：一氧化碳(CO)、二氧化氮(NO_2)、二氧化硫(SO_2)、硫化氢(H_2S)、氨气(NH_3)、氢气(H_2)、瓦斯(CH_4)。

氧气是维持人体正常生理机能所需要的气体。人类在生命活动过程中，必须不断吸入氧气，呼出二氧化碳。人体维持正常生命过程所需的氧气量，取决于人的体质、精神状态和劳动强度等。

三、矿内气候条件

(一)温度、湿度与风速

1.*矿内空气温度*

矿内空气温度是影响矿内气候条件的重要因素。气温过高或过低，对人体都有不良的

影响。最适宜的矿内空气温度是15℃～20℃。

矿内空气温度的变化规律：

在进风路线上矿内空气的温度与地面气温相比，有冬暖夏凉的现象。回采工作面的气温在整个风流路线上，一般是最高的区段。在回风路线上，因通风强度较大，水分蒸发吸热，气流向上流动而膨胀降温，使气温略有下降，但基本上常年变化不大。

2.矿井内空气的湿度

(1)矿井内空气湿度：

矿井内空气湿度是指矿内空气中所含水蒸气量。绝对湿度是指每1m^3或1kg的湿空气中所含水蒸气量的克数。相对湿度是指湿空气中实际含有水蒸气量与同温度下的饱和水蒸气量之比的百分数。空气中饱和水蒸气量的大小取决于空气的温度。

(2)井下空气湿度的变化规律：

进风线路有可能出现冬干夏湿的现象，进风井巷有淋水的情况除外。在采掘工作面和回风线路上，气温长年不变，湿度也长年不变，一般都接近100%，随着矿井排出的污风，每昼夜可从矿井内带走数吨甚至上百吨的地下水。

3.井巷风量、风速的测量

井下风速与温度、湿度有着密切的关系。

《煤矿安全规程》对温度和风速的规定如下：

(1)矿井采掘工作面空气温度不得超过26℃，机电设备硐室的空气温度不得超过30℃。

(2)井巷中的允许风流速度见表6-1。

表6-1 井巷中的允许风流速度

井巷名称	允许风速/(m/s)	
	最低	最高
无提升设备的风井和风硐		15
专为升降物料的井筒		12
风桥		10
升降人员和物料的井筒		8
主要进、回风巷		8
架线电机车巷道	1.0	8
运输机巷，采区进、回风巷	0.25	6
采煤工作面、掘进中的煤巷和半煤岩巷	0.25	4
掘进中的岩巷	0.15	4
其他通风人行巷道	0.15	

(二)空气的密度、比容

1. 空气的密度

单位体积空气所具有的质量称为空气的密度。一般地说，当空气的温度和压力改变时，其体积会发生变化。空气的密度是空间点坐标和时间的函数。如在大气压P_0为101.325Pa、气温为0℃(273.15K)时,干空气的密度ρ_0为1.293kg／m^3。湿空气的密度是1m^3空气中所含干空气质量和水蒸气质量之和。

2. 空气的比容

空气的比容是指单位质量空气所占有的体积,用符号(m^3／kg)表示,比容和密度互为倒数,它们是一个状态参数的两种表达方式。

3. 气体的内能

气体的内能是指气体内部分子热运动的动能和由分子间相互吸引力所产生的位能的总和。井下空气可视为理想气体,而理想气体是没有分子间相互吸引力的气体。因此气体分子的内能决定于气体的绝对温度T。

4.空气的黏性

当流体层间发生相对运动时,在流体内部两个流体层的接触面上,便产生黏性阻力(内摩擦力)以阻止相对运动,流体具有的这一性质,称作流体的黏性。

第二节　矿井通风阻力和通风动力

一、矿井通风阻力

风流流动时,必须具有一定的能量(通风压力),用以克服井巷及空气分子之间的摩擦对风流所产生的阻力。通风压力克服通风阻力,两者数值相等,方向相反。知道通风阻力的大小就能确定所需通风压力的大小。

空气在井巷中流动时,由于空气的黏滞性和惯性以及井巷壁对风流的阻滞、扰动作用,产生的风流能量损失,称为矿井通风阻力。矿井通风阻力包括摩擦阻力(即沿程阻力)和局部阻力两大类,而摩擦阻力是矿井通风总阻力中的主要部分。

(一)摩擦阻力

1.摩擦阻力及影响因素

风流在井巷中作均匀流动时,沿程受到井巷固定壁面的限制,引起内外摩擦,因而产生阻力,这种阻力叫做摩擦阻力。所谓均匀流动是指风流沿程的速度和方向都不变,而且各断面上的速度分布相同。流态不同的风流,摩擦阻力$h_{摩}$的产生情况和大小也不同。一般情况下,摩擦阻力要占能量方程中通风阻力的80%～90%,它是矿井通风设计和选择扇风机的主要参数,也是生产中分析与改善矿井通风工作的主要对象。

摩擦阻力与巷道断面的大小、巷道壁的粗糙程度、巷道长度、巷道支护形式及风速有关。

2.井巷摩擦阻力计算公式

井巷摩擦阻力值可按下式计算:

$$h_{摩}=\alpha\frac{LU}{S^3}Q^2 \tag{6-5}$$

式中 $h_{摩}$ —— 井巷摩擦阻力,Pa;

α ——井巷摩擦阻力系数,$N \cdot s^2/m^4$;

L —— 井巷长度,m;

U —— 井巷周边长度,m;

S ——井巷净断面积,m^2;

Q —— 井巷中通过的风量,m^3/s。

对于特定的井巷,公式(6–5)中α、L、U、S等都为定值,故可令:

$$R_{摩} = \frac{\alpha LU}{S^3} \tag{6-6}$$

$R_{摩}$称为摩擦风阻,单位用$N \cdot s^2/m^8$表示,则公式(6–5)可写成:

$$h_{摩}=R_{摩}Q^2 \tag{6-7}$$

公式(6–7)是摩擦阻力的另一表达式,它说明了当摩擦风阻一定时,摩擦阻力与风量的平方成正比。

3.降低井巷摩擦阻力的措施

井巷通风阻力是引起风压损失的主要根源,因此降低井巷通风阻力,特别是降低摩擦阻力就能用较少的风压消耗而通过较多的风量。许多原来是阻力大、通风困难的矿井,经降低阻力后即变为阻力小、通风容易的矿井。

根据$h_{摩}=(\alpha LU/S^3)Q^2$的关系式可以看出,保证一定风量,降低摩擦阻力的方法就是降低摩擦风阻,根据影响$h_{摩}$的各因素,降低摩擦阻力的主要措施有:

(1)降低α。$R_{摩}$与α成正比,而α主要决定于巷道粗糙度,因此降低α就应尽量使巷道光滑。当采用棚子支护巷道时,要很好地刹帮背顶,在无支护的巷道,要注意尽可能把顶底板及两帮修整好;对于井下的主要巷道,在采用料石或混凝土砌碹,特别是采用锚杆支护技术时,更能有效地使α系数减小。

(2)扩大巷道断面S。因$R_{摩}$与S^3成反比,所以扩大巷道断面有时成为降低摩擦阻力的主要措施。由于摩擦阻力又与风量的平方成正比,因此在采用这种措施时,应抓主要矛盾,即首先应考虑风量大、断面小的总回风道的扩大,其次再考虑其他巷道的扩大。

(3)减少周边长U。$R_{摩}$与U成正比,在断面积相等的条件下,选用周长较小的拱形断面比周长较大的梯形断面好。

(4)减少巷道长L。$R_{摩}$与L成正比,进行开拓设计时,就应在满足开采需要的条件下,尽可能缩短风路的长度。例如,当采用中央并列式通风系统,如阻力过大时,即可将其改为两翼式通风系统以缩短回风路线。

降低摩擦阻力,还应同时结合井巷的其他用途与经济等因素进行综合考虑。如断面过大,不但不经济,而且也不好维护,反而不如选用双巷。

(二)局部阻力

1.局部阻力的产生

风流流经井巷的某些局部地点时遇到巷道断面突然扩大或缩小、巷道转弯、交岔点以及巷道内有堆积物或矿车等,由于速度或方向发生突然的变化,导致风流本身产生剧烈的冲击，形成极为紊乱的涡流，从而损失能量。造成这种冲击与涡流的阻力即称为局部阻力。

2. 局部阻力的计算方法

局部阻力值可按下式计算：

$$h_{局}=R_{局}Q^2 \tag{6-8}$$

式中 $h_{局}$ —— 局部阻力，Pa；

$R_{局}$ —— 局部风阻，$N \cdot s^2/m^8$；

Q —— 井巷中通过的风量，m^3/s。

3.降低局部阻力的措施

由于局部阻力是风流在局部阻力地点发生剧烈的冲击而产生的，故降低局部阻力的措施主要是：

(1)在容易发生局部阻力的地点，应尽量减少局部风阻值。如采用斜线形或圆弧形连接断面不同的巷道。巷道转弯时，转角β愈小愈好。

(2)尽量减少产生局部阻力的条件，如不用或少用直径很小的铁筒风桥，避免在主要巷道内任意停放矿车、堆积木材、器材等。

(3)特别注意降低总回风道和风硐的局部阻力，及时清扫风硐内的堆积物，在井筒与风硐的转弯处做成圆滑的壁面。

(三)井巷风阻与等积孔

1.井巷风阻及其阻力特性

在矿井巷道中，任何井巷的通风阻力，不管它是摩擦阻力、局部阻力或是两者同时具有的阻力，其阻力公式均可写成：

$$h_{总}=h_{摩}+h_{局}=(R_{摩}+R_{局})Q^2=RQ^2 \tag{6-9}$$

式中 $h_{总}$ —— 矿井通风总阻力，Pa；

$h_{摩}$ —— 摩擦阻力，Pa；

$h_{局}$ —— 局部阻力，Pa；

$R_{摩}$ —— 摩擦风阻，$N \cdot s^2/m^8$；

$R_{局}$ —— 局部风阻，$N \cdot s^2/m^8$；

R —— 矿井总风阻，$N \cdot s^2/m^8$；

Q —— 矿井总风量，m^3/s。

显然R是表示矿井通风难易程度的一个指标，当风量相同时，风阻大的井巷或矿井通风阻力大，表示通风困难，反之通风容易。在通风设计中，一般只对摩擦阻力进行计算，对局部阻力不作详细计算，只按经验取摩擦阻力的15%～25%计入矿井通风总阻力，但在通风管理上，任何阻力都不能忽略。

2.井巷等积孔

当研究井巷通风阻力时，为了在概念上更形象化，有时采用井巷等积孔来代替井巷风阻。等积孔就是用一个与井巷风阻值相当的理想孔的面积值来衡量井巷通风的难易程度。设想将一个矿井的入风口到出风口，沿着井下主要巷道进行均匀压缩，最后形成一个薄片，在这个薄片上将形成一个孔口，这个孔口面积A使得薄片的两端作用有矿井的风压差P时，通过孔口的风量正好为该矿井的风量Q,这时,该孔口面积即为矿井的等积孔,如图6–5所示。

矿井等积孔的计算公式是:

$$A=1.1917\frac{Q}{\sqrt{h}},m^2 \quad (6\text{–}12)$$

计算出矿井的风阻和等积孔后,就可以对该矿井的通风难易程度进行评价,评价的标准如下表6–2。

表6–2 通风阻力等级

通风阻力等级	通风难易程度	等积孔A
大阻力矿	困难	<1 m^2
中阻力矿	中等	1~2 m^2
小阻力矿	容易	>2 m^2

二、矿井通风动力

矿井通风动力是指产生矿井通风压力用来克服矿井通风阻力的能量,而通风压力和通风阻力方向相反、数值相等,因此通风阻力值就是通风需要的风压值。为矿井提供通风压力的通风动力有机械通风和自然通风两种。在井巷中空气能流动,是由于风流的起点和终点间存在着能量差,如果是由通风机产生的能量差,则为机械风压,利用机械风压克服通风阻力进行通风时,称为机械通风;如果是由矿井自然条件产生的能量差,则为自然风压,利用自然风压克服通风阻力进行通风时,称为自然通风。机械风压和自然风压都是矿井通风的动力,是用来克服矿井的通风阻力使空气流动。

(一)自然通风

自然通风在没有机械通风的矿井里有时能观测到,空气从气温较低的井筒经工作面流到气温较高的井筒。主要是由于空气流过井巷时与巷内空气及巷道围岩发生了热交换,使得进、回风井的气温出现差异,造成两个井筒空气柱密度γ_{ab}、γ_{cd}不相等,如图6–8所示,因而两个井筒底部受到的空气压力P_{ab}、P_{cd}也不相等,其压差就是所谓的自然风压$H_{自}$,在自然风压的作用下风流不断流过矿井形成自然通风。进、回风井筒空气密度差越大,井筒越深,两侧空气柱的重力差就越大,矿井自然风压也就越大。影响空气密度的因素除温度外,还有空气的湿度、大气压力以及空气成分等。

(二)机械通风

《煤矿安全规程》规定:“矿井必须采用机械通风。”

通风用的机械称为通风机,提供机械通风动力的矿用通风机按其服务范围分为3种:(1)用于全矿或矿井某一翼(区)的,称为主要通风机,简称主扇;(2)用于矿井通风网路内某些分支(如采区或工作面),帮助主扇工作,以保证该分支风量的,称为辅助通风机,简称辅扇;(3)用于矿井局部地点通风的,称为局部通风机,简称局扇。主要通风机是矿井的“肺脏”,必须昼夜运转,它对保证矿井安全生产有着重大意义。

根据通风机构造，通风机分为离心式通风机和轴流式通风机两大类。目前，我国最常用的是对旋轴流式通风机。

对旋式通风机是一种轴流式通风机，对旋式通风机的工作原理是工作时两级工作轮由两个等容量、等转速、旋转方向相反的电动机驱动，当气流通过集流器进入第一个工作轮获得能量后，再经第二级工作轮升压排出。两级工作轮互为导叶，第一级形成的旋转速度，由第二级反向旋转消除并形成单一的轴向流动，如图6–2所示。

对旋式通风机具有高效率、高风压、大风量、性能好、高效区宽、噪声低、运行方式多、安装检修方便等优点。

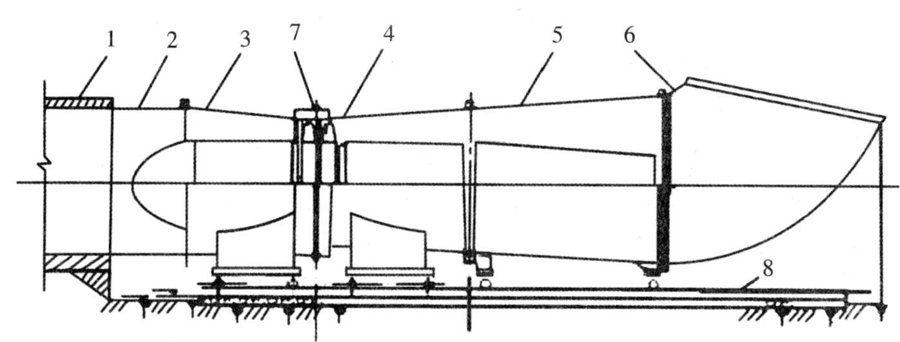

图6–2 BDK65型轴流式通风机结构示意图

1——风道；2——连接风筒；3——一级通风机；4——二级通风机；
5——扩散筒；6——扩散器；7——稳压环；8——钢轨

(三)通风机附属装置

通风机的附属装置包括反风装置、防爆门、风硐和扩散器等。

1.反风装置

反风就是使正常风流反向。当矿井进风井口附近、井筒或井底车场及其附近的进风大巷发生火灾、瓦斯爆炸、煤尘爆炸时，会产生大量的一氧化碳和二氧化碳等有害气体。为了防止灾情蔓延减少损失，也为了便于灾害处理和救护工作，有时需要改变矿井风流方向，也就是反风。《煤矿安全规程》规定：要求在10min内能把矿井风流方向反转过来，而且要求反风后的风量不小于正常风量的40%。

利用反风道反风是一种常用的可靠方法，能满足反风的时间和风量要求。

反风方法因使用的通风机不同而不同，常用的反风方法有：①设专用反风道反风。适用离心式通风机和老式轴流式通风机；②通风机反转反风和调整通风机叶片安装角反风，适用新型轴流式通风机，如对旋轴流式通风机；③利用备用通风机作为反风道反风。仅适用轴流式通风机。

2.防爆门

《煤矿安全规程》规定：装有主要通风机的出风井口，应安装防爆门。防爆门不得小于出风井口的断面积，并正对出风口的风流方向。

防爆门是安装在出风井口为防止井下爆炸产生的高压气流毁坏通风机的安全装置。当井下发生瓦斯、煤尘爆炸时，爆炸气浪将防爆门掀起，从而起到保护主要通风机的作用。防爆门在正常情况下是密封的，以防止风流短路。

3.风硐

风硐是主要通风机和出风井之间的一段联络巷道。由于通过风硐的风量很大，内外的压力差较大，因此应特别注意降低风硐阻力和减少漏风。风硐设计时应满足：

①风硐的断面不宜太小，其风速以10m/s为宜，最大不应超过15m/s。

②风硐的阻力不大于100～200Pa。因此，风硐不宜过长，与井筒的夹角为60°～90°之间，转弯部分要呈圆弧形，内壁光滑，拐弯平缓，并保持无堆积物，以减少其阻力。

③风硐及其闸门等装置，结构要严密，以防止漏风。

4.扩散器

在通风机出风口外，连接一段断面逐渐扩大的风道称为扩散器。其作用是减少出风口的速压损失，以提高通风机的静压。轴流式通风机的扩散器由圆锥形内筒和外筒构成的环状扩散器。其出口还要与由混凝土砌筑成的外接扩散器相连。外扩散器是一段向上弯曲的风道，出风口为长方形断面。离心式通风机的扩散器是长方形，其敞角取8°～10°，出风口断面与入风口断面之比约为3～4。

5.消音装置

通风机在运转时产生噪音，特别是大直径轴流式通风机的噪音更大，以致影响工业场地和居民区的工作和休息，为了保护环境，需要采取有效措施，把噪音降低到人们感觉正常的程度。我国规定通风机的噪音不得超过90dB。

速度较大的风流在通风机内和高速旋转的动轮叶片迅猛冲击，产生空气动力噪音，同时机件振动产生机械噪音。当通风机的圆周速度大于20m/s时，空气动力噪音占主要地位。正对通风机出口方向的噪音最大，侧向逐渐减少。

消音装置分为主动式与反射式，前者的作用是吸收声音的能量，后者是把声能反射回声源。通风机多采用主动式消音装置，风流通过多孔性材料装成的通道时，其噪音被吸收。对不同频率的噪音消音器，消音效果不同。为了更有效地降低高频率的噪音，消音板要有足够的厚度。也可制成空心消音板，以节省材料。

第三节 矿井通风系统

一、矿井通风系统

矿井通风系统是向矿井各作业地点供给新鲜空气、排出污浊空气的矿井通风方法、通风方式和通风网路的总称。

(一)矿井通风方法

矿井通风方法是指矿井主要通风机对矿井供风的工作方式。有抽出式、压入式和抽压混合式3种。但我国目前矿井通风方式只允许抽出式通风。

抽出式通风是将矿井主要通风机安装在回风井口，在抽出式主要通风机的作用下对矿井做抽出式通风，使整个矿井通风系统处于低于当地大气压的负压状态。由于抽出式通风矿井中的通风设施都安设在回风侧，在矿井主要进风道无须安设风门，便于运输、行人、通风管理工作。当主扇因故停止运转时，井下风流的压力提高，在短时间内可以防止瓦斯从采空区涌出，比较安全。我国大部分矿井采用抽出式通风，如图6-3所示。

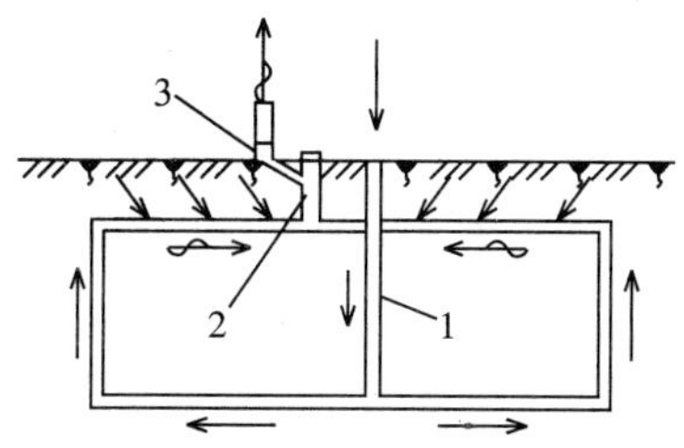

图6-3　抽出式通风示意图

1——进风井；2——回风井；3——风机

(二)矿井通风方式

根据进、回风井在井田的相对位置不同，矿井通风方式可分为如下3种：

1.中央式

中央式是指进、回风井大致位于井田走向的中央。根据回风井沿井田倾斜方向位置的不同，又分为中央并列式和中央边界式两种。

(1)中央并列式

中央并列式是指进、回风井都位于井田的走向和倾向中央，且布置在同一个工业场地内，如图6-4(a)所示。

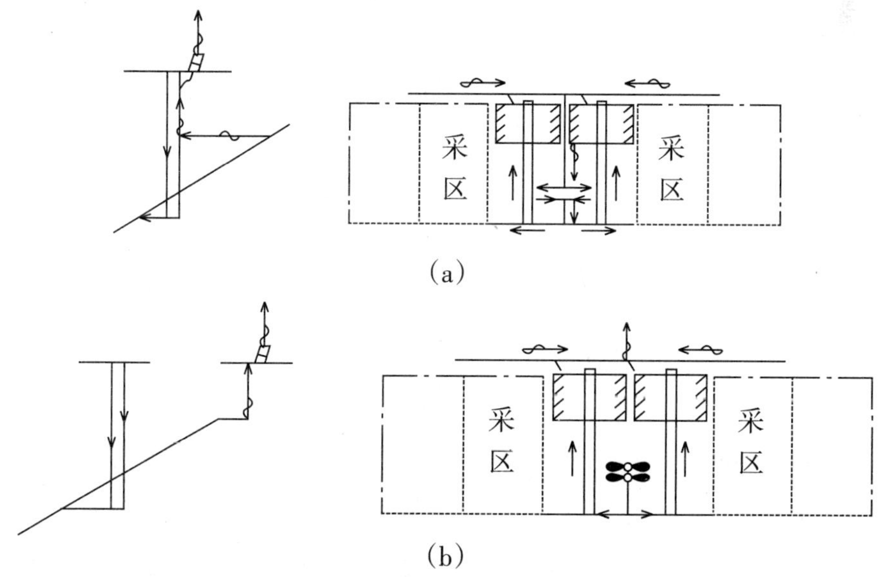

图6-4　中央式通风示意图

(a)中央并列式；(b)中央边界式

(2)中央边界式

中央边界式是指进风井位于井田中央,回风井大致位于井田上部边界沿走向的中央,出风井的井底标高高于进风井的井底标高,且不在同一个工业场地内,如图6–4(b)所示。

2.对角式

对角式是指进风井位于井田走向的中央,回风井位于井田上部边界沿走向的两翼。根据回风井沿走向位置的不同,又分为两翼对角式和分区对角式两种。

(1) 两翼对角式

两翼对角式是指进风井大致位于井田走向的中央,两个回风井位于井田上部边界沿走向的两翼(沿倾斜方向的浅部)。如果只有一个回风井,且进、回风井分别位于井田的两翼称为单翼对角式。如图6–5(a)所示。

(2)分区对角式

分区对角式是指进风井位于井田走向的中央,在每个采区的上部边界各开掘回风井,无总回风巷,如图6–5(b)所示。

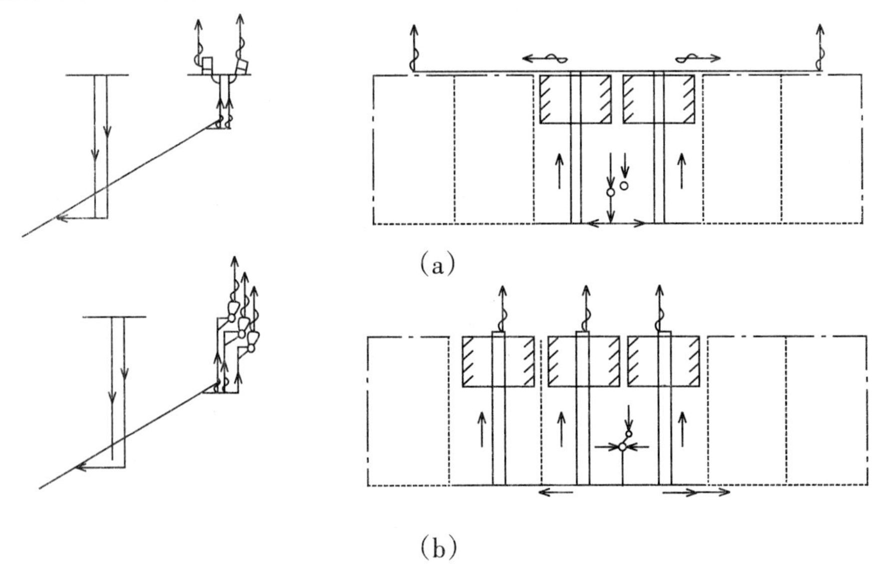

图6–5　对角式通风示意图

(a)两翼对角式;(b)分区对角式

3.混合式

混合式是指中央式和对角式的混合布置,因此混合式至少应有3个以上的井筒组成。其形式有:中央并列与两翼对角混合式、中央边界与两翼对角混合式、中央并列与中央边界混合式等。

二、通风构筑物及漏风

矿井通风系统网路中适当位置安设的隔断、引导和控制风流的设施和装置,以保证风流按生产需要流动,这些设施和装置统称为通风构筑物。

(一)通风构筑物

通风构筑物又称控制风流的设施,是形成矿井通风系统的重要组成部分。其作用是在正常情况下,保证风流按拟定的路线流动,使各个用风地点得到所需的风量;在灾变时期,能维持正常通风或便于风流调度。通风构筑物因其用途不同、形式多样,一般分为两大类:一类是通过风流的通风构筑物,如主要通风机风硐、反风装置、风桥、导风板和调节风窗;另一类是隔断风流的通风构筑物,如井口密闭、挡风墙、风帘和风门等 。

(二)漏风及有效风量

1.矿井漏风及其危害性

有效风量是指矿井中流至各用风地点,起到通风作用的风量。

矿井漏风是指在矿井通风中,进入井巷的风流未达到用风地点,而经过采空区、地表塌陷区、通风构筑物和煤柱裂隙等通道直接流(渗)入回风道或排出地表的风量。

矿井漏风的危害表现在以下几方面:

(1)漏风工作面和用风地点的有效风量减少,可能造成瓦斯积聚、空气温度升高、气候和卫生条件恶化,这不仅影响工人的劳动效率,而且影响工人的身体健康和矿井安全。

(2)漏风使矿井通风系统复杂化,降低了通风系统的稳定性、可靠性,影响井下风流控制和调节效果。

(3)大量漏风会造成矿井通风费用增大,甚至使主要通风机能力不足。

(4)采空区等处的漏风易造成煤炭自燃,而地表塌陷区风量的漏入,会将采空区有害气体带入井下,直接威胁采掘工作面的安全生产。

2.漏风的分类及原因

(1)漏风的分类。矿井漏风按其地点可分为外部漏风和内部漏风。

①外部漏风(或称井口漏风)泛指地表附近如箕斗井井口、地面主通风机附近的井口、防爆盖、反风门、调节闸门等处的漏风。

②内部漏风(或称井下漏风)是指井下各种通风构筑物的漏风、采空区以及碎裂的煤柱的漏风。

(2)漏风的原因。当有漏风通路存在,并在其两端有压差时,就可产生漏风。漏风风流通过孔隙的流态,视孔隙情况和漏风大小而异。

3.矿井漏风率及有效风量率

矿井有效风量是指风流通过井下各工作地点实际风量总和。

矿井有效风量率是指矿井有效风量与各台主要通风机风量总和之比。矿井有效风量率应不低于85%。

矿井外部漏风量是指直接由主要通风机装置及其风井附近地表漏失的风量总和。可用各台主要通风机风量的总和减去矿井总回(或进)风量。

矿井外部漏风率是指矿井外部漏风量与各台主要通风机风量总和之比。

矿井主要通风机装置外部漏风率无提升设备时不得超过5%,有提升设备时不得超过15%。

4.减少漏风,提高有效风量

漏风风量与漏风通道两端的压差成正比,和漏风风阻的大小成反比。应增加地面主要通风机的风硐、反风道及附近的风门的气密性,以减少漏风。

三 、掘进通风

掘进通风是指在新建、扩建或生产矿井中,都要掘进巷道,在掘进过程中,为了稀释和排出自煤(岩)体涌出的有害气体、爆破产生的炮烟和矿尘,创造良好的工作环境,必须对独头掘进工作面进行通风,向工作面送入新鲜风流。

局部通风机通风是矿井广泛采用的掘进通风方法,按其工作方式分为压入式、抽出式和混合式三种。目前,我国掘进巷道通风均为压入式通风。

局部通风机和启动装置安装在离掘进巷道口10m以外的进风侧,局部通风机把新鲜风流经风筒压送到掘进工作面,污风沿巷道排出,如图6–6所示。

工作面爆破后,烟尘充满迎头,形成一个炮烟抛掷区。风流由风筒射出后,按紊动射流的特性使炮烟被卷吸到射出的风流中,二者掺混共同向前移动。风流从风筒出口到转向点的距离叫有效射程l_j,风筒出口与工作面的距离不能超过有效射程,否则会在工作附近出现烟流停滞区。根据经验,压入式风筒出口到工作面的距离l_p约为:

$$l_p \leqslant l_j = (4 \sim 5)S, \text{m}(S\text{——掘进巷道净断面积,m}^2)$$

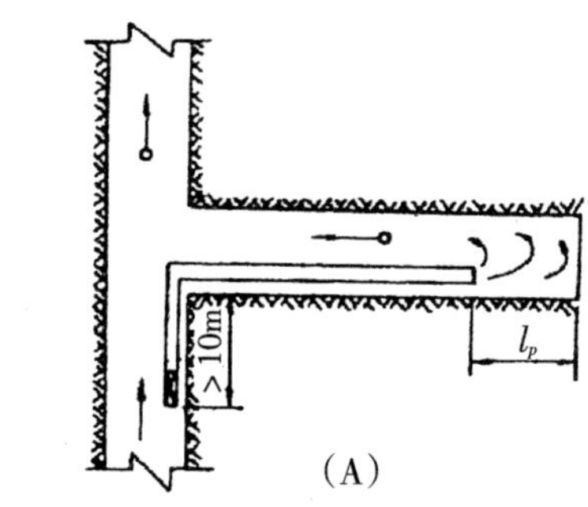

(A)

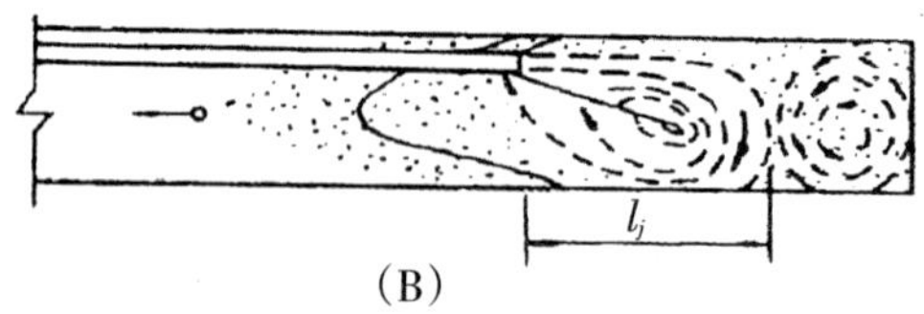

(B)

图6–6　压入式通风示意图

第二部分　专业核心知识点

1.矿井通风的任务和国家的安全方针；

2.矿井通风的基本理论；

3.矿井通风方式与通风系统的选择。

第三部分　专业技能训练

复习题

1.何谓矿井通风？矿井通风的基本任务是什么？

2.矿井通风系统主要有哪几种类型？

3.采区通风系统包括哪些部分？

4.矿井通风阻力与通风动力的概念、计算方法及相互关系。

5.通风机的附属装置有哪些？各起何作用？

讨论题

1.是否知道本矿的通风系统是什么？为什么这样通风？

2.是否知道本矿采煤工作面和掘进工作面风量各分配多少？怎么样才能够分配到足够的风量？

3.“人人都是通风员”的理念能否贯彻到所有从业人员？

第七章　矿井灾害防治技术

第一部分　系统理论知识

第一节　矿井瓦斯灾害防治

一、矿井瓦斯的概念及性质

（一）矿井瓦斯的概念

从广义上讲，矿井瓦斯是指从煤层或岩层中放出或生产过程中产生并涌入到矿井内的各种气体。其主要成分为：甲烷（CH_4）（又称沼气）、二氧化碳（CO_2）、二氧化硫（SO_2）、一氧化碳（CO）、硫化氢（H_2S）、氢气（H_2）及其他碳氢化合物。

从狭义上讲，矿井瓦斯专指甲烷（CH_4）。因为甲烷在各种有害气体中所占比重最大，可达80%～90%以上。

（二）矿井瓦斯的性质

瓦斯是无色、无味、无臭、无毒的气体。瓦斯比空气轻，其比重为0.554，因此在煤矿井下常积聚在巷道顶部或上山迎头。瓦斯的扩散能力是空气的1.6倍，且渗透能力很强。瓦斯微溶于水，瓦斯不助燃，但条件适宜时能发生燃烧和爆炸。矿井瓦斯的危害是瓦斯爆炸、煤与瓦斯突出、人员窒息、环境污染，瓦斯的工业用途是可作为能源和化工原料。

二、煤层瓦斯的赋存状态

（一）瓦斯的赋存状态

矿井瓦斯在煤、岩层中以两种状态存在，即自由状态和吸附状态。

1.自由状态

又称游离状态。这种状态的瓦斯是以自由气体的形式存在煤层或岩体的孔隙之中。游离态的瓦斯能自由运动，并呈现一定的压力。

2.吸附状态

吸附状态的瓦斯按其与煤岩体的结合形式的不同，又可分为吸着状态和吸收状态。

瓦斯在煤岩体中存在状态不是固定不变的，在一定条件下，游离状态和吸附状态的瓦斯可以相互转变。当压力升高或温度下降，一部分游离态的瓦斯吸附为吸附态瓦斯；反之，当压力下降或温度升高，一部分吸附态的瓦斯解析为游离态瓦斯。瓦斯的游离态和吸附态是处在一定条件下的动态平衡。

（二）影响煤层瓦斯含量的因素

煤的瓦斯含量是指单位体积或重量的煤在自然状态下所含有的瓦斯量(标准状态下的瓦斯体积),单位为 $m^3/m^3(cm^3/cm^3)$ 或 $m^3/t(cm^3/g)$。煤的瓦斯含量包括游离瓦斯和吸附瓦斯含量之和。

煤层瓦斯含量的主要影响因素为:(1)煤的吸附特性:煤的吸附性能决定于煤化程度，一般情况下煤的煤化程度越高,存储瓦斯的能力越强;(2)煤层露头;(3)煤层的埋藏深度:煤层埋藏深,瓦斯含量大;(4)围岩透气性:围岩透气性低,瓦斯含量大;(5)煤层倾角:煤层倾角大,瓦斯含量小;煤层倾角小,瓦斯含量大;(6)地质构造:封闭地质,瓦斯含量大;开放地质,瓦斯含量小;(7)水文地质条件:水流能带走瓦斯,水流大,瓦斯含量小。

（三）煤层瓦斯压力

煤层瓦斯压力是指煤孔隙中所含游离瓦斯的气体压力,即气体作用于孔隙壁的压力。未受采动影响的煤层内的瓦斯压力,随深度的增加而有规律地增加,可以大于、等于或小于静水压。瓦斯压力测定过程为打钻、封孔、测压。

四、矿井瓦斯的涌出

（一）矿井瓦斯涌出形式

瓦斯从煤层或围岩中涌出的形式有两种:普通涌出和特殊涌出。

1.普通涌出

是指瓦斯从煤岩层表面孔隙缓慢、均匀的涌出形式。它持续时间长,涌出范围广,是矿井瓦斯的主要放散形式。

2.特殊涌出

特殊涌出包括瓦斯喷出和煤(岩)与瓦斯突出两种形式。

瓦斯喷出是指高压瓦斯气体从煤岩层裂隙中大量喷出;若在喷出时挟带大量的煤粉,又称煤与瓦斯突出。

（二）矿井瓦斯涌出量

矿井瓦斯涌出量是指在开采过程中,单位时间内从煤层及围岩涌入矿井的瓦斯总量。有两种表示方法:

(1)绝对瓦斯涌出量。是指矿井在一定时间内所涌出的瓦斯量,单位 m^3/min。

$$Q_{CH4}=Q\times C\times 60\times 24 \tag{7-1}$$

式中 Q_{CH4}——矿井绝对瓦斯涌出量,m^3/min;

Q——矿井总回风道风量,m^3/min;

C——回风流中的平均瓦斯浓度,%。

(2)相对瓦斯涌出量。是指矿井在正常生产时平均生产一吨煤的瓦斯涌出量,单位 m^3/t。

$$q_{CH4}=Q_{CH4}\times n/T \tag{7-2}$$

式中 q_{CH4}——矿井相对瓦斯涌出量,m^3/t;

Q_{CH4}——矿井绝对瓦斯涌出量,m^3/d;

n——矿井瓦斯鉴定月的工作天数,d/月;

T——矿井瓦斯鉴定月的产量,t/月。

(三)瓦斯涌出的影响因素

影响矿井瓦斯涌出的因素主要为煤层和围岩的瓦斯含量、煤层开采深度、矿井开采规模、开采顺序与开采方法、地面气压的变化等。

第二节　矿尘灾害防治

一、矿尘及其性质

矿尘是指在矿山生产和建设过程中所产生的各种煤、岩微粒的总称。

在煤矿生产过程中,打眼作业(炮眼、锚杆眼、注水眼等)、炸药爆破作业、采煤机和掘进机作业、矿物的装载及运输等各个环节都会产生大量的矿尘。不同矿井由于地质条件、煤层赋存情况和物理性质的不同,采掘方法、作业方式、机械化程度和通风状况的不同,矿尘的产生量差异很大。在现有防尘技术措施的条件下,以采掘工作面产生的矿尘量为最多,约占全部矿尘量的80%;其次,锚喷作业点产尘量占10%～15%;运输、通风巷道产尘量占5%～10%;其他作业点产尘量占2%～5%。煤尘昼夜的产尘量约等于产煤量的0.25%～1.0%,甚至高达3%。

二、煤尘爆炸及预防

(一)煤尘爆炸的条件

煤尘爆炸必须同时具备3个条件,3个条件缺少任何一个都不可能造成煤尘爆炸。

(1)煤尘本身具有爆炸性。煤尘的爆炸性由国家授权单位进行鉴定。

(2)浮尘达到爆炸浓度。煤尘必须悬浮于空气中,且浓度在爆炸极限范围内(下限一般浓度为30g/m^3～50g/m^3,上限一般浓度为1000g/m^3～2000g/m^3)才可能发生爆炸。

(3)存在能引燃煤尘爆炸的高温热源。煤尘的引燃温度变化范围较大,我国煤尘爆炸的引燃温度在610℃～1050℃之间,一般为700℃～800℃。煤尘爆炸的最小点火能为4.5～40MJ。矿井能引燃煤尘的高温热源有爆破火焰、电器火花、机械摩擦火花、冲击火花、静电、井下火灾和瓦斯爆炸等。

(二)影响煤尘爆炸的因素

1.煤的挥发分

煤尘的可燃挥发分含量越高,爆炸性越强。

2.煤的灰分和水分

煤内的灰分是不燃性物质,能吸收能量,阻挡热辐射,破坏链反应,降低煤尘的爆炸性。煤内水分具有减弱和阻碍爆炸的性质,因为煤内水分能黏结尘粒、减少表面积、增大颗粒粒径、降低飞扬能力,可以起到吸热、降温、阻燃作用。

3.煤尘粒度

粒度对爆炸性的影响极大。1mm以下的煤尘粒子都可能参与爆炸，而且爆炸的危险性随粒度的减小而迅速增加。

4.空气中的瓦斯浓度

瓦斯是可燃气体，瓦斯参与使煤尘爆炸下限降低。

5.空气中氧的含量

空气中氧的含量高时，点燃煤尘的温度可以降低；氧的含量低时，点燃煤尘云困难，当氧含量低于17%时，煤尘就不再爆炸。含氧高，爆炸压力高；含氧低，爆炸压力低。

6.引爆热源

矿井高温引爆热源有爆破火焰、电器火花、机械摩擦火花、冲击火花、静电、井下火灾和瓦斯爆炸等。

三、煤尘爆炸事故的处理方法

(1)灾害发生时首先切断灾区(甚至灾区周围区域)的电源，而且停电操作应在灾区以外的地点进行，以免引起再次爆炸；

(2)对灾区进行侦察过程中，发现火源立即扑灭，防止二次爆炸；

(3)救灾过程中要注意寻找煤尘爆炸的痕迹和判断起爆源；

(4)煤尘连续爆炸的可能性很大，思想上和物资上应有准备，以免措手不及，避免出现难以控制的局面。

第三节　矿井火灾防治

一、矿井火灾理论概述

在矿井或煤田范围内发生，威胁安全生产、造成一定资源和经济损失或者人员伤亡的燃烧事故，称之为矿井或煤田火灾。

矿井火灾是指发生在煤矿井下或地面井口附近但火烟能进入井下威胁井下安全的火灾。

(一)矿井火灾发生的基本要素

1.可燃物

在煤矿井下存在的可燃物有煤、坑木、油料、爆破材料、电气设备等，可燃物是矿井火灾发生的基础。

2.热源

具有一定温度和足够热量的热源才能引起火灾，在煤矿井下煤炭自燃是内热源，明火、电器短路、爆破作业、机械摩擦、瓦斯爆炸、煤尘爆炸等是外热源。

3.空气

燃烧是剧烈的氧化反应，缺少足够的氧气时燃烧是不能维持的。

火灾的3个要素必须同时存在，且达到一定的数量，才能引起矿井火灾，缺少任何一个要素，矿井火灾就不可能发生。

(二)矿井火灾的分类

根据不同引火热源，矿井火灾可分为外因火灾和内因火灾。

内因火灾是指煤炭等易燃物在一定条件下，由于自身氧化而引起的火灾，又称自燃火灾。它经常发生在采空区、停采线、断层、煤柱等丢煤区，掘进冒顶处或封闭不严的旧采区内。

外因火灾是指由于外部火源引起的火灾。如明火、电缆着火、电气设备产生的电弧火花、瓦斯或煤尘爆炸，以及放炮引起的火灾。外因火灾大多容易发生在井底车场、机电硐室、运输及回采巷道等机械、电气设备比较集中，而且风流比较通畅的地点。这类火灾一般是起火突然，发展迅速，一个小火源，稍有疏忽，火势就可能蔓延扩大。如果发现不及时，处理方法不当或措施不果断，常常会给矿井带来严重损失以至发生惨痛的人身伤亡事故。

(三)煤炭自燃发火

1.煤的氧化自燃过程

煤的氧化自燃过程，包括潜伏期、自热期、自燃三个过程。

(1)潜伏(自燃准备)期。物理吸附，煤温开始升高，无宏观现象。

(2)自热期。自热过程是煤氧化反应自动加速、氧化生成热量逐渐积累、温度自动升高的过程。

(3)自燃。煤温达到其自燃点后，若能得到充分的供氧(风)，则发生燃烧，出现明火。

在《矿井防灭火规范》中规定出现下列现象之一，即为自燃发火：①煤因自燃出现明火、火炭或烟雾等现象；② 由于煤炭自热而使煤体、围岩或空气温度升高至70℃ 以上；③ 由于煤炭自热而分解出CO、CH_4或其他指标气体，在空气中的浓度超过预报指标，并呈逐渐上升趋势。

2.煤炭自燃的条件

从煤的氧化自燃过程可以看出，煤炭自燃必须具备以下3个条件：(1)煤炭具有自燃的倾向性，并呈破碎状态堆积存在；(2)连续的通风供氧维持煤的氧化过程不断地发展；(3)煤氧化生成的热量能大量蓄积，难以及时散失。

3.煤的自然发火期

煤炭自然发火是一渐变过程，要经过潜伏期、自热期和燃烧期3个阶段，因此具有自燃倾向性的煤层被揭露后，要经过一定的时间才会自燃发火，这一时间间隔叫做煤层的自然发火期，是煤层自燃危险在时间上的量度。自然发火期愈短的煤层，其自燃危险性愈大。

4.影响煤炭自然发火的因素

煤炭自燃发火是一个复杂的物理化学过程，影响煤炭自然发火的因素较多，概括起来主要有如下几个方面：

(1)煤的自燃倾向性。煤的自燃倾向性主要取决于以下几个方面：①煤的变质程度；②煤的孔隙率和脆性；③煤岩成分；④煤的水分；⑤煤中硫和其他矿物质；⑥煤中的瓦斯含量。(2)煤层的赋存地质条件。包括①煤层厚度与倾角；②地质构造；③煤层埋藏深度；④围岩的性质。(3)开拓系统。(4)采煤方法。(5)漏风条件。

(四)矿井火灾的危害

矿井火灾的发生具有严重的危害性,主要表现在以下几个方面:(1)直接威胁井下人员的生命安全;(2)矿井生产系统遭到破坏,无法进行正常生产活动;(3)矿井火灾使井巷工程和矿山设备遭到破坏,造成巨大的经济损失;(4)矿井火灾产生的高温热源可能引起瓦斯煤尘爆炸,产生有毒有害气体,污染井下和地面环境。

(五)火风压

火风压是由于发生矿井火灾而产生的,有如下特性:(1)火风压产生于烟流流过的有高差的倾斜或垂直巷道中;(2)火风压的作用相当于在高温烟流流过的风路上安设了一系列辅助通风机;(3)火风压的作用方向总是向上。

第四节 矿井水灾防治

凡影响、威胁矿井安全生产、使矿井局部或全部被淹没并造成人员伤亡和经济损失的矿井涌水事故都称为矿井水灾。矿井在建设和生产过程中,地面水和地下水可能通过各种通道涌入矿井,当矿井涌水超过正常排水能力时,就会造成水灾,给矿井建设和生产带来严重后果,直接威胁井下人员的生命安全。因此,矿井防水必须坚持"以防为主,防排结合"的安全方针,做好矿井防水工作是保证矿井安全生产的重要内容。

一、概述

(一)矿井水灾对生产的影响

矿井水灾对生产的影响主要表现在以下几方面:(1)由于矿井水在采掘工作面可出现淋水,使空气湿度明显增加,顶板破碎,对劳动条件及生产效率影响很大;(2)由于矿井水的存在,在生产中必须进行排水,水量越大,排水费用越高,势必增加煤炭生产成本;(3)矿井水对各种金属设备、钢轨和金属支架等,均有腐蚀作用,这就缩短了生产设备的使用寿命;(4)当井下突然涌水或其水量超过矿井排水能力时,则会给生产带来严重影响。

(二)矿井水灾发生必须具备的基本条件

1.矿井充水水源

煤矿常见的水源如图7-1所示。

(1)大气降水。大气降水的主要形式是雨雪。地面的雨雪是地下水的主要补给来源,也是矿井充水的主要来源之一。自然界中水的循环如图7-2所示。

(2)地表水。地球表面江、湖、河、海、水池、水库等处的水均为地表水,它的主要来源是大气降水,也有的来自地下水。煤矿在开采浅部煤层时,地表水经过有关通道会进入煤矿井下,形成水患,给生产和建设带来灾害。

(3)潜水。埋藏在地表以下第一个隔水层以上的地下水(如图7-3所示)称为潜水。

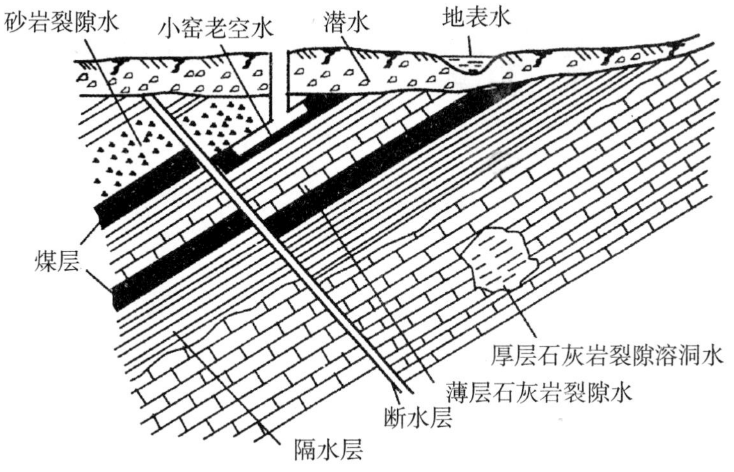

图7–1　煤矿常见的水源

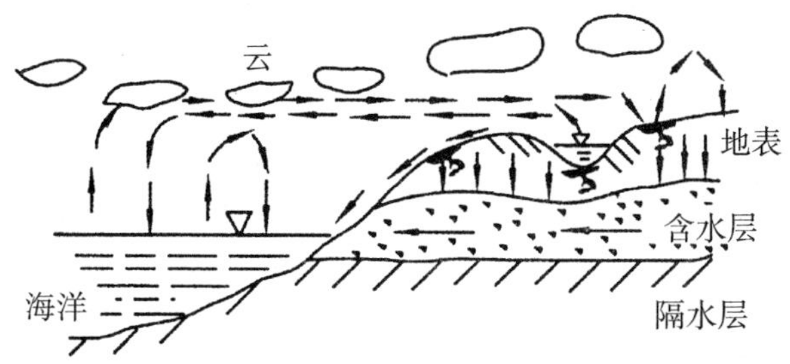

图7–2　自然界中水的循环

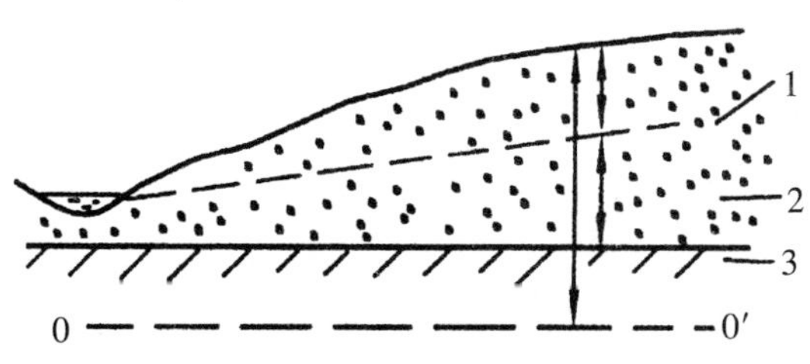

图7–3　潜水

1——潜水面；2——潜水层；3——第一隔水层；0—0′——基准面（测量高程水准面）

(4)承压水。处于两个隔水层中间的地下水,称为承压水(或称自流水),如图7-4所示。

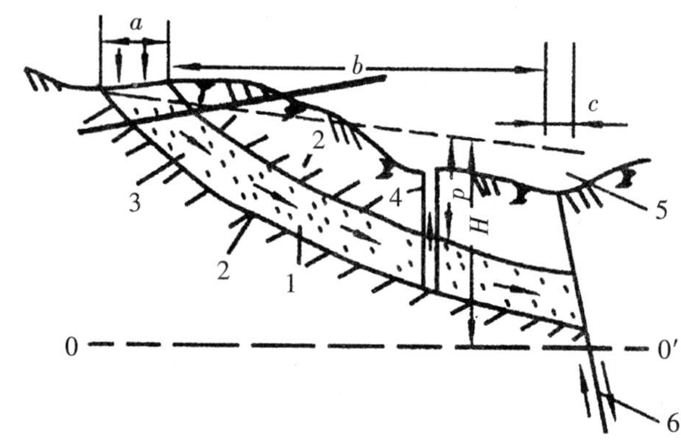

图7-4 承压水

1——含水层;2——隔水层;3——地下水流向;4——自流井;5——喷泉;6——断层;

a——补给区;b——承压区(分布区);c——排泄区

(5)老空积水。已经采掘过的采空区和废弃的旧巷道或溶洞,由于长期停止排水而积存的地下水,称为老空积水。

(6)断层水。处于断层带中的水,称为断层水。

2.矿井水灾的通道

矿井水源与煤矿井下巷道等工作场所的通道是多种多样的,主要有:煤矿的井筒、断层裂隙、采后塌陷坑、石灰岩溶洞陷落柱、古井老塘及封堵不严的钻孔。

(四)矿井水灾的影响因素

影响水源进入矿井井巷造成水灾的因素可分为自然因素和人为因素。

1.自然因素

(1)地形。盆形洼地,降水不易流走,大多渗入井下,补给地下水,容易造成水灾。

(2)围岩性质。围岩为松散的砂、砾层及裂隙、溶洞发育的硬质砂岩、灰岩等组成时,可赋存大量水,这种岩层属强含水层或强透水层,对矿井威胁大;围岩为孔隙小、裂隙不发育的黏土层、页岩、致密坚硬的砂岩等,则是弱含水层或称隔水层,对矿井威胁小。当黏土厚度达5米以上时,大气降水和地表水几乎不能透过。

(3)地质构造。地质构造主要是褶曲和断层。

(4)充水岩层的出露条件和接受补给条件。充水岩层的出露条件,直接影响矿区水量补给的大小。充水岩层的出露条件包括它的出露面积和出露的地形条件。

2.人为因素

人为因素主要包括:顶板塌陷及裂隙、老空积水未封闭或封闭不严的勘探钻孔。

(五)造成矿井水灾的主要原因

总结过去发生的矿井水灾,往往是安全思想不牢、思想麻痹,从而情况不明、措施不当所致。其主要原因可归结为如下几个方面:

(1)地面防洪、防水措施不当或管理不善,地表水大量灌入井下,造成水灾;

(2)水文地质情况不清,井巷接近老空积水区、充水断层、陷落柱、强含水层以及打开隔离煤柱，未执行探放水制度，盲目施工，或者虽然进行了探水但措施不当；

(3)井巷位置设计不当；

(4)施工质量低劣，致使矿井井巷严重塌落、冒顶、跑砂，导致透水；

(5)乱采乱掘，破坏防水煤岩柱造成突水；

(6)测量错误，导致巷道穿透积水区；

(7)无防水闸门或虽有而管理、组织不当，造成透水时无作用而淹井；

(8)排水设备能力不足或机电事故造成；

(9)排水设施平时维护不当。如水仓不按时清挖，突水时煤、岩块堵塞水井，致使排水设备失去效用而淹井等。

二、矿井防治水技术

(一)地面水防治技术

地面防水是指在地表修筑各种防排水工程，防止或减少大气降水和地表水渗入矿井。

(1)防止井口灌水。慎重选择井筒位置，矿井井口标高应在本地区历年最高洪水位以上，如果受地形限制，难以找到合适的井筒位置时，应修筑坚固的高台，使井口标高高于历年最高洪水水位。

(2)防止地面渗水。对井田范围内的河流、沟渠等，应将其疏干或改道，如不能将河流改道，应修筑护河堤坝加固河床，以防向井下漏水或汛期对矿井的危害。

(3)加强地面防水工程的检查。加强雨季前的防汛工作，发现问题时应及时处理。

(二)井下防治水技术

1.做好矿井水文观测与水文地质工作

水文地质工作是各项防治水工作的基础和依据。

(1)做好水文观测工作，要做到：①收集地面气象、降水量与河流水文资料（流速、流量、水位、枯水期、洪水期）；查明地表水体的分布、水量和补给、排泄条件；查明洪水泛滥对矿区、工业广场及居民点的影响程度；②通过探水钻孔和水文地质观测孔观测各种水源的水压、水位和水量的变化规律，分析水质等；③观测矿井涌水量及季节性变化规律等。

(2)做好矿井水文地质工作，查明矿井水源和可能涌水的通道，为防治水提供依据。①掌握冲击层的厚度和组成，各分层的透水、含水性；②掌握断层和裂隙的位置、错动距离、延伸长度、破碎带范围及其含水和导水性能；③掌握含水层与隔水层数量、位置、厚度、岩性，各含水层的涌水量、水压、渗透性、补给排泄条件及其到开采矿层的距离，勘探钻孔的填实状况及其透水性能；④调查老窑和现采小窑的开采范围、采空区的积水及分布状况，观测因回采而造成的塌陷带、裂隙带、沉降带的高度及采动对涌水量的影响；⑤在采掘工程平面图上绘制和标注井巷出水点的位置及水量，老窑积水范围、标高和积水量，水淹区域及探水线的位置。

2.井下探水

探水是指在矿井生产过程中用超前勘探方法查明采掘工作面煤层顶底板、侧帮和前方的含水构造(包括陷落柱)、含水层、老空积水等水体的具体位置、产状,为有效防治矿井水害做好准备。

3.疏放排水

根据不同类型的水源,可采取不同的疏放水方法与措施。

(1)疏放含水层水。

①地面打钻抽水。在地面打钻利用潜水泵或深井泵抽排,以降低地下水位。它适合于埋藏较浅、渗透性良好的含水层。抽水钻孔可采取环状孔群和排状孔群两种布置方式。

②巷道疏水。一是疏放顶板含水层,如果煤层直接顶板为水量和水压不大的含水层,常把采区巷道或回采工作面的准备巷道提前开拓出来进行排水;二是疏放底板含水层,当煤层的直接底板是强充水含水层时,可考虑将巷道布置在底板中,利用巷道直接疏放底板水。

③井下钻孔疏水。一是疏放煤层顶板水,在煤层上部含水层的水量与水压较大时,为了避免回采后顶板突水而采用此法;二是疏放煤层底板水,防止底板突水的途径主要有两个方面:一方面加强底板岩层抵抗破坏的能力,另一方面设法减少地下水的破坏能力,其措施是在底板布置钻孔疏水降压。

(2)疏放老空水。采用直接放水、先堵后放、先放后堵、用煤柱或构筑物暂先隔离等方法进行排水。

4.截水

(1)防水煤(岩)柱的留设。凡是煤层与含水层或含水带的接触地段,预留一定宽度的煤层不采,使工作面与地下水源或通道保持一定距离,以防止地下水流入工作面,留下不采的煤柱,称为防水隔离煤柱。

(2)水闸墙(防水墙)。水闸墙分为临时性和永久性的两种。在水压很大时,则采用多段水闸墙。

(3)防水闸门。 防水闸门的位置选择适当与否,是水闸门能否起到应有作用的关键。

5.矿井注浆堵水

注浆堵水就是将配制的浆液压入井下岩层空隙、裂隙或巷道中,使其扩散、凝固和硬化。

三、矿井突水事故处理

(一)矿井水灾征兆

1.与承压水有关的断层水突水征兆

(1)工作面顶板来压、掉渣、冒顶、支架倾倒或折断柱现象。

(2)底软膨胀、底鼓张裂。这种征兆多随顶板来压之后发生,且较普遍。

(3)先出小水后出大水也是较常见的征兆。由出小水至出大水,时间长短不一,据统计由1~2小时至20~30天不等。

(4)采场或巷道内瓦斯量显著增大。这是因裂隙沟通、增多所致。

2.冲积层水突水征兆

(1)突水部位岩层发潮、滴水且逐渐增大,仔细观察可发现水中有少量细砂。

(2)发生局部冒顶,水量突增并出现流沙,流沙常呈间歇性,水色时清时混,总的趋势是水量沙量增加，直到流沙大量涌出。

(3)发生大量溃水、溃砂，这种现象可能影响至地表，导致地表出现塌陷坑。

3.老空水突水征兆

(1)煤层发潮、色暗无光。

(2)煤层“挂汗”。煤层一般为不含水和不透水，若其上或其他方向有高压水，则在煤层表面会有水珠，似流汗一样。

(3)采掘面、煤层和岩层内温度低，“发凉”。

(4)在采掘面内若在煤壁、岩层内听到“吱吱”的水呼声时，表明水压大。

(5)老空水呈红色，含有铁，水面泛油花和臭鸡蛋味，口尝时发涩；若水甜且清，则是流沙水或断层水。

(二)矿井突水的应急措施

遇到矿井突水时，可采取以下应急措施：

(1)发现有人被堵井下时，各级领导应首先制定营救措施。

(2)立即通知泵房人员加大排水力度，将水仓水位降到最低程度，争取较长的缓冲时间。

(3)检查所有排水设施和输电线路，了解水仓现有容量，派人清挖水沟。

(4)水文地质人员应测量涌水地点、涌水量大小及其变化，记录围岩及巷道破坏变形状况，察看观测孔(水井)水位和泉、河、地表水体的变化。

(5)检查防水闸门关闭是否灵活、严密，并清除淤渣，拆除短轨和架空线，派专人看守，待命关闭。

(6)在查明地面水体与突水有关联时，应迅速派人进行堵塞，减少补给量。

(7)当排水能力负担不了涌水量时，可因地制宜，采取将涌水引入下山巷道、筑坝蓄水、关闭防水闸门，以延长缓冲时间，争取时间增加排水设备，保住矿井。

(8)当采取上述措施仍不能阻挡淹井时，井下人员应迅速向安全口撤退，安全出井。

第五节　煤矿爆破事故防治

一、井下爆破的安全要求

(一)严格使用煤矿许用爆破器材

(1)煤矿井下爆破作业使用的爆破器材，必须经国家授权的检验机构检验合格，并取得煤矿安全标志证书。

(2)爆炸材料新产品，经设计定型鉴定合格，报国家煤矿安全监察部门批准，并取得入井试用证书，方可在井下试用。

(3)不得使用过期或有严重变质现象的爆炸材料。不能使用的爆炸材料必须交回爆炸材料库统一进行销毁。

(4)在煤矿井下的所有采掘工作面，应采用毫秒爆破。

(5)在有瓦斯或煤尘爆炸危险的采掘工作面，应采用毫秒爆破。

(6)在低瓦斯矿井的采掘工作面采用毫秒爆破时,可采用反向起爆。

(7)在高瓦斯矿井和有煤与瓦斯突出危险的采掘工作面的煤体中,为增加煤体裂隙、松动煤体而进行的10m以上的深孔预裂控制爆破,可使用二级煤矿许用炸药,但必须制定安全措施,报矿总工程师批准。

(8)运输、保管和使用乳化炸药时,不要挤压或用锋利物划破。

(二)完善爆破设计

当爆破参数、炮眼布置不合理时也可能引发安全事故,如冒顶、崩倒棚子,因间隙效应发生不稳定传爆、爆燃等。

爆破作业图表设计中选用参数不当或炮眼布置不合理也是引发爆破事故的重要原因。

(三)严格执行井下爆破作业的有关制度和要求

1.井下爆破人员的基本要求

所有爆破人员,包括班(组)长、井下爆破器材库保管员、爆破、送药、装药人员,必须熟悉爆炸材料性能和《煤矿安全规程》中有关条文规定。瓦斯矿井中爆破作业,爆破工、班组长、瓦斯检查员都必须在现场执行"一炮三检制"。

爆破工必须由经过专门培训、有2年以上采掘工龄的人员担任,并经考试合格,持证上岗。

2.依照爆破作业说明书进行爆破作业

3.正确进行爆破各工序的操作

(1)装配起爆药卷。电力起爆是目前井下使用最普遍的起爆方法,起爆药包需装配药引。

向药卷内装雷管只允许由药卷顶部装入。其起爆药包的装配通常有以下两种方法:

一是扎孔装配,其做法是用炮锥(带尖头的竹或木棍)在药卷平头一端扎一比雷管略长的小孔,将雷管正向全部置于小孔之内,然后以雷管脚线在药卷上缠绕固定。

二是启开药卷封口装配,将药卷平头一端封口打开,把炸药揉软,或使用炮锥扎孔然后把雷管轻轻推入,再用雷管脚线缠绕固定,并将封口扎住。

(2)装药。有正向装药和反向装药两种方法。

(3)炮眼深度和炮眼封泥长度。对炮眼封填炮泥的技术要求:①炮眼深度小于0.6m时,不得装药、爆破;②炮眼深度为0.6~1m时,封泥长度不得小于炮眼深度的1/2;③炮眼深度超过1m时,封泥长度不得小于0.5m;④炮眼深度超过2.5m时,封泥长度不得小于1m;⑤光面爆破时,周边光爆炮眼应用炮泥封实,且封泥长度不得小于0.3m;⑥工作面有两个或两个以上自由面时,在煤层中最小抵抗线不得小于0.5m,在岩层中最小抵抗线不得小于0.3m。

(4)联线。采用串联、并联和串并联3种联线方法。

(5)起爆。井下爆破必须使用发爆器。每次爆破作业前,爆破工必须做电爆网络全电阻检查。严禁用发爆器打火放电检测电爆网络是否导通。放炮时必须设置警戒线。

(6)爆破后的安全检查。放炮时,发现炮不响,放炮员要先取下把手或钥匙,摘掉母线并扭结成短路,再等一定时间(使用瞬发电雷管至少等5min)。

二、井下爆破事故的预防与处理

(一)炮烟熏人事故的预防

应采取以下措施:

1.正确选择煤矿许用炸药

(1)要求所选炸药组分设计合理,产生有害气体的量较少;(2)爆炸反应为零氧平衡或接近零氧平衡;(3)要注意对炸药妥善保管和性能检验,受潮变质和严重硬化的炸药,会产生大量有毒气体。

2.加强矿井通风和洒水

(1)良好的通风,不仅给工作人员提供新鲜空气,还可以稀释有害气体;(2)洒水可把溶解度高的NO_2、N_2O_4与N_2O_3转变为亚硝酸与硝酸;(3)放炮员联炮和其他人员进入炮烟区时,最好用湿毛巾堵住嘴和鼻子;(4)一次爆破的炸药量,不应超过通风机的能力,因为风量不足时,炮烟不易冲淡。

(二)正确排除爆破网络的电阻故障

爆破母线与起爆电源或起爆器联结之前,必须测量全线路的总电阻值。总电阻值应与实际计算值相符合(允许误差5%)。如不相符合,禁止联线。

(三)拒爆的预防与处理

禁止使用不合格的爆破器材;因联线不良、错联、漏联,要重新联线放炮。

(四)早爆的防治

在爆破施工中,杂散电流、静电感应、雷电、射频感应电等均可能引起电爆网路中雷管早爆。

1.杂散电流的防治

杂散电流是指来自电爆网路之外的电流。它有可能使电爆网路发生早爆事故。

2.静电的防治

静电是指绝缘物质上携带的相对静止的电荷,它是由不同的物体接触摩擦时在物质间发生电子转移而形成的带电现象。静电表现为高电压、小电流,静电电位往往高达几千伏特甚至上万伏特。

3.雷电的预防

在露天、平硐或隧道爆破作业中,雷电可能引起早爆事故。

(五)不同作业地点爆破事故的预防

1.有瓦斯或煤尘爆炸危险的采掘工作面

除严格执行《煤矿安全规程》要求的爆破前、爆破时、爆破后的有关注意事项外,还必须注意如下问题:(1)爆炸生成气体的温度高;(2)炮眼必须进行良好的填塞后才准放炮;(3)采用毫秒爆破;在掘进工作面必须全断面一次起爆;在采煤工作面,可采用分组装药,但一组装药必须一次起爆;(4)在高瓦斯矿井中放炮时,都应采用正向起爆。

2.巷道贯通

巷道贯通是掘进巷道与另一巷道的接通。应注意以下事项:(1)贯通掘进,必须有准确的测量图，每班都要在图上填明准确的进度；(2)巷道贯通之前，要加固支架，增设顺山棚，摘掉透位处的棚腿，以防崩倒棚子和崩坏棚腿，造成倒棚冒顶；(3)掘进工作面每次装药放炮前，班组长都要派专人和瓦斯检查员一起到对方巷道中检查瓦斯情况；(4)如果巷道超过贯通距离而没有贯通，要立即停止作业，查找原因，重新采取贯通措施。

3.穿透老空

(1)打眼放炮时，注意炮眼内发现出水异常，温度骤高骤低；(2)距穿透老空15 m前，必须先探明老空情况；(3)穿透老空时，要撤出人员，并在无危险地点爆破。

4.在接近积水区进行爆破作业

接近积水区爆破时，必须坚持“有疑必探、先探后掘”的原则。(1)接近积水区时，要根据情况，编制切实可行的探放水设计和安全措施，否则禁止放炮；(2)如发现有透水预兆，要停止放炮，及时汇报、查明原因，情况危急时，人员要立即撤出受水威胁地区；(3)接近积水区放炮时，如发现煤岩变松软、潮湿以及炮眼渗水等异状，要停止放炮。

5.开凿或延深立井

开凿或延深立井井筒时，除与巷道放炮工作要求相同外，还应符合下列规定：(1)运送爆破材料和在井筒内装药时，除负责装药放炮的人员、信号工、看盘工和水泵司机外，其他人员都必须撤到地面或上水平中；(2)装配引药工作，可以在地面专用的房间内进行；(3)必须在地面上或生产水平内进行放炮。

(六)爆破处理卡在溜煤眼中的煤、矸

在溜煤过程中，溜煤眼有时会被其他较大的物体(煤、矸、坑木等)卡住使煤不能正常溜出。出现这种情况不得使用炮崩，但需采用爆破处理时必须遵守下列规定：(1)必须采用取得煤矿矿用产品安全标志，用于溜煤眼的煤矿许用刚性被筒炸药或不低于该安全等级的煤矿许用炸药；(2)每次爆破只准使用一个煤矿许用电雷管，最大装药量不得超过450g；(3)每次爆破前必须检查溜煤眼内堵塞部位上部和下部空间的瓦斯，瓦斯浓度不得超过1%，每次爆破前必须洒水；(4)在有威胁的地点必须撤人、停电。

第六节　矿井顶板灾害防治

一、顶板事故的形式和特点

井下回采工作面和巷道由于其支护要求、方式和支护空间的差异，其冒顶的表现形式通常不同。

(一)回采工作面顶板事故

(1)局部冒顶事故。工作面局部冒顶事故多发生在单体支护工作面，尤其是在木棚及金属摩擦式铰接顶梁支护工作面。

(2)大冒顶事故。回采工作面的大冒顶事故也叫采场大面积切顶、落大顶、垮面。

应该指出的是，整体液压支架一般由于其初撑力及其工作阻力比较高，可缩量大，发生大冒顶的几率较小。归纳各类顶板事故，大致情况如图7-4所示。

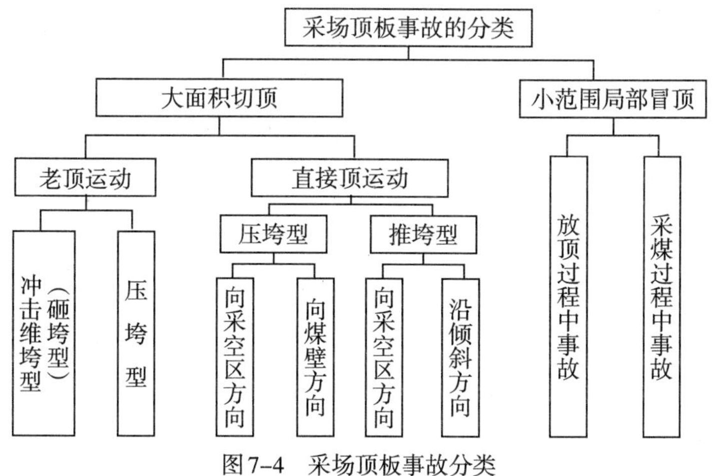

图7-4　采场顶板事故分类

（二）巷道顶板事故

巷道的变形和破坏形式是多种多样的，巷道中常见的顶板事故按照围岩破坏部位可分为巷道顶部冒顶掉矸、巷道壁片帮以及巷道顶、帮三面大冒落三种类型。按照围岩结构及冒落特征又可分为镶嵌型围岩坠矸事故、离层型围岩片帮冒顶事故、松散破碎围岩塌漏抽冒事故以及软岩膨胀变形毁巷事故等几种形式。

巷道中的冒顶还会由于斜巷跑车冲倒支架、车辆掉道和车上的物料突出车外引起支护受损以及支护方式选择不当或质量不合格而不能承受矿山压力等因素引起。

二、影响顶板事故的主要因素

（一）影响回采工作面顶板事故的因素

1.自然因素

①煤层倾角。煤层倾角对回采工作面矿山压力显现的影响是很大的。对于缓倾斜煤层来讲，老顶来压步距较短，来压较易控制。特别是急倾斜特厚煤层水平分层开采，在顶板为坚硬岩层时，来压时顶板大面积冒落往往形成强烈的冲击地压现象。②回采工作面的围岩组成。回采工作面的围岩，一般是指直接顶、老顶以及直接底的岩层。老顶的失稳、来压强度以及老顶和直接顶的相对位置关系不仅对直接顶的稳定性有直接影响，而且对确定支护强度、支架具备的可缩量以及选择采空区处理方法等，都起着决定性作用。③地质构造。④开采深度。⑤煤层厚度。中厚及厚煤层要比薄煤层发生顶板事故的几率大。其主要原因：一是厚煤层分层开采的下分层在假顶条件下，工作面刚开始推进时顶板胶结不好，容易首先发生局部冒顶；二是采出空间大，不利于老顶形成自稳结构。

2.开采技术

开采技术对回采工作面顶板管理的影响是多方面的，不仅与支护方式有关，还受到回采工艺及其参数（采高、控顶距、循环进度等）、采空区处理方式、是否分层开采等开采技术因素的影响。另外，不同的回采工序对顶板下沉量的影响也是不同的。

在一定地质条件下，采高与控顶距是影响上覆岩层破坏状况的最重要因素之一。因此，随采高与控顶距的增大，在支承压力的作用下，工作面煤壁也越不稳定，易于片帮。

(二)影响巷道顶板事故的因素

1.自然因素

①岩石性质及其构造特征。②开采深度。采深大时,由于上覆岩层重量大,形成的支承 压力较大。③煤层倾角。煤层倾角不同往往使巷道破坏形式有差别。④地质构造因素。⑤水的影响。⑥时间因素的影响。

2.开采技术因素

影响巷道顶板事故的开采技术因素主要包括:①巷道与开采工作的关系,如巷道是处于一侧采动还是两侧采动的条件下,是受初次采动还是受多次采动影响;②巷道的保护方法,如巷道是依靠留煤柱保护还是在巷旁用专门的刚性充填带保护;③巷道本身采用的支架类型和支护方式。

(四)支护原理

回采工作面支护原理根据矿山压力的理论,整个回采工作面上覆岩层中,裂隙带老顶岩层能够形成一种“大结构”,如图7-5所示 。

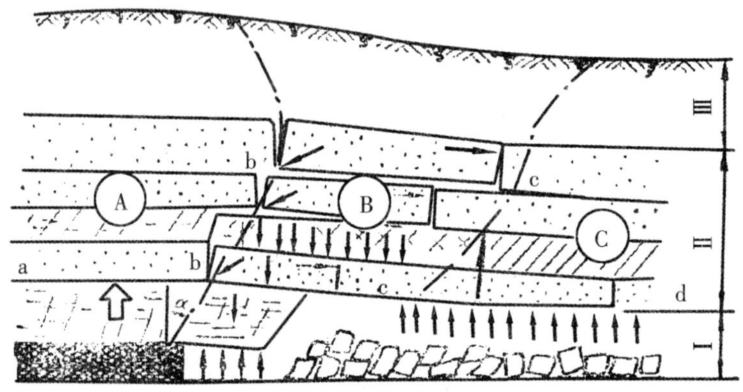

图7-5 回采工作面裂隙带岩梁“大结构”

A——煤壁支撑影响区(a—b);B——离层区(b—c);C——重新压实区(c—d);

Ⅰ——冒落带;Ⅱ——裂隙带;Ⅲ——弯曲下沉带;α——支撑影响角

第七节 矿山救护

一、矿山救护队

矿山救护队是处理矿井瓦斯、煤尘、火、水、顶板等灾害的专业性队伍,是职业性、技术性组织,严格实行军事化管理。

(一)矿山救护组织与任务

1.矿山救护队的组织

(1)区域矿山救护大队的组织:

各省(区)煤炭管理机构将本省(区)的产煤地区,以100km为服务半径,合理划分为若干区域。在每个区域选择一个交通位置适中、战斗力较强的矿山救护队,作为重点建设的矿山救护中心,即区域矿山救护大队。区域矿山救护大队由2个以上中队组成,是完备的联合作战单位。

(2)矿山救护中队的组织:

矿山救护中队距服务矿井一般不超过10km或行车时间一般不超15min。

矿山救护中队是独立作战的基层单位,由3个以上的小队组成,直属中队由4个以上的小队组成。

(3)辅助矿山救护队的组织:

辅助矿山救护队应根据矿井的生产规模、自然条件、灾害情况确定编制,原则上应由3个以上的小队组成。辅助矿山救护队应设专职队长及专职仪器装备维修工,负责日常工作。辅助救护队直属矿长领导,业务上受矿总工程师(或技术负责人)和矿山救护队领导。

2.矿山救护队的任务

矿山救护队的任务是:(1)救护井下遇险遇难人员;(2)处理井下瓦斯、煤尘、火、水和顶板等灾害事故;(3)参加危及井下人员安全的地面灭火工作;(4)参加排放瓦斯、震动性放炮、启封火区、反风演习和其他需要佩用氧气呼吸器的安全技术工作;(5)参加审查矿井灾害预防和处理计划,协助矿井搞好安全和消除事故隐患的工作;(6)负责辅助救护队的培训和业务领导工作;(7)协助矿山搞好职工救护知识的教育。

(二)矿山救护队的常用技术装备

为保证矿山救灾过程中救护指战员的自身安全和对遇险遇难人员施行人工呼吸急救,矿山救护队必须配备一定数量的氧气呼吸器、自动苏生器、氧气充填泵、氧气呼吸器校验仪、救护通讯器材、冰冷防热服和寻人仪等仪器设备。

二、矿工自救

(一)发生事故时在场人员的行动原则

发生事故后,现场人员应尽量了解和判断事故的性质、地点和灾害程度,迅速向矿调度室报告。同时应根据灾情和现有条件,在保证安全的前提下,及时进行现场抢救,制止灾害进一步扩大。在制止无效时,应由在场的负责人或有经验的老工人带领,选择安全路线迅速撤离危险区域。

(二)矿工自救设施与设备

1.避难硐室

避难硐室是供矿工遇到事故无法撤退而躲避待救的一种设施。

2.压风自救装置

压风自救装置是利用矿井已装备的压风系统,由管路、自救装置、防护罩(急救袋)3部分组成。

3.自救器

自救器是一种体积小、携带轻便,但作用时间较短的供矿工个人使用的呼吸保护仪器。

自救器分为过滤式和隔离式两类，隔离式自救器又有化学氧和压缩氧两种。

三、现场急救

矿井发生水灾、火灾、爆炸、冒顶等事故后，可能会出现中毒、窒息、外伤等伤员。在场人员对这些伤员应根据伤情进行合适的处理与急救。救护指战员在灾区工作时，只要发现遇险受伤人员，都要把救人放在第一位。

（一）对中毒、窒息人员的急救

在井下发现有害气体中毒者时，一般可采取下列措施：(1)立即将伤员抢运到新鲜风流中，安置在安全、干燥和通风正常地点；(2)立即清除患者口、鼻内中的污物，解开上衣扣子和腰带，脱掉胶鞋，并用衣被等物盖在伤员身上以保暖；(3)根据心跳、呼吸、瞳孔、神志等方面，判断伤情的轻重；(4)人工呼吸持续的时间以伤员恢复自主性呼吸或真正死亡时为止。

现场急救常用的人工呼吸和恢复心跳的方法：①口对口吹气法；②仰卧压胸法；③俯卧压背法；④心脏按压法。

（二）对外伤人员的急救

1.对烧伤人员的急救

(1)尽快扑灭伤员身上的火，缩短烧伤时间。(2)检查伤员呼吸和心跳情况，检查是否合并有其他外伤、有害气体中毒、内脏损伤和呼吸道烧伤等。(3)要防止休克、窒息和疮面污染。伤员发生休克或窒息时，可进行人工呼吸等急救。(4)用较干净的衣服把伤面包裹起来，防止感染。在现场除化学烧伤可用大量流动的清水冲洗外，对疮面一般不作处理，尽量不弄破水泡以保护表皮。(5)把重伤员迅速送往医院。搬运伤员时，动作要轻柔，行进要平稳。

2.对出血人员的急救

常用的暂时性动脉止血方法有：指压止血法、加压包扎止血法、止血带止血法。

3.对骨折人员的急救

对骨折人员首先用毛巾或衣服作衬垫，然后根据现场条件用木棍、木板、竹笆等材料做成临时夹板，对受伤的肢体临时固定后，抬运升井，送往医院。

（三）对溺水者的急救

发生水灾后，应首先抢救溺水人员。人员溺水时，由于水大量地灌入肺部，可造成呼吸困难而窒息死亡。所以，对溺水人员应迅速采取下列急救措施：(1)把溺水者从水中救出后，要立即送到比较温暖和空气流通的地方，脱掉湿衣服，盖上干衣服，不使受凉。(2)立即检查溺水者的口鼻，如果有泥沙等污物堵塞，应迅速清除，擦洗干净，以保持呼吸道通畅。(3)使溺水者取俯卧位，用木料、衣服等垫在溺水者肚子下面；或将左腿跪下，把溺水者的腹部放在救护者的右侧大腿上，使头朝下，并压其背部，迫使其体内的水由气管、口腔里流出。(4)上述方法控水效果不理想时，应立即做俯卧压背式人工呼吸或口对口吹气式人工呼吸，或体外心脏按压。

（四）对触电者的急救

(1)立即切断电源。(2)迅速观察伤员的呼吸和心跳情况。如发现已停止呼吸或心音微弱，应立即进行人工呼吸或体外心脏按压。若呼吸和心跳都已停止时，应同时进行人工呼吸和体外心脏按压。(3)对触电者，如发现有其他损伤(如跌伤、出血等)，应做相应的急救处理。

第八节　煤矿安全质量标准化

一、通风

(一)基本条件

矿井不应存在以下情况：

(1)瓦斯超限作业；

(2)煤(岩)与瓦斯(二氧化碳)突出(以下简称"突出")矿井,未依照规定实施防治突出措施；

(3)矿井未建立安全监控系统,或者安全监控系统不能正常运行；

(4)未按规定建立瓦斯抽采系统,或瓦斯抽采不达标；

(5)通风系统不独立,不完善、不可靠；

(6)自然发火严重,未采取有效措施。

(二)基本要求

1.通风系统

通风系统应符合以下要求：

(1)采用机械通风,安装2套同等能力的主要通风机装置,实现双回路供电；

(2)按规定进行通风能力核定；

(3)矿井内各地点风速符合《煤矿安全规程》的规定。

2.局部通风

局部通风应符合以下要求：

(1)局部通风机的安装、使用符合《煤矿安全规程》的规定；

(2)使用抗静电、抗阻燃标准风筒,风筒吊挂平、直、稳,风筒末端到工作面的距离和出风口的风量符合作业规程的规定。

3.通风设施

通风设施应符合以下要求：

(1)风门、密闭、风桥等通风设施位置合理；

(2)帮、顶、底掏槽深度符合要求,墙面平整；

(3)通风设施前后5米范围内支护完好,无杂物、积水和淤泥等。

4.瓦斯防治

瓦斯防治应符合以下要求：

(1)设立防治瓦斯领导机构,配备满足工作需要的瓦斯防治专业队伍；

(2)按规定进行矿井瓦斯等级和二氧化碳涌出量鉴定工作；

(3)采掘工作面及其他地点的瓦斯浓度符合《煤矿安全规程》的规定；

(4)按规定测定煤层的瓦斯赋存参数，并绘制瓦斯地质图；

(5)瓦斯检查工持证上岗，井下瓦斯检查地点、瓦斯检查次数及瓦斯检查工交接班等符合相关规定。

5.突出防治

突出防治应符合以下要求：

(1)进行突出危险性鉴定，有规范的专项设计；

(2)突出矿井应按照《防治煤与瓦斯突出规定》设立防突工作领导小组，配备满足防突工作需要的专业防突队伍和装备；

(3)区域预测结果、区域防突措施应经企业技术负责人审批并严格执行，预抽煤层瓦斯区域防突措施效果检验结果经矿技术负责人和主要负责人审批；

(4)采掘工作面落实区域及局部综合防突措施；

(5)防突装备、仪器、仪表的管理、检定符合相关要求。

6.瓦斯抽采

瓦斯抽采应符合以下要求：

(1)按规定建立地面永久瓦斯抽采系统、井下临时抽采系统；

(2)抽采瓦斯安全设施、参数监测符合相关规定；

(3)瓦斯抽采矿井建立专门的瓦斯抽采队伍；

(4)瓦斯抽采工作符合《煤矿瓦斯抽采达标暂行规定》的相关要求。

7.安全监控

安全监控应符合以下要求：

(1)建立安全监控管理机构，配足各类专业人员；

(2)安全监控系统应满足《煤矿安全监控系统通用技术要求》、《煤矿安全监控系统及检测仪器使用规范》和《煤矿安全规程》等的要求；

(3)各类安全监控设备、仪器仪表应按规定进行调校、检定或试验。

8.防灭火

防灭火应符合以下要求：

(1)建立防灭火管理机构，配备专业人员，建立管理制度；

(2)按规定建立防灭火系统，设置井上、下消防材料库；

(3)按规定建立监测系统，开展火灾的预测预报工作，制定防治自然发火的专门措施。

9.防治粉尘

防治粉尘应符合以下要求：

(1)建立综合防尘管理制度，配足防尘专业技术人员；

(2)按规定制定综合防尘措施，建立防尘供水系统，完善综合防尘设施；

(3)按《煤矿安全规程》和《煤矿井下粉尘综合防治技术规范》的规定测定粉尘浓度、游离二氧化硅含量及分散度等；

(4)测尘仪器、仪表齐全，并定期进行校正、检定。

10.井下爆破

井下爆破应符合以下要求：

(1)爆炸材料的贮存、运输和爆炸材料库应符合《煤矿安全规程》的规定；

(2)建立和执行电雷管编号制度、爆炸材料防止丢失及销毁制度、爆炸材料领退制度、“一炮三检”和“三人连锁”爆破等制度；

(3)矿井配有足够的爆破专业人员，且持证上岗；

(4)按规定编制爆破说明书，并按其进行爆破作业；

(5)特殊情况下的爆破作业执行相关规定。

11.管理制度

管理制度应符合以下要求：

(1)按规定建立通风管理机构，配足专职人员，建立相应的工作责任制；

(2)每月至少组织一次通风隐患排查、至少召开1次通风工作例会；

(3)各类人员按规定参加培训、持证上岗；

(4)通风措施按相关要求进行审批，并严格落实。

二、地测防治水

(一)基本条件

生产矿井不应存在以下情况：

(1)有冲击地压危险，未采取措施；

(2)有严重水患，未采取措施。

(二)基本要求

1.机构设置

机构设置应符合以下要求：

(1)水文地质条件复杂或极复杂的矿井设立专门的防治水机构；

(2)冲击地压矿井设立专门的防治冲击地压(以下简称“防冲”)机构；

(3)水文地质条件复杂或极复杂、煤与瓦斯突出、冲击地压等矿井应设地测部门、地测总工程师，有分管负责人；

(4)地测防治水部门配备矿井地质、水文地质、瓦斯地质(煤与瓦斯突出矿井)、矿井储量管理、矿井测量、井下钻探、物探、制图绘图等方面满足工作需要的专业技术人员。

2.煤矿地质

煤矿地质应符合以下要求：

(1)在不同生产阶段，按期完成报告修编、提交、审批及采后总结等基础工作；

(2)成果资料、原始记录、地质图纸等基础资料齐全,内容规范;

(3)地质预报内容完整,档案管理规范。

3.煤矿测量

煤矿测量应符合以下要求:

(1)建立健全测量控制系统,测量工作执行通知单制度,贯通精度,中腰线标定符合要求,原始记录齐全规范;

(2)基本矿图种类、内容、填绘、存档符合《煤矿测量规定》规定;

(3)沉陷治理手段合理,台账资料齐全;

(4)储量计算图纸、台账、统计管理符合《生产矿井储量管理规定(试行)》规定。

4.煤矿防治水

煤矿防治水应符合以下要求:

(1)井上下和不同观测内容的专用原始记录及防治基础台账、数据管理规范,水文地质图纸、水害预报内容齐全,符合要求;

(2)建立健全防排水系统,防治水工程设计方案、施工措施、工程质量符合规定;

(3)水文地质条件复杂或极复杂的矿井应建立水文动态观测系统和水害监测预警系统,对构成威胁的水害进行检测、诊断和预控,并制定相应的安全技术措施。

5.防治冲击地压

防治冲击地压应符合以下要求:

(1)进行冲击倾向性鉴定,冲击危险采区、工作面有规范的防冲专项设计,防冲措施科学有效;

(2)建立健全合理有效的监测系统。

三、采煤

1.基础管理

基础管理应符合以下要求:

(1)有支护质量、顶板动态监测制度及地质和水文地质分析、预报制度、技术管理体系健全;

(2)作业规程和措施针对性、操作性强,审批手续完备,贯彻、考核和签字记录齐全,作业规程每2个月至少组织1次复审并有复审意见;

(3)有支护材料管理台账。

2.岗位规范

岗位规范应符合以下要求:

(1)应进行岗位人员培训,其能力符合朴应岗位要求;

(2)操作规范、无违章指挥、无违章作业、无违反劳动纪律的行为;

(3)管理人员、技术人员应掌握专业技术、作业人员熟知本岗位作业规程和安全技术措施;

(4)作业前进行隐患排查,并实行闭合管理。

3.质量与安全

质量与安全应符合以下要求：

(1)工作面的支护形式、支护参数符合要求；

(2)工作面出口畅通、回风巷和运输巷断面满足通风、运输、行人、设备安装、检修的需要；

(3)设备完好、保护齐全,使用规范；

(4)乳化液泵压力和乳化液浓度符合要求,并有现场检测手段；

(5)工作面通信、监测监控设备运行正常；

(6)有完善的安全防护设施和安全措施。

4.机电设备

机电设备应符合以下要求：

(1)采煤机、输送机、转载机、破碎机、支架(支柱)等选型有科学依据；

(2)设备能力匹配,系统无制约因素；

(3)无国家明令淘汰、禁止使用的危及生产安全的设备。

5.文明生产

文明生产应符合以下要求：

(1)作业场所卫生整洁,照明符合规定；

(2)工具、材料等放置整齐,管线吊挂规范,图牌板内容准确、清晰；

(3)作业范围内支护完好,无失修巷道。

四、掘进

(一)基本条件

生产矿井不应存在以下情况：

(1)开拓煤量、准备煤是、回采煤量不满足规定要求：

(2)使用明令禁止使用或者淘汰的设备、工艺。

(二)基本要求

1.生产组织

生产组织应符合以下要求：

(1)按采煤工作面相对集中、效能最大的生产布局进行组织,实行集约生产；

(2)科学进行劳动组织；

(3)采掘关系合理；

(4)掘进工作面的生产运输系统合理、简单。

2.设备配置

设备配置应符合以下要求：

(1)无国家明令淘汰、禁止使用的危及生产安全的设备；

(2)运输系统设备配置合理,不应有制约因素,材料应采用机械运输；

(3)具备条件的应使用综合机械化掘进。

3.技术保障

技术保障应符合以下要求：

(1)技术管理体系健全，有矿压观测、分析、预报制度；

(2)按规定设置机构和人员，配齐仪器仪表；

(3)作业规程和安全技术措施针对性、可操作性强，审批手续完备，贯彻、考核和签字记录齐全，作业规程每2个月至少组织1次复审并有复审意见；

(4)作业场所有规范的施工图牌板；

(5)在支护、生产组织等方面应开展技术创新。

4.岗位规范

岗位规范应符合以下要求：

(1)进行岗位人员培训，其能力符合相应岗位要求；

(2)操作规范，无违章指挥、无违章作业、无违反劳动纪律的行为；

(3)管理和技术人员应掌握专业技术，作业人员应熟知本岗位作业规程和安全技术措施；

(4)作业前进行隐患排查，并实行闭合管理。

5.工程质量

工程质量应符合以下要求：

(1)临时支护措施到位，安全设施齐全可靠；

(2)无不合格工程；

(3)规格质量、内在质量、附属工程质量、工程观感质量按GB50213中对应的支护方式或施工形式验收，未明确规定的支护方式或施工形式参照执行。

6.文明生产

作业场所卫生整洁，照明适度，工具、材料等放置整齐，设备设施保持良好状态。作业范围内支护完好，无失修巷道。

五、机电

(一)基本条件

生产矿井不应存在以下情况：

(1)年产6万t及以上的煤矿没有双回路供电系统；

(2)年产6万t及以下煤帮采用单回路供电时，没有备用电源；

(3)主要通风机高低压电源不是引自同一母线，主要通风机装置没有可靠的双电源供电；

(4)使用明令禁止使用或者淘汰的设备。

(二)基本要求

1.设备与指标

设备与指标应符合以下要求：

(1)产品合格证、矿用产品安全标志、防爆合格证等证标齐全、合格；

(2)设备综合完好率、防爆率、电缆吊挂合格率、小型电器合格率、矿灯完好率、设备待修率和事故率等达到规定要求。

2.煤矿机械

煤矿机械应符合以下要求：

(1)机械设备完好,各类保护、保险装置齐全可靠；

(2)积极采用新技术、新装置。

3.煤矿电气

煤矿电气应符合以下要求：

(1)矿井有可靠的双回路电源线路；

(2)防爆电气设备防爆性能符合要求,电气无失爆；

(3)矿井主要通风机、提升人员的绞车、抽放瓦斯泵等主要设备房,以及井下变(配)电所、主排水泵房和下山开采的采区排水泵的供电线路符合《煤矿和安全规程》要求；

(4)电气设备完好、继电保护设置齐全可靠；

(5)电气工作票、操作票填写、使用规范。

4.机电基础管理

机电基础管理应符合以下要求：

(1)管理机构健全,制度完善；

(2)机电设备选型论证、购置、安装、使用、维护、检修、更新改造、报废等综合管理程序规范,设备台账、技术图纸等资料齐全；

(3)按规定进行设备技术性能测试,在用设备性能可靠；

(4)各级专业技术人员、管理人员及岗位工人培训合格、持证上岗。

5.文明生产

文明生产应符合以下要求：

(1)现场设备摆放规范、标识齐全、机房、硐室卫生清洁；

(2)作业规范、无违章指挥、无违章作业、无违反劳动纪律的行为。

六、运输

(一)运输巷道与硐室

运输巷道断面、弯道半径、连接方式、运输方式、斜巷信号硐室、躲避硐、充电硐室、运输车辆检修硐室、加油硐室、车场、车房、候车室、调度站、人车库、矿车装卸载站等符合《煤矿安全规程》及有关规定要求。

(二)运输线路

运输线路应符合以下要求：

(1)线路轨型、回流线、轨道绝级、分区开关符合《煤矿安全规程》要求,道岔轨型不低于

线路轨型,无非标准道岔;

(2)轨道、单轨吊、齿轨等线路质量达到合格及以上要求,主要运输线路及人车的轨道线路质量达到优良;

(3)道路路面合格,无轨胶轮车等运输设备的道路路面采用混凝土等方式硬化。

(三)运输设备

运输设备应符合以下要求:

(1)运输设备符合通用技术条件及安全检验规范要求,安装符合设计要求,安全保护装置齐全、有效;

(2)无国家明令淘汰、禁止使用的危及生产安全的设备;

(3)在用运输设备完好率达标,防爆电气设备和防爆小型电器不失爆;

(4)井下按规定采用机械运送人员。

(四)运输安全设施

运输安全设施应符合以下要求:

(1)挡车装置和跑车防护装置齐全可靠;

(2)运输系统及装备的控制系统、专用通信信号齐全可靠;

(3)运输场所、设施的警示信号和安全标志使用规范;

(4)斜巷保险链及矿车的连接环、链和插销等连接装置合格。

(五)运输管理

运输管理应符合以下要求:

(1)运输管理机构健全,各项管理制度,岗位责任制、操作规程及运输技术资料齐全、完整,作业人员按规定持证上岗;

(2)定期对电机车、斜井人车、轨道机车、架空乘人装置、单轨吊车、无轨机车、齿轨机车、连接装置等进行检测、检验和试验,并有完整的测试记录和试验报告。

(六)文明生产

文明生产应符合以下要求:

(1)井下运输巷道及车场、运输调度室、井下运输机电硐室、机车维修点、车间等干净整洁;

(2)水沟畅通,盖板齐全、稳固;

(3)电缆、管路、照明符合规定要求,牌板齐全规范。

七、安全管理

(一)机构设置与人员配备

机构设备与人员配备应符合以下要求:

(1)按规定设置安全管理机构,配备专门人员负责煤炭生产过程各环节的安全管理工作,人员数量满足日常安全监管工作的需要;

(2)安全管理人员任职资格符合准入要求。

（二）安全规章制度

安全规章制度应符合以下要求：

（1）建立健全安全生产规章制度；

（2）安全生产规章制度以正式文件发布，并结合实际适时修订。

（三）安全费用提取及使用

安全费用提取和使用应符合以下要求：

（1）执行国家有关安全费用提取使用规定，落实安全投入保障及安全费用提取和使用制度；

（2）制定安全费用年度使用计划，按标准及时、足额提取，并按照规定使用范围支出，做到专户存储、专款专用。

（3）建立安全费用项目管理台账，做到账目、项目相符，项目完成进行验收，并有验收记录。

（四）隐患排查与治理

隐患排查与治理应符合以下要求：

（1）煤矿主要负责人每月至少组织开展1次全面安全隐患排查工作；

（2）建立隐患排查治理信息系统，按照等级和类别进行登记建档，实现安全隐患排查治理闭环管理。

（五）安全生产技术管理

安全生产技术管理应符合以下要求：

（1）建立健全以总工程师为首的安全技术管理体系，按规定配备相应的副总工程师和专业技术人员；

（2）建立健全安全生产技术管理制度；

（3）煤矿安全生产应有批准的设计，各类工程施工有批准的作业规程、安全技术措施，并建立作业规程信息化管理系统；

（4）规范技术资料档案管理，准确、及时填绘反映实际情况 的图纸资料。

（六）安全生产教育与培训

安全生产教育与培训应符合以下要求：

（1）设置教育培训机构，建立健全制度，具备满足教育培训要求的师资、场所、装备等；不具备培训条件的，应与具备资质的培训机构签订委托教育培训协议；

（2）煤矿从业人员按照规定接受安全生产教育和培训并经考核合格后方可上岗，主要负责人、安全生产管理人员、特种作业人员应按规定参加培（复）训，并取得安全资格证书。

（七）区队班组建设

区队、班组管理制度健全，特种作业人员配备合理、齐全。

（八）安全信息管理

安全信息管理应符合以下要求：

（1）及时识别和获取适用的安全生产法律法规、标准规范，完善安全信息管理机构和制度，做好执行情况的检查评估工作；

(2)建立各类生产安全事故调查、处理、分析、归档等制度与台账;

(3)建立安全质量标准化信息管理体系,及时掌握安全质量标准化工作的动态信息,提高考评工作效率和服务水平。

(九)安全文化建设

安全理念与目标、安全责任制内容齐全、清晰明确,定期开展形式多样的安全文化宣传教育活动。

八、职业卫生

(一)前期管理

前期管理应符合以下要求:

(1)建立职业卫生管理机构,完善制度,配备人员,落实经费;

(2)制定工作规划、年度计划和实施方案,并落实;

(3)建立健全职业卫生档案;

(4)定期进行职业病危害申报;

(5)主要负责人、管理人员和从业人员职业卫生培训符合相关规定;

(6)依法与劳动者签订劳动合同并履行职业病危害告知义务;

(7)依法足额为劳动者缴纳工伤保险。

(二)现场管理

现场管理应符合以下要求:

(1)严格执行建设项目职业卫生"三同时",加强职业危害源头控制;

(2)采取综合治理措施,使作业场所职业危害浓度或强度符合职业卫生标准要求;

(3)配备专业人员和仪器设备,做好日常监测工作;

(4)定期开展职业病危害因素检测评价,并做好检测结果公布和上报工作;

(5)职业病防护设施、设备运转正常,并做好维护、检修工作,保留记录;

(6)按照规定配备和发放符合要求的个体防护用品,并督促检查劳动者正确使用;

(7)设置公告栏、警示标识和中文警示说明;

(8)建立健全职业病危害事故应急救援预案,并定期演练;

(9)保证应急救援设施正常运转,不应擅自拆除或停止使用。

(三)健康监护

健康监护应符合以下要求:

(1)严格按照规定做好接触职业病危害因素人员上岗前、在岗期间、离岗时和应急职业健康检查,建立职业健康监护档案并妥善保存;

(2)不安排未经职业健康检查的劳动者从事具有职业病危害的作业;

(3)不安排有职业禁忌的劳动者从事其所禁忌的作业;

(4)发现健康损害时及时调离原岗位并妥善安置;

(5)未经离岗职业健康检查不得与劳动者解除劳动合同;

(6)不安排孕期、哺乳期妇女从事具有职业病危害的作业;

(7)不使用童工。

(四)诊断鉴定

诊断鉴定应符合以下要求:

(1)及时安排疑似职业病病人进行诊断;

(2)在疑似职业病病人诊断或者医学观察期间,不得解除或者终止劳动合同,诊断、医学观察期间的费用由煤矿承担;

(3)保障职业病病人依法享受国家规定的职业病待遇;

(4)按照国家有关规定,安排职业病病人进行治疗、康复和定期检查;

(5)对不适宜继续从事原工作的职业病病人,调离原岗位,并妥善安置;

(6)如实提供职业病诊断、伤残等级鉴定所需资料。

(五)工会监督

煤矿工会组织依法对职业病防治工作进行监督,维护劳动者的职业卫生合法权益。

九、应急救援

(一)应急机构、职责和制度

应急机构、职责和制度应符合以下要求:

(1)建立应急救援指挥机构和工作机构,配备专职人员;

(2)明确应急机构及其岗位职责;

(3)建立健全应急管理制度;

(二)应急救援队伍

按照《煤矿安全规程》、《矿山救援规程》等规定建立矿山救护队,配备必需的物资、装备、器材,实行军事化管理和训练。不具备建立矿山救护队条件的煤矿,应组建兼职应急救援队伍,并与就近的矿山救护队签订救护协议。

(三)应急预案管理

按照《生产安全事故应急预案管理办法》和《生产经营单位安全生产事故应急预案编制导则》的规定编制安全生产事故应急预案,并按规定组织实施。

(四)应急培训和演练

应急培训和演练应符合以下要求:

(1)制定年度应急宣传教育工作计划和年度应急培训计划,普及生产安全事故预防和应急救援基本知识;

(2)按规定编制应急演练规划、计划和方案,组织演练,并形成完整的档案资料。

(五)应急救援保障

配置应急救援必需的物资、装备、人员、经费等,并建立相应的保障措施。

(六)资料和档案管理

文件和资料及时发放至有关部门,档案管理安全规范。

十、调度

(一)组织机构

组织机构应符合以下要求:

(1)调度指挥机构健全,岗位职责明确;

(2)调度人员配备满足双岗24小时值班要求,调度人员的业务素质、工作能力满足工作需要。

(二)调度管理

调度管理应符合以下要求:

(1)建立健全调度规章制度和业务流程;

(2)掌握日常安全生产动态及重点工程、主要系统和装备的运行情况,及时协调解决安全生产中出现的问题,发挥指挥协调作用;

(3)履行安全生产信息、指示、文件等的上传下达职责;

(4)出现险情和发生事故时,及时下达调度指令,进行应急处置。

(三)调度汇报

调度汇报应符合以下要求:

(1)按规定要求履行汇报职责,及时反映煤矿生产管理中存在的主要问题并提出相关建议;

(2)按照规定要求报告生产安全事故和突发事件信息。

(四)调度信息化

调度信息化应符合以下要求:

(1)调度信息化基础设施、装备满足安全生产调度指挥、应急救援等工作需要;

(2)供电、备用电源应符合相关规定要求;

(3)采用先进的装备和信息系统。

(五)办公场所及环境

场所及环境应符合以下要求:

(1)办公场所能满足调度工作和会议的要求,且清洁整齐、物放有序;

(2)工作人员行为文明、规范;

(3)设备、设施的安装符合有关规范。

十一、地面设施

(一)基础管理

基础管理应符合以下要求:

(1)地面设施管理体系健全;

(2)按规定设置机构、配备人员、设备设施齐全;

(3)作业场所有规范的牌板;

(4)建设资料齐全有效;

(5)供用电设备、设施符合要求,有管理制度;

(6)消防设计、设施、器材符合要求,有消防责任制。

(二)办公场所

办公室、会议室等办公场所满足工作需要,办公设施及用品齐全,通道畅通,环境整洁。

(三)两堂一舍

两堂一舍应符合以下要求:

(1)职工食堂设计合理、设施完备、证照齐全,工作人员按规定持证上岗;

(2)职工澡堂设计合理,基础设施齐全完好,管理制度健全;

(3)职工宿舍基础设施齐全完好,人均面积满足要求。

(四)工业广场

工业广场应符合以下要求:

(1)工业广场及道路符合设计规范,满足矿井的实际需要;

(2)工业广场及道路清洁,各种牌板及标志齐全清晰。

(五)设备材料库

设备材料库应符合以下要求:

(1)设备材料库符合设计规范、实用性强,设备及材料能够满足矿井日常生产的需要;

(2)设备、材料的验收、保管、发放等制度健全、管理科学。

(六)煤炭存储设施

煤炭存储设施应符合以下要求:

(1)存储设施设计符合要求,满足生产需要;

(2)存储场地降尘、消防、排水等设施完好有效;

(3)能动态掌握煤场情况,有落煤台账,相关记录详细完整。

(七)节能环保设施

节能环保设施、计量器具和仪表齐全有效,排放达标,台账记录完备。

第二部分　专业核心知识点

1. 矿井瓦斯灾害的预防措施；
2. 矿尘灾害的预防措施；
3. 矿井防火和防治水的基本知识；
4. 煤矿顶板灾害的防治措施；
5. 煤矿爆破火灾的预防措施。

第三部分　专业技能训练

技能

1. 掌握矿井通风方式与通风系统的选择方法；
2. 掌握通风设备(矿井主要扇风机和局部扇风机)、通风构筑物的选择方法。

复习题

1.什么是矿井瓦斯？瓦斯的主要物理及化学性质有哪些？
2.瓦斯是如何生成的？影响瓦斯涌出量的因素有哪些？
3.什么是矿尘？常见的矿尘分类方法有哪些？有哪些危害？
4.矿尘的危害性主要表现在哪几个方面？
5.煤尘爆炸的条件是什么？影响煤尘爆炸的因素有哪些？
6.煤尘爆炸的特征有哪些？
7.什么是煤炭自燃发火？煤炭自燃发火经过哪几个阶段？
8.煤炭自燃的条件是什么？什么是煤的自燃发火期？
9.影响煤炭自燃的地质开采因素有哪些？
10.开拓开采技术预防自燃发火的措施有哪些？火区启封的方法有哪些？
11.矿井水灾发生必须具备的基本条件有哪些？影响因素有哪些？
12.影响回采工作面、巷道顶板事故的因素有哪些？
13.常见巷道顶板事故有哪些？原因分别是什么？

讨论题

1.你矿主要存在的安全隐患有哪些？是怎么形成的？
2.本矿的主要灾害防治措施有哪些？

第八章　矿井生产系统

第一部分　系统理论知识

矿井生产系统包括地面生产系统和井下生产系统两部分。

地面生产系统通常包括地面提升系统、运输系统、排矸系统、选煤系统和管道线路系统。此外,还有变电所、压风机房、锅炉房、机修厂、坑木加工场、矿灯房、浴室及行政福利大楼等专用建筑物。

井下生产系统有掘进、采煤和运输提升等三个主要过程,还有通风、排水、材料和动力供应等辅助生产系统。而掘进和采煤是最主要的两项工作。井下生产系统的主要任务是保证井下采煤、掘进、运输、提升、排水和通风等工作正常进行,把采掘出来的煤炭和矸石输送到地面,再和地面生产系统相衔接。同时,将动力、材料和设备,送至所需地点。

第一节　矿井地面生产系统及工业场地布置

一、概述

矿井生产的原煤从井下提升到地面以后,一般都要经过装卸、运输、加工、储存的过程,然后装车外运。同时从井下运到地面的矸石及洗选厂选出的矸石,需要经专门的线路送到矸石场。从坑木场和修配厂经过加工的坑木及器材也要及时运到井口,供井下生产使用。因此就需要在矿井地面安装各种装卸、运输、加工、储存的设备,建立相应的生产性建筑物、构筑物、修筑公路、铁路及敷设各种工程管线(如供热、给排水系统等)。所有这些设备、建筑物和构筑物及各种管线组成的总体称矿井地面生产系统。它们所占用的场地称地面工业场地。

(1)矿井的开采方法及提升方式。不同的井筒型式、开拓方式和采煤方法,都有它相应的生产系统,因而地面建筑物、构筑物的布置和相对位置也有所不同。

(2)煤的性质及用户对煤质的要求。不同的工业用户对煤炭使用有不同的质量标准,必须根据煤的性质、使用对象,考虑地面生产系统的配置。

(3)矿井的井型及服务年限。矿井井型及服务年限,决定着有关建筑物和构筑物的规模与技术质量标准,从而也影响着地面工业场地的面积和布局。

(4)工业场地的工程、水文地质条件及地形、气候条件。矿区的工程地质、水文地质、地形及气候条件对矿井的工业场地平面布置影响很大。

(5)矿井的发展远景及与邻近企业的关系。如果矿井的规模很大,需要采取分期建设时,则工业场地应留有发展的余地,若矿井附近有其他企业存在,则应考虑某些设施共用的可能性。

二、矿井地面工业场地布置

矿井工业场地是围绕井口进行布置的,地面工业场地的场址选定后,将需要布置在工业场地范围内的各建筑物、构筑物,根据地面生产系统的特点,合理的布置在工业场地的地形图上,以便按照设计位置进行施工,这项工作叫做地面工业场地的总平面布置。

(一)选择矿井地面工业场地的要求

工业场地是围绕井口布置的。在工业场地内除了生产和管理需用的各种建筑物和构筑物外,一般还可能有运输线和铁路与国家运输干线连接,其面积可达数万平方米。在选择工业场地场址时,除了考虑井筒位置外还应符合以下基本要求:(1)场地内应有一定的平整地面,以利布置各种地面生产系统和所有建筑物、构筑物。要充分利用地形以缩短和简化物料的运输,并使场内的土石方工程量最少。(2)工业场地的位置应便于和标准轨铁路、公路衔接,并使专用的铁路、公路土石方和桥涵工程量最小。(3)场址不应选择在受洪水威胁和有内涝的地点。在平原地区,还应考虑场内雨水、污水排出的可能性。(4)工程地质条件较好,地下水位较低,同时,应避开滑坡、溶洞、流沙、采空区等不良影响。(5)选择场址时应考虑供电、给水方便。(6)场址附近便于排矸及综合利用。(7)与已建成的矿井或其他企业及居住区毗连时,应考虑充分利用已有设施的可能性。

(二)矿井工业场地建筑物与构筑物

在场地平面图上确定建筑物、构筑物的位置时,应首先确定几个建筑中心,使各建筑物、构筑物围绕这几个中心布置。而中心是根据矿井地面生产系统中起决定作用的主要厂房、车间及运输干线来考虑的,通常以主井、副井及铁路装车站为布置中心,它们之间的相互位置确定后,场地区域的划分,各建筑物、构筑物的位置也就随之确定了。

矿井工业场地建筑物与构筑物主要包括以下内容:(1)为主井服务的建筑物、构筑物,如主井井架、主井绞车房、井口房、选矸楼及主井通往铁路装车煤仓的皮带走廊。(2)为副井服务的建筑物、构筑物,如副井井架、副井绞车房、井口房及通往机修厂、材料库、坑木场、矸石场的窄轨铁路。(3)为煤炭贮存外运服务的铁路装车站、铁路煤仓、落地煤场、调度绞车房、轨道衡及计量房等。(4)对原煤进行技术加工的筛分楼、选煤厂。(5)动力系统,一般包括动力网和热力网。动力网包括地面变电所、压风机房及其冷却设备。热力网主要有锅炉房、空气加热室、浴室等。(6)风机房。采用中央并列式通风的矿井,一般在井口旁建筑风机房、风硐及反风装置。(7)材料库。主要是材料仓库、消防材料库、燃料、油脂库、坑木场等。(8)矸石场。矿井矸石应考虑综合利用,剩余矸石应设立排矸场,排矸场应远离井口,并设在矿井常年风向的下风侧,尽量减少对环境的影响。(9)修理厂。一般包括机修厂、坑木加工厂、支柱加工厂等,并有窄轨通往井口(一般是副井)。(10)行政、生活福利设施。包括办公室、任务交代室、会议室、灯房、浴室、洗衣房等，或者建成福利大楼，并用地道和井口相通。(11)矿井地面要有防火设备、自来水设备、净水和排水设备，其建筑物有蓄水池、沉淀池、水塔、水泵房等。

三、矿井地面生产系统

(一)矿井地面生产系统的类型

(1)无加工设备的地面生产系统。适用于原煤不需要进行加工，或拟送往中央选煤厂去加工的煤矿。原煤提升到地面以后，经由煤仓或贮煤场直接装车外运。

(2)布置有选矸设备的地面生产系统。适用于对原煤只要选去大块矸石的煤矿，或者在生产煤炭的煤矿中，由于大块矸石较多，而洗选厂又离矿较远，为了避免矸石运输的浪费和减轻洗选厂的负担，在矿井地面设置选矸设备。

(3)布置有筛分厂的地面生产系统。适用于生产动力煤和民用煤的煤矿。原煤提升到地面后，需要按照用户对煤质与粒度的要求进行选矸和筛分，不同粒度的煤分别装车外运。

(4)布置有洗选厂的地面生产系统。适用于产量较大、煤质符合洗选要求的矿井。

(二)排矸与运料系统

矿井在建设和生产期间，由于掘进和采煤，都要使用或补充大量的材料、更换和维修各种机电设备，同时还有大量的矸石运出矿井，特别是开采薄煤层时，矸石的排出量有时可达矿井年产量的20%以上。因此正确地设计排矸系统，合理确定材料运输线路，也是一个重要问题。

(1)矸石场的选址及类型。由于矸石易散发灰尘，有的还有自燃发火危险，所以在选择矸石场地时，一般设置于工业场地、居住区的下风方向，且地形上有利于堆存矸石，并尽量不占或少占良田。

矸石不得堆在供水水源上游的河床上。能自燃的矸石，不得堆放在煤层露头和表土下10m以内埋藏有煤层的地面上，或采空区可能塌陷而影响到井下的范围内。

矸石场按照矸石的堆积形式可以分为平堆矸石场和高堆矸石场两种。目前采用较广泛的是高堆矸石场，这种矸石场堆积矸石的高度，一般为25～30m，矸石堆积的自然坡度角为40°～45°。高堆矸石场的布置紧凑，设备简单，但矸石场的占地面积大，且矸石堆附近灰尘较多。

(2)材料、设备的运输。矿井正常生产期间，需要及时供应各种材料、设备，维修各种机电设备。这些物料是经由副井上下，因此，材料、设备的运输系统布置必须以副井为中心。一般由副井井口至木材加工场、机修厂和材料库等，都铺有窄轨铁路。需要供应的材料和设备，装在矿车上用电机车牵引到井口，井下需要维修的机电设备也由副井提升到地面，由电机车牵引送往机修厂。

(三)地面管线系统

为保证矿井正常生产和生活的需要，地面工业场地内还需敷设上下水道、热力管道、压缩空气管道、地下电缆等。在进行上述管线具体布置时应在满足使用要求的前提下，紧凑合理，线路短捷，相互协调，整齐美观。

第二节　矿井运输与提升系统

矿井运输与提升是把煤炭和矸石从采掘工作面运到地面，也包括运送材料、设备和人员。

矿井运输与提升是煤炭生产过程中必不可少的重要环节。煤炭从回采工作面采出之后，就开始了它的运输过程。通过各种相互衔接的运输方式将煤炭从工作面运至井底车场，再经提升设备或其他运输设备提升或运至地面。另外人员和设备等也需要运送。

一、运输与提升方式

运输和提升方式的选择，主要取决于煤层的埋藏特征、井田的开拓方式、采煤方法及运输工作量的大小。井下常用的运输方式有输送机运输和轨道运输。

(一)采煤工作面运输方式

采煤工作面煤的运输方式，主要取决于工作面倾角。当工作面倾角大于20°～25°时，可利用煤炭自重进行自溜运输，一般采用沿煤层底板铺设搪瓷溜槽或铁溜槽。从我国现状看，多数工作面倾角在25°以下，因此，广泛采用可弯曲刮板输送机运输方式，如图8–1所示。

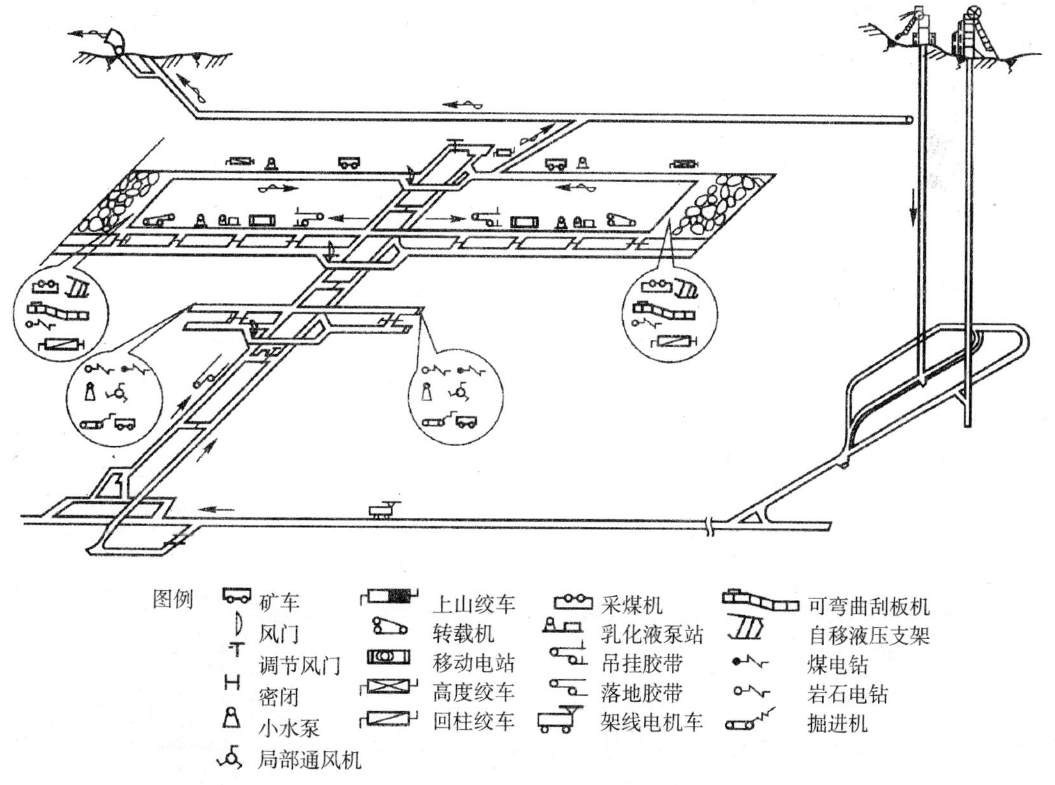

图8–1　采区主要机械配备示意图

(二)区段平巷运输方式

区段平巷运输一般多选用可伸缩带式输送机,并可根据运输量选择胶带宽度和运输速度。

区段平巷使用可伸缩带式输送机时,在工作面刮板输送机与区段平巷可伸缩带式输送机之间,应设置转载机。转载机实际上是一种可以整体移动的短重型刮板输送机,可随工作面推进而整体前移,减少了可伸缩胶带的拆装次数,还可将运载的煤炭抬高,便于向可伸缩带式输送机转载。

(三)采区上(下)山运输方式

如图8-3所示的采区,有两条平行的上山巷道,一条铺设带式输送机,运输煤炭,称为运输上山。另一条铺设轨道,上部开掘绞车房硐室,绞车通过钢丝绳牵引轨道上的矿车,运送材料设备、下放矸石等,进行辅助运输,称为轨道上山。

区段运输平巷运来的煤炭,转载到运输上山带式输送机上,向下运至采区煤仓,完成煤炭的采区运输。下山采区,则方式相同,方向相反。

(四)大巷运输方式

大巷运输的任务,是把采区煤仓的煤炭运输到井底煤仓,同时承担材料、设备等辅助运输。

大巷运输方式,通常有电机车运输和带式输送机运输两种。目前采用电机车运输居多。主要运输大巷的运输方式应根据运量、运距和技术经济效果合理确定。凡井型较大、采区生产集中、条件适合的,可采用带式输运机,实现井下或全矿井的连续运输。

(五)井筒提升方式

平硐开拓无须提升,煤炭通过电机车或带式输送机运输,直至平硐口外的工业场地;斜井开拓时,井筒的提升方式有矿车、箕斗、带式输送机;立井开拓时,通常主井采用箕斗提升煤炭,而通过副井罐笼提升矸石、下放材料设备、升降人员等。当矿井产量较小时,主立井亦可采用罐笼提升煤炭。

二、运输类型

(一)输送机

根据构造不同,输送机可分为刮板输送机和带式输送机两类。

1.刮板输送机

刮板输送机按结构分为刚性和可弯曲两种型式。刚性输送机是早期使用的刮板输送机,一般用于小型煤矿或固定场合;可弯曲刮板输送机为其相邻中部槽在水平、垂直面内可有限度折曲的刮板输送机,如图8-2所示。电动机经过联轴器和减速器带动传动轴上的链轮,使溜槽中的无极刮板链条拖动刮板,刮送煤炭。可弯曲刮板输送机一般适用于倾角小于25°的采煤工作面。

国内相继研制了侧卸式刮板输送机、平面转弯式刮板输送机和超重型刮板输送机。目前国内外刮板输送机都在向大运量、长距离、大功率、高强度、长寿命与高可靠性方向发展。

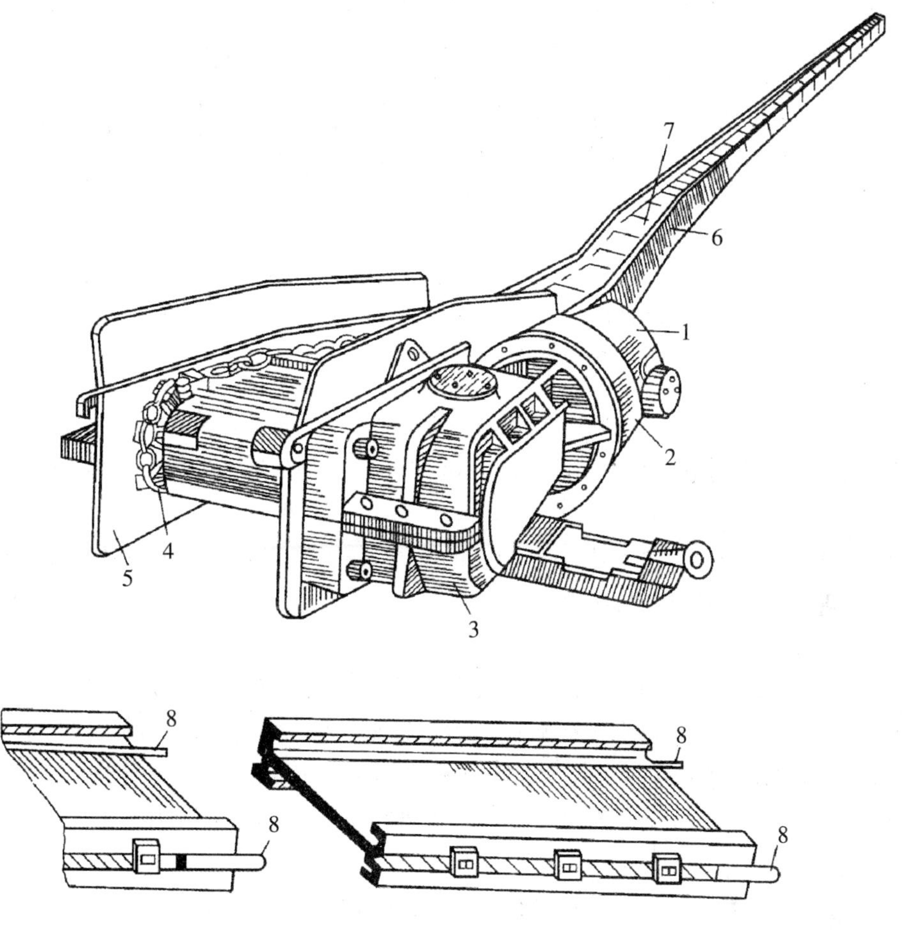

图8-2　刮板输送机示意图

1——电动机；2——联轴器；3——减速箱；4——刮板链；5——机头；6——挡板；7——刮板

2.带式输送机

带式输送机是以无极挠性输送带载运物料的连续输送机，广泛用于煤矿的地面、井下和选煤厂。带式输送机常以多台串联衔接，构成一完整连续的运输系统。带式输送机主要有以下几种类型：

（1）可伸缩带式输送机。是机械化采煤工作面中顺槽运输的配套输送机，其机身设有储放带装置，长度可随工作面的推进而快速方便地延伸或缩短，常与桥式转载机配套使用，如图8-3所示。按其机架结构不同，可分为刚架落地式和绳架吊挂式两种。

可伸缩带式输送机向大输送能力和大单机长度的方向发展，其输送量已达2000t/h，单机铺设长度达3000m。

（2）钢绳牵引带式输送机。适用于长运距输送的特殊型带式输送机，输送带只装载物料，牵引力全由钢绳承受，常用于井下大巷和平硐。

（3）水平弯曲带式输送机。能在水平面内改向折曲输送物料的带式输送机。

（4）大倾角带式输送机。在倾角为±16°～25°范围内使用的带式输送机。国际上已有特殊的大倾角带式输送机投入使用，其输送能力最大可达15000t/h，提升高度可达305m。

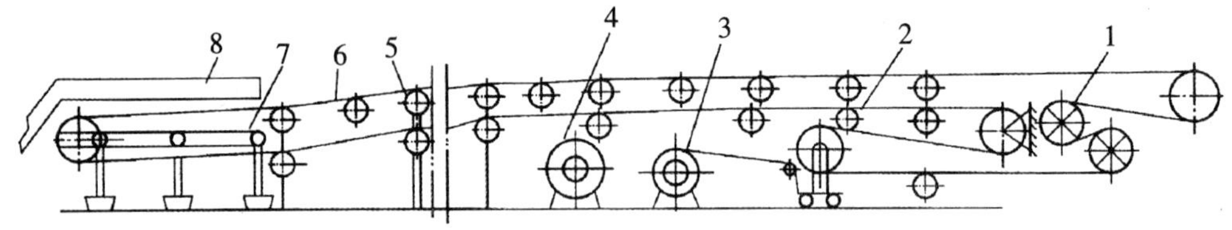

图8-3 可伸缩胶带输送机示意图

1——传动装置；2——储带装置；3——活动小车；4——张紧装置；
5——收放胶带装置；6——机尾牵引绞车；7——机尾架

(5)管状带式输送机。物料在输送过程中完全处于封闭状态的带式输送机。其输送带在受料时展开，输送时卷成管状，管截面有圆形和矩形等形状，可实现倾角35°和水平弯曲的输送。

(6)气垫式带式输送机。不用托辊(或不用上托辊)，将输送带沿着气垫层运行的带式输送机。多用于短运距的物料输送。

(二)轨道运输

轨道运输是煤矿中使用广泛的一种运输方式。轨道运输的基本设备是轨道、矿车和牵引设备。运输时用牵引设备牵引矿车在轨道上往返运输煤炭、矸石、材料、设备及人员。按照牵引动力不同，轨道运输分为人力运输和机械运输。人力运输主要用于一些小煤矿及运输量很小的临时巷道。机械运输又可分为钢丝绳运输和机车运输两类。

1.轨道

井下的轨道结构和地面铁路轨道相同，由道床、轨枕和钢轨等组成。

根据运输量的大小和调车的需要，巷道内可铺设单轨或双轨线路。在双轨线路中，两股轨道中心线之间的距离叫做轨心距。

一般条件下，机车运行的轨道应有3°~5°的坡度，使重车下坡运行，以减少重车运行时消耗的功率，并有利于排除井下流水。

2.矿车

煤矿使用的矿车类型很多，按卸载方式分有以下几种。

固定车箱式矿车，依靠专用卸载设备卸载，常用的容积为1.1~3.3m³；V型翻斗车，车箱能侧向翻倾卸车，其容积为0.6~1.7m³；底卸式矿车，车底开启卸车，在专设的卸载站，整列车在运行中逐个开启自卸。常用的容积有3.3~5.5m³。此外，还有侧卸式矿车、仓式列车、梭形矿车及材料车、平板车、人车。

3.钢丝绳运输

钢丝绳运输是绞车通过钢丝绳牵引单个或数个矿车在倾斜或水平的轨道上运行。分为有极绳运输和无极绳运输两种。

(1)有极绳运输。即钢丝绳的一端固定在绞车上，另一端钩挂在矿车上运行，适用于6°~25°倾斜井巷。常用的有极绳运输分单绳运输和双绳运输。单绳运输由一台单滚筒绞车向上牵引矿车，靠矿车自重下放；双绳运输由一台双滚筒绞车牵引两个车组相对行驶。两种方式都需要巷道有8°以上的坡度，以便矿车借自重下滑。

(2)无极绳运输。该运输方式是钢丝绳绕过无极绳绞车的主动轮和尾轮，绳头、绳尾连接在一起，电动机带动主动轮转动，使钢丝绳不停地转动，连续运行，如图8-10所示。空车和重车利用摘挂车装置分别挂在往返的两侧钢丝绳上，即可进行运输。无极绳运输多用于水平巷道中。

4.电机车运输

电机车是以电力为动力，用牵引电动机驱动车轮的机车。

电机车运输在煤矿中应用很广。矿井地面、平硐和井下主要平巷多数采用电机车运输。在一些矿井的采区巷道，条件合适时也可采用小型电机车运输。

煤矿常用的电机车为直流电机车。根据供电方式不同，可分为架线式电机车和蓄电池式电机车。电机车的牵引力取决于电机车的自重吨数，井下常用的架线式电机车有7t、10t、14t三种，蓄电池电机车有8t、12t二种。

5.矿井轨道运输的辅助设备

矿井轨道运输中，除电机车、矿车、运输绞车等主要设备外，还有翻车机、推车机、阻车器和爬车器等辅助机械设备。这些设备常用于装车站、井底车场及采区车场等处。在地面轨道运输中，也常用这些设备。主要有翻车机、推车机和阻车器、爬车机等。

6.其他辅助运输

(1)单轨吊车运输。单轨吊车是用一根悬挂在巷道上方的钢轨作为导向装置。吊车挂在导轨下方，用电机车或钢丝绳牵引沿导轨移动。

单轨吊车适用于运送材料、人员和设备，可以在水平巷道，也可在倾斜(≤30°)巷道中使用。拐弯灵活，可以在两条相互垂直的巷道内连续运输，操作方便。但安装技术较为复杂。

(2)卡轨车运输。卡轨车是利用列车轮组卡在槽型钢轨上运行的一种运输方式。是窄轨运输的一种发展。

卡轨车有钢丝绳和柴油机两种牵引方式。钢丝绳牵引时爬坡能力可达45°，适用于复杂断面内的物料和人员运输，以及生产能力大的采区。

(3)齿轨车运输。齿轨车是在普通窄轨中间装齿条作齿轨，使用时机车上也要增设与齿轨啮合的传动齿轮，驱动机构带动传动齿轮啮合运行，可行驶在不平的轨道上，爬坡可达14°，可使运输连续化。

(4)无轨胶轮运输车和轨道胶套轮机车。无轨胶轮车又称自行矿车，使用灵活不需轨道，可以直接在较硬的巷道底板上运行，适合开采近水平煤层工作面搬家运输，以及与连续采煤机配合使用。矿车爬坡能力重载时可达12°，空载时可达30°，一般用柴油机或蓄电池作为动力。无轨运输车被普遍认为是解决辅助运输问题较有希望的技术途径。

(二)提升设备类型

矿井提升设备是联系地面和井下的重要工具。通常有提升容器、提升钢丝绳、提升机、井架、天轮等组成。

1.立井提升

(1)立井箕斗提升

煤矿主井提升煤炭,立井多用箕斗。立井箕斗提升系统如图8-4所示。该系统中煤炭运到井底车场翻笼硐室,经翻笼8卸到井底煤仓9内,由给煤机10经过定量装载设备11装入箕斗。同时,另一箕斗位于地面卸载位置。当箕斗进入井架上的卸载装置曲轨5时,其底部的闸门打开,煤炭卸入井口煤仓6内。

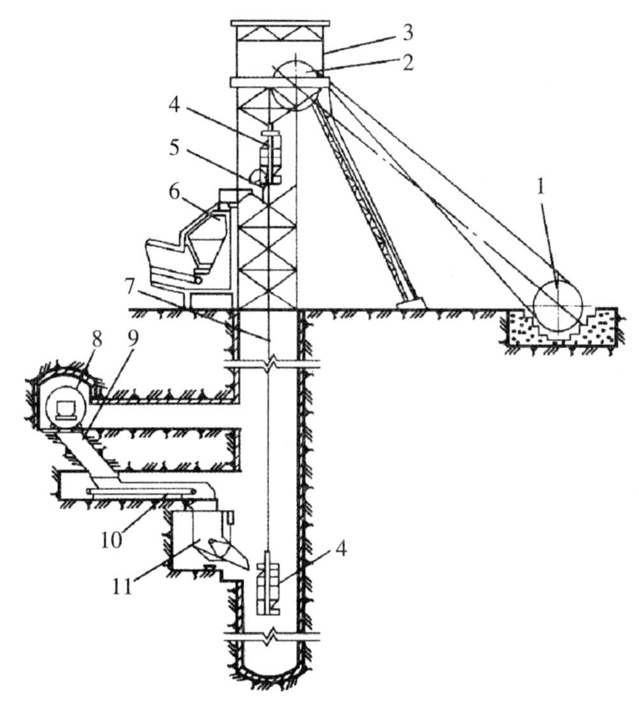

图8-4 箕斗提升系统示意图

1——提升机;2——天轮;3——井架;4——箕斗;5——卸载曲轨;6——煤仓;7——钢丝绳;8——翻笼;9——井底煤仓;10——给煤机;11——装载设备

两个箕斗分别由两根钢丝绳7吊挂,钢丝绳的另一端绕过天轮2,各以相反的方向缠绕在提升机滚筒上,提升机滚筒旋转时,箕斗一个向上一个向下移动,并同时到达装载和卸载位置,使装、卸载工作同时进行。

我国单绳箕斗系列有3t、4t、6t、8t 4种规格,更大的容量可专门设计,近年来提升设备趋向大型化和自动化,最大的箕斗有效载重量在国外已超过50t。

(2)立井罐笼提升

立井副井的提升容器普遍采用罐笼,用来提升材料、设备、矸石并供人员上下。在中小型矿井中也可以用罐笼提煤。

立井罐笼的提升系统由提升机(绞车)、钢丝绳、提升容器(罐笼)、井架、天轮、罐道及辅助设备组成,如图8-5所示。

一个罐笼位于井底,推入矸石车,顶出材料车或空车;另一个罐笼位于井口出车平台,推入材料车或空车，顶出矸石车。提升机开动后，两个罐笼上下进行提升工作。

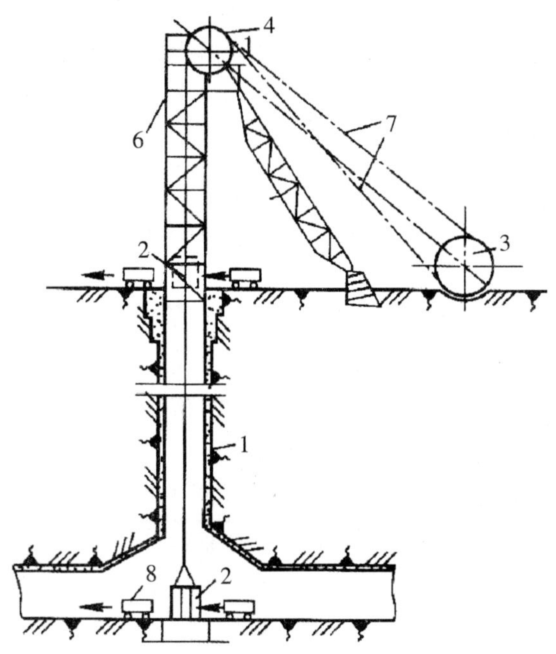

图 8-5　立井罐笼提升系统示意图

1——井筒；2——罐笼；3——卷筒；4——天轮；5——提升钢丝绳；6——金属井架；7——井架斜撑；8——矿车

2.斜井提升

(1)斜井箕斗提升

斜井箕斗提升系统如图 8-6 所示。井下矿车将煤炭通过翻罐硐室 1 卸入井下煤仓 2，操纵装载闸门 3，将煤炭装入斜井箕斗。另一个箕斗在地面栈桥 6 上，通过卸载曲轨 7 将闸门打开，把煤炭卸入地面煤仓 8。钢丝绳经过天轮 10 与滚筒连接，带动箕斗在井筒 5 中往复运动，进行提升工作。

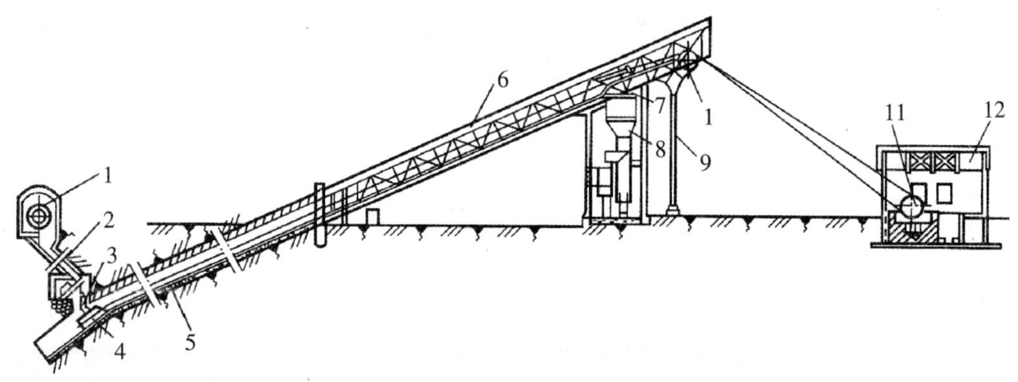

图 8-6　斜井箕斗提升系统示意图

1——翻笼硐室；2——井下煤仓；3——装载闸门；4——斜井箕斗；5——井筒；6——栈桥；7——卸载曲轨；8——地面煤仓；9——立柱；10——天轮；11——提升机卷筒；12——提升机房

(2)斜井串车提升:

串车提升就是将一组重车,在井下挂到钢丝绳钩上沿井筒提升到地面,摘下绳钩,再挂上一组空车(或材料车)沿井筒下放到井底。由于直接提升矿车并沿轨道运行,故串车提升只限于用在斜井中。

(3)斜井钢丝绳牵引带式输送机提升:

斜井钢丝绳牵引带式输送机提升与串车相比,具有提升能力大、容易实现自动化等优点,但投资较多,开拓工程量也较大,因此适用于倾角在18°~25°的斜井中。

(4)斜井提升机:

①单绳缠绕式提升机。单绳缠绕式提升机有单滚筒和双滚筒提升机两种。单滚筒提升机,提升能力小,多用于小型矿井或采区运输。双滚筒提升机是两根钢丝绳以不同的方向分别缠绕在提升机的两个滚筒上,绳的另一端挂有提升容器。提升机运转时,滚筒上的钢丝绳一根缠绕,一根放松,使两个容器一个上升,一个下降,从而完成提升重容器、下放空容器的任务。

②多绳摩擦式提升机。此提升机是用多根钢丝绳(一般4根,有时2根或6根)来悬挂提升容器,如图8-7所示。在主动轮1上装有摩擦衬圈,衬圈上刻有承放钢丝绳的绳槽。主动轮旋转时,靠摩擦力带动钢丝绳和提升容器上下移动。提升容器尾部挂有平衡尾绳3。尾绳的作用是容器不论在什么位置时,都能平衡提升钢丝绳所造成的两端张力差,并能保持钢丝绳与绳槽中有稳定的摩擦力。

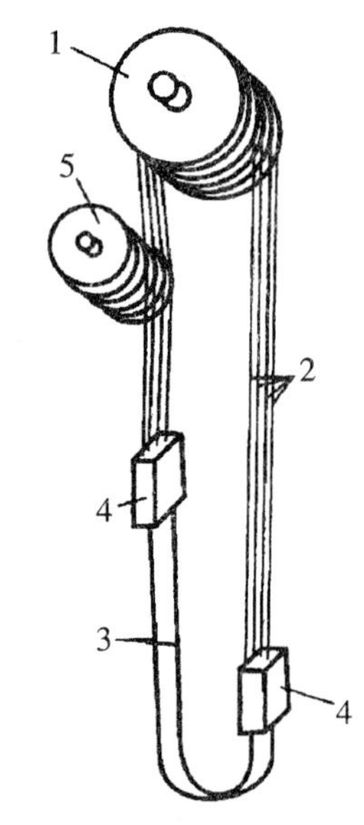

图8-7　多绳摩擦式提升系统示意图

1——主动轮;2——提升钢丝绳;3——尾绳;4——容器;5——导向轮

多绳摩擦式提升用多根较细的钢丝绳代替单根粗钢丝绳,减少了主动轮的直径和宽度,并克服了滚筒容绳量的限制,使用于深度较大的井筒。多根钢丝绳不会同时断裂,安全可靠。目前,广泛使用多绳摩擦式提升机。

第三节　矿井排水系统

矿井在建设与生产过程中,不断有水涌入,为了保证井下人员的安全,设备正常运转和全矿井安全生产,创造良好的工作环境,必须进行排水工作。

矿井排水通常是指将涌入矿井的水流集中起来并排至地面。矿井排水方式可分为自流式和扬升式两种。在地形许可的条件下,利用平硐自流排水是最经济、最可靠的方法。但它受地形条件限制,多数矿井没有这种条件,需要采用扬升式排水。

扬升式排水是借助于水泵将水排至地面。扬升排水可分为固定式和移动式两种。井下水泵房一般采用固定式；在平巷掘进时，采用移动水泵，在巷道低洼处开掘水窝将水排除；在掘进竖井和斜井时，把水泵吊在专用钢丝绳上，随掘进工作面前进而移动。

一、矿井排水系统

（一）采区排水

上山采区，区段巷道低洼处的积水可采用小水泵排出，沿采区上山巷道自流至下部主要运输大巷的水沟内。

下山采区，可在下山底部设置采区水仓，汇集下山各段的涌水，然后用水泵排至上部主要运输大巷的水沟中，再流入井底水仓内，通过中央水泵房把水排到地面。

（二）大巷排水

主要运输大巷设有水沟，水沟向井底车场方向有3‰～5‰的下坡，使汇集于主要运输大巷水沟内的水自动流向井底车场的水仓中。

（三）井底排水

矿井都设有井底水仓，汇集全矿井涌水。井底水仓通常又经过配水沟和吸水小井与矿井的中央水泵房相通，中央水泵房内设若干台水泵，通过排水管道，把水排到地面，完成排水任务。矿井水沿运输大巷一侧的水沟自流到水仓1，后流入到泵房4内的吸水小井2中，水泵运转后，将矿井水经排水管路5排到地面；再进入污水处理厂净化处理，作为生活用水或工业用水。

井底水仓的容量，一般按能容纳8h的矿井正常涌水量考虑。若矿井最大涌水量同正常涌水量相差很大时，需对井底水仓进行专门设计。

中央水泵房一般设在副井井底车场附近，和中央变电所相通，便于电能的直接供给。泵房和水仓的连接通道，应设置可靠的控制闸门。

二、矿井排水设备

（一）矿井涌水量

通常把单位时间内涌入矿井的水量称为涌水量，一般用单位时间涌水的体积表示，如$80m^3/h$。不同的矿井位置、地形、水文地质、开采方法等，都对涌水量大小有所影响。同一矿井在不同季节，涌水量也有区别，如雨季和融雪时期涌水较多。矿井开采期间，单位时间内流入矿井的水量称为矿井正常涌水量。矿井开采期间，正常情况下矿井涌水量的高峰值称为矿井最大涌水量。矿井最大涌水量一般是正常涌水量的1.7倍左右。

（二）矿井排水设备

矿井排水设备包括水泵、水管及附件和配电装置。

1.水泵

煤矿最常用的水泵是离心式水泵。它由外壳、泵轮、排水管和吸水管等组成。吸水管插在吸水井中，在排水前，应先将泵体和吸水管灌满水。当电动机带动叶轮高速旋转时，叶轮的吸水口处呈负压，吸水井内的水在大气压力作用下进入水泵，水受叶轮离心力作用加压被甩到叶片四周，压入排水管内排出。

2.排水管道及附件

矿井排水用的管道有铸铁管、焊接管和无缝钢管等。直径一般为75～250mm，管道的附件有各种接管（三通、四通、弯头、异径管等）、法兰盘和阀件等。

阀件主要有底阀、闸阀和逆止阀等。逆止阀的作用是当水泵突然停止运转时（如突然停电），或者在未关闸阀的情况下停泵时，能自动关闭排水管，切断水流，防止排水管中的水猛烈倒入水泵，把泵轮击坏；底阀装在吸水管的底部，也是一个逆止阀，它的作用是当水泵灌水或停泵时，使水泵内和吸水管内的水不至于漏掉，它的外面装有一个滤水器，可防止杂物、硬块进入水泵；闸阀装在排水管上，用来打开或切断水路，并可调节排水量的大小使水泵空载启动。

第四节　矿井电力供应系统

煤矿使用的机械，除个别机械受特殊条件的限制，必须采用压缩空气、蒸汽或内燃机作动力外，其他设备基本上都采用电力作为动力。

一、煤矿企业对供电的要求及负荷分类

由于煤矿是井下作业，煤矿生产的特殊环境对供电要求更为严格，其要求如下：

（一）供电可靠

煤矿企业如果中断供电，不仅会造成减产，而且有可能发生人身事故或设备的重大损坏，严重时会造成矿井破坏。如主要排水和通风设备，一旦中断供电，可能发生小矿井淹井或瓦斯爆炸事故；采掘、运输、提升、压气、机修及照明等中断供电，也会造成不同程度的经济损失和人身事故。为了保证煤矿供电的可靠性，煤矿供电电源应采用双回路。双回路电源可以来自不同的变电所（或发电厂）或者同一变电所的不同母线。即使一路电源发生故障，另一路电源仍能保证供给一部分电能作为保安用电，以使人身和设备不受到损失。

（二）供电安全

由于煤矿生产环境及自然条件复杂，易于损坏供电设备而发生触电及电火花而引起火灾或瓦斯、煤尘爆炸事故。所以煤矿井下必须采用煤矿专用设备和采取一系列的安全技术措施及管理制度，以保证供电安全。

（三）技术经济合理

煤矿供电不但在容量上要满足生产要求，而且电能质量要好，即电压与频率要求稳定在允许值的范围内。此外，还要求经济，即建设投资及运行维护费用低。

在煤矿内部各用电户，由于它们各自不同的特点，对上述要求各有不同程度的侧重。按照对供电可靠性的要求，电能用户分为三类：一类用户、二类用户、三类用户。

其系统可简单地归纳为：电网电源、煤矿地面变电所、井下中央变电所、采区变电所、工作面配电点。电源有甲乙两回路，当任一回路发生故障停止供电时，另一回路仍能担负矿井全部负荷。正常时，如果采用甲回路运行，则乙回路应带电备用，以确保生产过程供电的连

续性。

1.地面变电所

地面变电所是全矿电力总枢纽，分配地面与井下电力。通常情况下地面变电所向井下中央变电所供电的线路不少于两个回路，当任一回路停止供电时，其他回路应能正常供电。

2.井下中央变电所

井下中央变电所负责向井底车场和各采区变电所供电。

3.采区变电所

采区变电所负责向采区范围内各工作面配电点供电。

4.工作面配电点

工作面配电点负责向工作面用电设备供电。

随着采煤工作面综合机械化装备程度的提高，工作面用电容量加大，而且采区范围加大，输电距离加长，为了降低输电线路电能消耗，常采用移动变电站向工作面配电点供电，移动变电站距工作面100～250m。

煤矿常用三相交流电的电压有以下几种：35kV，一般为矿井地面变电所的电源进线电压；10kV或6kV，为井下中央变电所，采区变电所和大型设备（如提升机、主通风机、主水泵等）的供电电压；3kV或1140V，为综采工作面的用电电压；660 V，为井下采、掘、运、装等机械的用电电压；380 V，为地面或小型机械的用电电压；220V，为地面照明用电电压；127V，为井下照明和煤电钻的用电电压；36V，为信号、操纵线路的用电电压。

煤矿常用的直流电电压有以下几种：250V或550V，为架线式电机车的用电电压；120V、110V、80V、40V，为蓄电池电机车用电电压；2.5V、4V，为矿灯的电压。

二、矿用电气设备的类型

井下采掘工作面具有空间小，易片帮、冒顶，有水、煤尘、瓦斯及机电设备移动频繁等特点。所以电器设备应具有体积小、重量轻、便于移动、外壳结实、密封性好及设备防潮性能、隔爆性能好等要求。

矿用电气设备根据其结构特点和要求不同，井下常用电器设备可以分为5种类型：

（一）矿用一般型（KY）

在无瓦斯或煤尘爆炸危险的矿井里及无瓦斯喷出矿井的井底车场和主要巷道中，固定式电器设备可采用矿用一般型。矿用一般型电气设备与地面使用的普通型电气设备比较，其外壳具有较高的机械强度、较好的防潮性，在井下运转时能保持良好的绝缘性。此外，外壳与盖子之间有机械闭锁装置，保证打开盖前，必先切断电源，以防触电。

（二）矿用安全型（KA）

矿用安全型电器设备除符合矿用一般型电器设备的条件外，对正常运行时发生电火花部分具有隔爆措施，对正常运行时不发生电火花部分的温度限制在允许温度范围内。低瓦斯矿井采区进风道中的固定式电器设备可以采用矿用安全型。

(三)矿用隔爆型(KB)

矿用隔爆型电器设备除应符合矿用一般型的条件外,当壳内瓦斯或煤尘爆炸时,不致使外壳破裂或变形,也不致引起壳外的瓦斯或煤尘爆炸。因而高瓦斯矿井的固定式电气设备及有瓦斯爆炸危险的矿井的移动式电气设备必须采用矿用隔爆型。

(四)矿用安全火花型(KH)

矿用安全火花型电气设备与隔爆型一样,可以在瓦斯矿井中使用。由于它在任何情况下所产生的火花温度,总是低于瓦斯或煤尘燃烧的温度,因此,不需要笨重的隔爆外壳。但矿用安全火花型电器设备的工作电压低、电流小,目前只用于低压控制回路和通讯信号设备中。

(五)矿用隔爆安全火花型(KBH)

这种设备主回路装在隔爆外壳内,而控制回路采用安全火花型。目前我国生产的1140V控制设备均为矿用隔爆安全火花型,它适用于有瓦斯和煤尘爆炸的矿井。

选用的井下电气设备,应符合表8-1的规定。

表8-1 矿用各类电气设备的使用

使用场所类别	煤(岩)与瓦斯(二氧化碳)突出和瓦斯喷出区域	瓦斯矿井				
		井底车场、总进风巷和主要进风巷		翻车机硐室	采区进风巷	总回风巷、主要回风巷、采区回风巷、工作面和工作面进回风巷
		低瓦斯矿井	高瓦斯矿井			
1.高低压电机和电气设备	矿用防爆型(矿用增安型除外)	矿用一般型	矿用一般型	矿用防爆型	矿用防爆型	矿用防爆型(矿用增安型除外)
2.照明灯具	矿用防爆型(矿用增安型除外)	矿用一般型	矿用防爆型	矿用防爆型	矿用防爆型	矿用防爆型(矿用增安型除外)
3.通信、自动化装置和仪表、仪器	矿用防爆型(矿用增安型除外)	矿用一般型	矿用防爆型	矿用防爆型	矿用防爆型	矿用防爆型(矿用增安型除外)

三、矿用电力变压器

矿用变压器主要是用来向井下低压动力供电的变电设备。将10kV或6kV变为1140 kV、660V或380V等向井下低压动力设备供电。它分为矿用一般型和矿用隔爆型两种。

(一)矿用一般型变压器

由于没有防爆特点,所以此类变压器只适用于通风良好的井下变电所硐室内。目前使用较多的是KS7、KS9系列的节能低耗矿用变压器。变压器的器身安装在坚固的油箱中,进出线采用电缆接线盒。低压侧设有6个接线柱,可根据用户的需要接成星形或三角形得到两种电压,200kVA及以下容量的输出电压为660V。

(二)矿用隔爆型变压器

由于有防爆特点,所以此类变压器可用于有爆炸危险的工作面平巷内。目前使用较多的有KSGB系列矿用隔爆型变压器,是移动变电站的主要变压器,其外形如图8-23所示。变压器的器身安装在隔爆外壳中,壳内没有易燃性绝缘油(故称干式),比较安全,便于维修,但散热和绝缘性能较差。为增加散热面同时也增加外壳强度，隔爆外壳侧面采用瓦楞钢板结构。外壳底座拖撬下还可增设滚轮，制成移动式变压器，也可与矿用隔爆高、低压开关配合组成移动变电站，向综采工作面设备供电。另外，向煤电钻和井下照明供电的变压器也采用隔爆型，它将1140KV、660V、380V电压变为127V，其一次侧可以接成星形或三角形以适应不同电源，通常与其一、二次侧开关及保护装置组成煤电钻变压器综合保护装置或照明综合保护装置，直接向煤电钻或井下照明供电。

四、矿用开关设备

开关是通断电设备。因电压高、电流大，设置于井下环境，故矿用开关设备较为复杂。井下常用的电气开关有以下几种：

（一）隔爆高压配电箱

它是井下中央变电所必备设备。装置在高压线路上，起开关作用，通断高压电路，控制电力变压器、高压电动机等。新产品的型号为PBL-6型，用氟化硫断路器代替了油断路器，分断容量大，安全性能好。额定电压均为6kV。

（二）隔爆自动馈电开关

是一种带有自动跳闸装置的低压输电开关，由隔爆外壳、三相空气断路器、电路保护装置和手把等组成。一般不直接用它来启动电动机，而把它放在中央变电所、采区变电所、移动式变电站和工作面配电点，作为低压输电干线上的总开关或分支开关，用来控制和保护1140V、660V或380V的低压输电线路。如线路上发生短路、过电流或漏电等故障时，可自动跳闸切断电源。所以，它实质上相当于一个带有保护装置的三相刀闸。开关的型号为DW-80-200（350）型DW-80-60（120）型等。新型号为DWKB30-100、200、400型等。

（三）隔爆手动开关（手动启动器）

这也是一种低压开关。用手搬动外壳上的手把，使外壳内的刀闸断开和闭合。这种开关用来直接控制不经常开停的设备，如局部通风机，小水泵或照明变压器等。主要型号有QS81-80型。

（四）隔爆磁力启动器

它直接控制采、掘、运等机械设备的电动机启动、停止或反转的隔爆开关。操纵启动按钮和停止按钮，使隔爆外壳内的磁力线圈吸合或断开隔爆外壳内接触器的主接头，达到电路的接通或断开目的。其主要型号有QC83-80型，QC83-120、225型，QCKB30-1140/300型等。

（五）隔爆真空磁力启动器

上述磁力启动器或手动启动器，都是把电气触头或开关放置在有空气存在的隔爆外壳中，所以统称为空气开关。由于空气的存在，触头或开关在通、断时迫使气体电离而产生电弧。电压越高和电流越大，电弧现象就越严重。这不仅不够安全，而且影响触头寿命。随着大功率采煤机的使用，启动器的电压上升至千伏级，电流也大到数百安培，加上启动器动作频繁，空气开关的缺点就比较突出。因此，现已发展了真空开关。真空开关的主触头密封在高度真空的陶瓷圆筒内，构成真空灭弧室。其主要型号有：DQZBH-1400/300型。目前，已研制生产的HT6L1-400Z/1140型矿用隔爆本质安全型组合式智能真空磁力启动器，是国内较先进的开关。

五、矿用电力电缆

矿用的电力电缆主要有铠装电缆、橡套电缆和塑料电缆等。

铠装电缆具有“金属铠甲”外皮保护，强度大，但不易弯曲。铠装电缆可用于井下输电干线和向固定、半固定设备供电，一般在井筒、运输大巷或采区巷道中使用。

橡套电缆又分为矿用橡套电缆和屏蔽电缆两种。橡套电缆容易弯曲且较轻便，便于向移动式设备供电，一般在区段巷道和工作面中使用。屏蔽橡套电缆可与漏电保护配合，在电缆发生短路前切断电源，防止短路电弧引爆瓦斯，故适用于向有爆炸危险的工作面设备输电。

塑料电缆的芯线绝缘和护套全部采用塑料制成。这种电缆外部如加铠装，则与铠装电缆相似，不加铠装，则与橡套电缆相似。塑料电缆的优点：允许工作温度高，绝缘性能好，护套耐腐蚀，敷设的落差不受限制等，因此在条件适合时应尽量采用。

第五节　压缩空气供给系统

一、概述

生产压缩空气的机器，称为空气压缩机（简称压气机）。在我国煤矿企业中，除电能外，压缩空气是比较重要的动力源之一。压缩空气设备是压缩和输送空气的整套设备。在我国煤矿企业中，压缩空气用来作为风镐、风钻、风动装岩机、混凝土喷射机等风动设备的动力。风动设备具有很多优点，如：体积小、重量轻、功能大、故障少、过负荷时不易损坏机械，操作和修理容易等，它的废气还能起到辅助通风的作用。使用压缩空气作为动力源比电力源较安全。因风动机具工作时不产生火花，这就减少了引起瓦斯爆炸的可能性。风动设备的缺点是：压气设备本身的效率较低，以压缩空气作动力较电动力费用高，总效率较电动力低，且必须用管道输送，井下某些移动设备带一个供风软管，使用不方便。但由于煤矿生产的特殊条件，如温度高、湿度大、粉尘多，还有瓦斯等有害气体，为确保煤矿安全生产，压缩空气作为动力源仍在广泛使用。

压缩空气设备包括空气压缩机（简称压气机）、拖动电机、附属装置（滤风器、风包、冷却装置等）和输送管道等组成。压气机一般安设在地面，只有用风量不大的低瓦斯矿井，在井下主要进风巷道内才可设能力不大于20m^3／min的压气机，且压气机和风包应分别安装在两个硐室内。

压气机的种类很多，煤矿使用的以往复式压气机（亦称活塞式）为主。根据工作状态，往复式压气机可分为固定式和移动式两类。一般固定式的额定排气量在10m^3/min～100m^3/min，移动式的额定排气量为9m^3/min以下，两者的排气压力均为0.7～0.8MPa。

往复式压气机按汽缸的布置方式分为立式、卧式、角度式(L型、V型、W型)3类,煤矿中常用的是角度式L型往复式压气机。

二、往复式压气机的工作原理

两级往复式压气机如图8-8所示。其工作原理是空气由吸气阀2进入低压缸3,在低压缸中,空气被压缩到0.18～0.22MPa的中间压力,被压缩的空气推开排气阀4流入中间冷却器5进行冷却,冷却后的空气,经吸气阀6进入高压缸7再进行压缩,把压力提高到0.7～0.8MPa,最后经排气阀9排入排气管,由排气管进入风包,供井下使用。

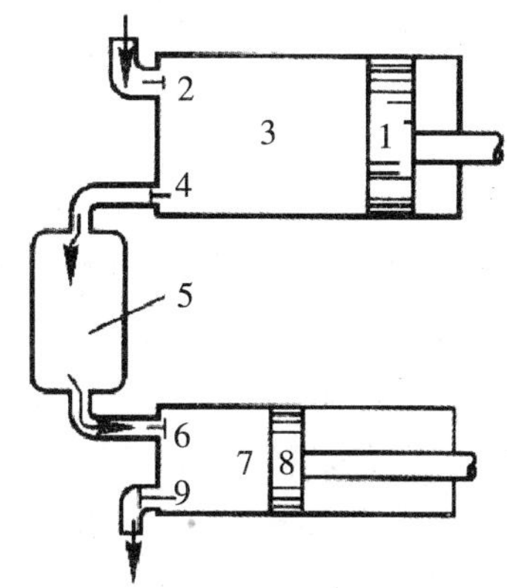

图8-8　两级往复式压气机示意图

1——低压缸活塞;2——吸气阀;3——低压缸;4——排气阀;5——中间冷却器;6——吸气阀;7——高压缸;8——高压缸活塞;9——排气阀

三、压气机站及辅助设备

压气机站一般在井口附近,这样主风管路可以短些,压降也可以小些。另外,站址应在空气洁净、通风良好、日照较弱、距矸石场及烟囱有一定距离并位于主导风流上方。还要便于安装、维修时的运输。如图8-9所示为往复式压气机站的布置图。

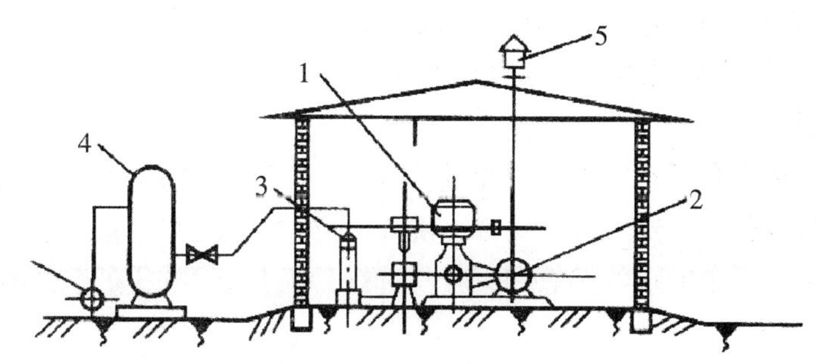

图8-9　压气机站布置示意图

1——压气机;2——电动机;3——后冷却器;4——储器罐;5——过滤器;6——输风管

(一)吸气管路及空气过滤器

吸气管路长度一般不应大于10m,吸气管口装有空气过滤器。

空气过滤器的作用是阻止空气中的尘埃被吸入压气机内,以免弄脏和损坏气阀、汽缸壁和活塞。

(二)排气管路及风包

风包亦称储气罐,安装在压气机与排气管路之间,其作用是缓和由于压气机排气的不连续性而引起的压力波动,除去压气中的水分和润滑油外,风包还能储存一定量的压气。

压气机与风包之间的排气管路上需装设逆止阀。

(三)输风管

输风管一般采用焊接钢管,其耐压力为2.5倍的工作阻力。永久性管子采用焊接,临时性经常移动的管道则采用快速接头。

(四)压气机冷却

气体的压力与温度成正比,当空气被压缩时,空气的温度以及汽缸的温度都要增高,因此,在压气机两极之间,有时还要在压气机与风包之间设冷却器。前者叫中间冷却器,后者叫后冷却器,冷却水流过水套将缸体或管道内的热量吸收以降低压气的温度。

冷却水可由单独水泵、水箱或其他水源供给,水质应是暂时硬度不大于10度的清洁的非酸性水。当冷却水中断时应设有警报装置,以免空气温度骤增而发生事故。

一般冷却水的供水方法有直流式和循环式两种,循环水的冷却可采用冷却塔或喷水池。冷却水的作用除对压缩空气进行冷却外,还促使水蒸气和油雾更好地凝结和分离。

第六节 煤的洗选

一、概述

我国大中型矿井或矿区一般应设选煤厂,其目的是提高煤炭质量,符合用户对煤质的不同要求,节约运输费用。如果煤的含矸量大、灰分高,不但煤的使用效率低,浪费资源,影响其他工业的生产,而且也浪费了运输能力。因此,为了提高煤的综合利用率,减少煤炭对大气的污染,煤矿或矿区一般应设选煤厂。选煤方法分类有湿法选煤和干法选煤两大类。根据选煤工艺的特点,目前常用的选煤方法有以下几种:

(一)重力选煤

重力选煤是依据煤和矸石密度不同而进行分选的方法。利用它们在流体介质(水、重介质)中的不同沉降速度进行分选,通常又称为洗煤;也可以借助风力进行分选,即风力选煤法(干法选煤)。重力选煤中的跳汰选煤和重介质选煤是工业上用的最广泛的选煤方法。

(二)浮游选煤法

浮游选煤法是依据煤粒和矸石颗粒表面润湿性的差别,实现细煤粒(0.5mm以下)分选的方法。

采用上述方法,按照密度和粒度将煤炭进行分类的工厂称为选煤厂。在我国,绝大部分选煤厂都是采用湿法选煤,因此通常将选煤厂也称洗煤厂。

(三)手选

手选是根据煤块和矸石在颜色、光泽以及外形上的差别,用人工进行手选。这种选煤方法只能从煤中拣出粒度大于50mm的大块矸石,劳动强度大,效果差,目前只是选煤厂中的一道辅助工序。

其他选煤方法还有溜槽选煤法、斜槽选煤法、摇床选煤法以及利用煤和矸石的导电率不同而进行的静电法(用于煤粉)、电力拣矸法(用于块煤)及磁力选煤法,利用放射线对煤和矸石穿透能力不同而实现的放射线同位素选煤法和x线选煤法。

根据处理精煤的用途不同,选煤厂可分为炼焦煤选煤厂、动力煤选煤厂;按选煤厂的厂址位置分为矿井选煤厂、群矿选煤厂、矿区选煤厂和用户选煤厂;将只进行粒度分选的选煤厂称为筛选厂。

二、煤的洗选

煤的洗选分为不分级入选(把原煤破碎至50mm以下直接送入洗煤机中进行分选)和分级入选(原煤按粒度不同在选煤机内进行分选)。我国多采用不分级洗选。

(一)重力选煤法

(1)跳汰选煤。跳汰选煤是原煤借助于垂直升降的脉动水流,按照密度不同而进行分选的选煤方法。实现跳汰选煤的设备叫做跳汰机。

活塞跳汰机的工作原理如图8-10(a)所示。活塞跳汰机的角锥形机箱1被隔板4分成互相连通的两部分。在左侧的跳汰室中铺有筛板5,物料2就是在这里进行分选。在右侧的活塞室3中设有活塞6,由偏心轮7和连杆8带动,作上下往返运动。当活塞向下运动时,活塞室中的水被压向跳汰室,因而在跳汰室中造成上升水流,这时左侧的水面比右侧高些。活塞向上运动时水则返回活塞室,于是在跳汰室中形成下降水流,这样随着偏心轮的旋转、活塞上下往复运动,在跳汰室中就产生了穿过筛板上下跳动的脉动水流。水流上升,筛板上的煤、矸石混合物在上冲力作用下向上运动,比重轻的煤块上升得快,比重重的矸石上升得慢,水流下降时,重的矸石最先落到筛板上,轻的煤块在矸层上面,经过多次反复跳动,煤矸混合物逐渐发生分层 ,即精煤块集中到上层而矸石留在下层,从而达到分选的目的。

常用的无活塞跳汰机的工作原理如图8-10(b)所示。煤矸混合物在无活塞跳汰机中的分层过程与活塞跳汰中的分层式过程基本相同,主要差别在于,无活塞式跳汰是利用时进时出的压缩空气来代替活塞。

跳汰机的种类按照造成脉动水流的动力来源分为活塞式跳汰机、无活塞式跳汰机;按照洗段数目分为单段跳汰机、两段跳汰机和三段跳汰机(单段机只能选出精煤和矸石两个产物;两段机选出三个产物:精煤、中煤和矸石;三段机可选出四种产物:黄铁矿、中煤、精煤和矸石);按照空气室位置分为筛下空气室跳汰机和筛侧空气室跳汰机。

(2)重介质选煤。重介质选煤是指分离煤和矸石的介质不是水,而是采用比水重的流体。在实际工作中,由磨得极细的矿物(如磨到小于0.074mm的磁铁矿)颗粒,在水中形成悬浮状态的混合物,这样的混合物叫做矿物悬浮液(或重介悬浮液),用于配置悬浮液的矿物还有黄铁矿、河沙、黄土、重晶石等,这些矿物又叫做加重剂,其中以磁铁矿粉用得比较普遍。

重介质选煤是在分选机中进行,将事先准备好的有一定比重的悬浮液和要分选的煤一同给入重介分选机中,比重低于悬浮液的煤浮起,高于悬浮液密度的矸石或其他杂物沉下,再用适当方法将各产品排出机外,重介质则通过回收净化,重新循环使用,这样便完成了重介分选的过程。这种方法主要用于大型煤矿的机械排矸上,选煤厂应用较少。目前选煤厂应用较多的是三产品重介质旋流器分选法。我国三产品重介旋流器分有压给料和无压给料两大类型。

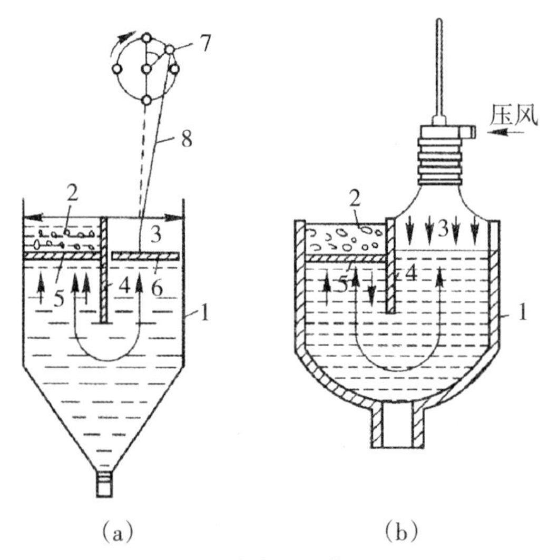

图8-10　跳汰机工作原理

(a)活塞跳汰机工作原理;(b)无活塞跳汰机工作原理

1——机箱;2——物料;3——活塞室;4——隔板;5——筛板;6——活塞;7——偏心轮;8——连杆

三产品重介旋流器是由两台两产品重介旋流器串联组装而成。第一段为主选,选出精煤和再选入料;第二段为再选,选出中煤和矸石两种产品。

重介质选煤方法可以严格地按比重进行分选,比跳汰选煤效率高、精确度高;入选煤的粒度范围广,能够处理1~500(1000)mm的大块煤,因此可以代替人工手选,便于实现选煤过程机械化,而且生产操作和工艺过程的调整比较简单。同时,受煤量和煤质波动的影响小,因此这种选煤方法得到了迅速推广。

(二)浮选法简介

小于0.5mm的煤粉或者煤泥的精选,使用上述两种方法效率都不高,甚至难以进行。目前分选细粒煤(煤粉)或煤泥的有效方法是浮选法。我国炼焦煤煤泥的灰分一般较高,如不进行分选,只能用做民用燃料,浮选焦煤能相对扩大炼焦煤的资源。另外,用浮选法可改善煤泥水处理系统,实现洗水闭路循环。因此,增加浮选系统不仅能多生产优质炼焦精煤,为国家积累财富,而且还可以防止对环境的污染。

浮选法的实质是利用煤和矸石表面润湿性质之间的差别，在细煤粒与水的混合物煤浆中加入捕收剂和起泡剂等药剂，在煤浆中搅拌、充气，产生气泡。疏水煤粒就附着在气泡上随之上浮，亲水的矸石及其他杂质颗粒则与此相反，仍然留在煤浆中，这样把煤粒与矸石分开。

浮选使用的捕收剂作用是提高精煤与气泡黏附的牢固性，一般用煤油或轻柴油等作为捕收剂。起泡剂的作用是增加气泡数量和提高气泡的稳定性，多用松油或醇类（丁醇、辛醇和杂醇等）物质作为起泡剂。

煤泥的浮选在浮选机中进行。浮选机的基本作用是使混有药剂的煤浆充气，形成吸附于煤粒的泡沫。然后用适当方法将泡沫从机中排出，得到精煤。浮选机的种类很多，其中以机械搅拌式浮选机应用最广，XJM-6型浮选机是我国设计并成批生产的新式大型浮选机中的一种。它是一种浅槽式浮选机，采用了伞形的新式搅拌机构，具有充气量大、电耗小和浮选能力大等特点，如图8-10所示。

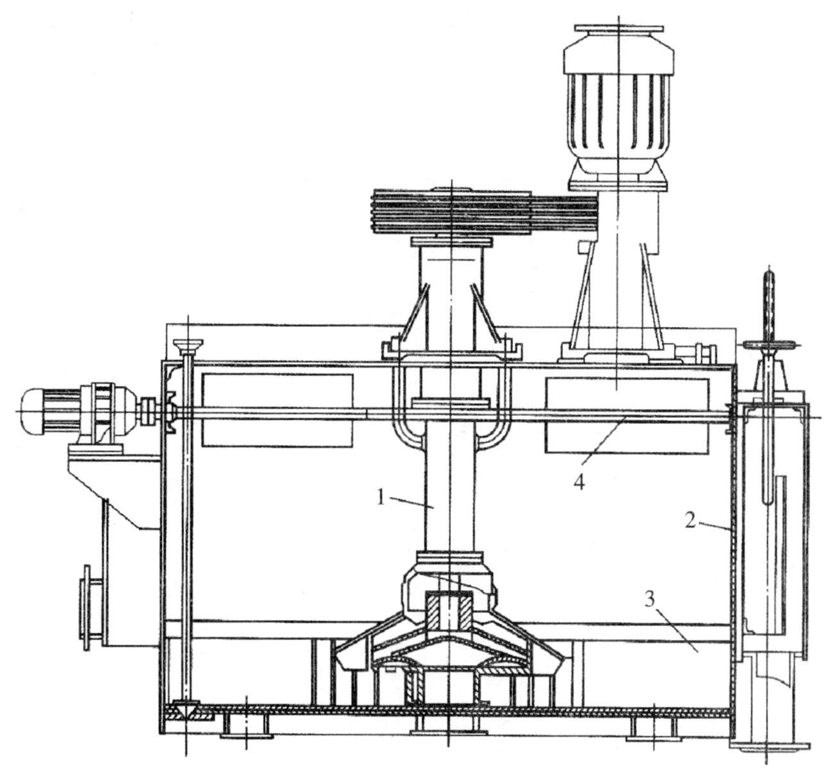

图8-10 XJM-6型浮选机

1——搅拌机构；2——槽体；3——导向板；4——刮泡器

经过洗选后的煤炭往往含有大量水分，水分过高的煤炭将给用户冬季储存和运输造成浪费和困难。因此，还要从煤中脱出水分。脱水的方法有过滤排泄、机械脱水和热力干燥等。

我国现有的选煤方法还有抑制黄铁矿浮选法、高梯度磁选、数控风阀跳汰选煤法、油团聚选煤法、选择性絮凝选煤法、空气重介硫化床干法选煤等。

第二部分　专业核心知识点

1. 矿井地面工业场地的布置和地面生产系统；
2. 矿井运输提升的任务和矿井运输提升分式；
3. 轨道运输、输送机运输的特点、设备及运用条件；
4. 矿井提升设备的作用、组成；
5. 矿井排水系统及其设备；
6. 矿井的压缩空气设备；
7. 矿井的电力系统。

第三部分　专业技能训练

复习题

1.矿井生产系统的内容有哪些？

2.工业场地选址和总平面布置应遵循哪些原则？

3.矿井地面生产系统包括哪些内容？

4.矿井运输与提升方式有哪些？

5.如何对输送机运输进行分类并简述其适用范围。

6.如何对电机车运输进行分类并简述其适用范围。

7.目前新型辅助运输共有几种方式，并简述其优缺点和适用范围。

8.对矿井排水设备的要求主要有哪些？

9.简述矿井供电系统。

10.常用的矿用电气设备主要有哪些？

讨论题

1.请叙述本矿的地面生产系统（包括主井生产区、副井生产区、行政福利区、洗煤厂）有哪些主要设施和车间，功能是什么？

2.煤矿“四大件”是哪“四大件”？

第九章 现代化矿井采煤工作面新工艺、新设备

第一节　同煤集团云冈矿81021回采工作面作业规程（概要）

一、概况

（一）工作面位置及井上下关系

表9-1　　工作面位置及井上下关系表

<table>
<tr><td>煤层名称</td><td>12#</td><td>水平名称</td><td>1030</td><td>采区名称</td><td>410</td></tr>
<tr><td>工作面名称</td><td>81021</td><td>地面标高（m）</td><td>1223 ~ 1280</td><td>工作面标高（m）</td><td>1040 ~ 1054</td></tr>
<tr><td>地面位置</td><td colspan="5">本工作面上覆地面位于四道沟以西的山坡，中间高，两头低，陡坎发育广泛。</td></tr>
<tr><td>井下位置及
四邻采掘情况</td><td colspan="5">工作面南部为我矿510辅回、410皮、410轨三条盘区巷，西部为81011工作面（已采空），东部为81009工作面（已采空），北部为402石门。</td></tr>
<tr><td>回采对
地面设施影响</td><td colspan="5">回采时可能会造成地面裂缝和塌陷。</td></tr>
<tr><td>走向长（m）</td><td>600</td><td>倾向长（m）</td><td>60</td><td>面积（m^2）</td><td>36000</td></tr>
</table>

（二）煤层及煤质

表9-2　　煤层情况表

<table>
<tr><td rowspan="2">煤层总厚（m）</td><td>5.16</td><td colspan="2">煤层结构（m）</td><td rowspan="2">煤层倾角（度）</td><td>6°</td></tr>
<tr><td>4.7 ~ 5.5</td><td colspan="2">简单无夹石</td><td>1.2° ~ 10.3°</td></tr>
<tr><td>可采指数</td><td>100%</td><td>变异系数（%）</td><td>9.8%</td><td>稳定程度</td><td>稳定</td></tr>
<tr><td colspan="6">本工作面煤层总体比较稳定，厚度在4.7m ~ 5.5m之间，平均5.16m，简单无夹石。</td></tr>
<tr><td>煤质情况</td><td colspan="5">据相邻钻孔资料：M=7.0 ~ 8.5　　A = 6.0 ~ 8.5
V = 27.9 ~ 34.7　　S = 1.4 ~ 2.1
Q=5000 ~ 5100　　工业牌号　2#弱粘煤</td></tr>
</table>

(三)煤层顶底板

表9-3　　　　煤层顶底板情况表

顶底板名称	岩石名称	厚度(m)	岩石特性
老顶	细砂岩	9.1～10.7 10.32	灰白色细砂岩,上部为水平层理,下部为斜层理。
直接顶	粉细砂岩	1.0～1.7 1.38	深灰色粉细砂岩,含植物根茎化石,胶结松软,性脆。
伪顶			
直接底	粉细砂岩互层	2.96～3.75 3.36	灰色细砂岩与砂质页岩互层。
老底			

附图1:81021工作面综合柱状图(略)

(四)地质构造

本工作面直接顶为1.0m~1.7m的细砂岩或粉砂岩,胶结松软,性脆,易垮落,因此回采时应加强顶板的支护工作,防止发生漏顶及伤人事故。

本工作面12#层与上覆3#层层间距约为111m。

层间距:

111.0m　65.49m　48.41m　32.72m　22.03m　11.7m

3#———7#———8#———9#————10#————11-2#————12#

煤层直接顶为粉细粒砂岩,厚度1.0m~1.7m,平均厚度为1.38m;老顶为细砂岩,厚度10.32m;直接底为粉细砂岩互层,厚度2.96m~3.75m,平均厚度为3.36m。

附图2:12#410盘区81021工作面煤层底板等高线及两巷剖面图(略)

(五)水文地质

本工作面上覆为我矿3#层8802、8804、8806、8832工作面采空区,根据煤层底板等高线图及充水性分析,采空区整体呈西高东低趋势,该面东西两侧均为我矿采空区,预计其内无大的水患存在,但不排除局部低洼处积水会在开采过程中随顶板垮落导入工作面,因此要求至少在51021巷配备一趟4寸管路及45KW水泵,以备排水。

表9-4　　　　涌水量

正常涌水量	2.0 m^3/h	最大涌水量	2.4 m^3/h

(六)影响回采的其他地质因素

表9-5　影响回采的其他地质情况

瓦　斯	瓦斯涌出量3.8m³/min			
煤　尘	煤层具有爆炸性			
煤的自燃	煤层自燃倾向性等级为I级,容易自燃			
普氏硬度(f)	煤 层	夹 矸	直接顶	直接底
	3		6	5

(七)储量及服务年限

表9-6　储量及服务年限表

块段号	走向长(m)	倾斜长(m)	面积(m^2)	煤厚(m)	容重(t/m^3)	工业储量(t)	回采率(%)	可采储量(t)
1	600	60	36000	5.16	1.31	243345.6	93	226311.4
可 采	570	60	34200	5.16	1.31	231178.32	93	214995.8
合计						231178.32		214995.8
注:可采走向长度 = 工作面走向长 – 预计停采长								
工作面服务年限=可采推进长度/日设计推进长度								

工作面可采期:

81021工作面面长60m,可采走向长570m,循环进度0.8m,循环产量191.1552t,日循环数10个,日产量1911.552t,月产量57346.56t,日进度8m,月进度240m,则可采期为72天。

二、采煤方法

(一)巷道布置

1.工作面概况

本工作面位于12#层410盘区,工作面编号为81021。

81021工作面面长60m,可采走向长570m,循环进度0.8m,循环产量191.1552t,日循环数10个,日产量1911.552t,月产量57346.56t,日进度8m,月进度240m,则可采期为72天。

2.巷道布置与断面规格

(1)巷道形状、断面规格与掘进方式:

81021工作面巷道形状均为矩形,规格与掘进方式如下:

21021巷为机轨合一巷,掘宽4.2m,掘高3.3m。

51021巷为回风运料巷,掘宽3.6m,掘高3.3m。

81021巷为工作面切巷,掘宽6.2m,掘高2.8m。

（2）巷道布置方式：

81021工作面顺槽大致沿煤层倾向布置，工作面切巷大致沿煤层走向布置，垂直于顺槽。

（3）巷道支护材料及支护形式：

采用树脂、金属锚杆、水泥托板、钢带托板、锚索支护管理顶板，螺纹钢锚杆直径为18mm，长1700mm；锚索直径17.8mm，长6000、8000mm，顶板破碎时可采用木腿钢梁架棚或锚索梁支护。

21021巷顶板锚杆支护的间排距为0.9×1.0m，双排锚索，排距3.0m；两帮锚杆支护间距1.0m，排距1.2m。

51021巷顶板锚杆支护的间排距为0.9×1.0m，单排锚索，排距3.0m；两帮锚杆支护间距1.0m，排距1.2m。

81021切巷顶板锚杆支护的间排距为0.9×1.0m，巷中三排锚索，间距1.6m，排距2m。

（4）煤柱尺寸：

81021工作面顺槽与相邻的81009、81011工作面间煤柱分别为32.98、31m。

（5）硐室：

在21021顺槽口处掘一皮带头硐室，在切巷的头尾各掘一对绞车窝，在切巷的中部掘一绞车窝，在切巷的尾部掘一采煤机硐室。

附图3：81021工作面机轨合一巷、回风运料巷、切巷断面图（略）

（二）采煤工艺

1.采煤方法

81021综采工作面采用走向长壁，采空区顶板全部垮落法开采，沿顶留底煤开采。采煤工艺采用工作面中部斜切进刀，即倒∞开采，回采割煤时进刀长度30m，往返一次割煤一刀并装煤，工作面运输机运煤，随割煤顺序依次移架，移架滞后割煤6～9m，返空刀清浮煤，滞后煤机后滚筒9～15m推移采面输送机，如此循环往复。

2.开采方式与推进方向和停采位置

（1）开采方式：倾向长壁后退式开采。

（2）推进方向：由北向南沿煤层倾向后退式开采。

（3）停采位置：距回风绕道30m处。

3.工作面支护形式及工作方式

工作面布置43架ZZSX-6000/17/37型支架支护和管理顶板，架中心距1.5m，沿工作面布置，以本架操作、追机作业、顺序移架的工作方式及时支护的方法管理顶板，当工作面采宽达25m时，如顶板仍不冒落，必须进行人工强制放顶。在正常开采过程中，执行循环放顶，放顶步距为15m，在循环放顶后如仍有局部悬板超过$2\times5m^2$，或上下落三角悬板超过$2\times5m^2$，必须执行人工强制放顶。

附图4：81021工作面正规循环作业图表（略）

附图5：81021工作面端头斜切进刀示意图（略）

(三)设备布置

工作面配备的主要设备:

(1)工作面: MG400/930-WD 采煤机一台;ZZSX-6000/17/37 型支撑掩护式液压支架 43 架,SGZ-800/800 刮板输送机一部。

(2)21021 巷:SZZ-830/200 型转载机一部;SSJ1000/160 皮带运输机一部,铺设长 630m。

(3)21021 巷:KBSGZY-315KVA 移动变压器一台;KBSGZY-1500KVA 移动变压器一台;KBSGZY-1000KVA 移动变压器一台;SF6 高压开关两台;DP18-32×10 喷雾泵一台;MRB200/31.5 乳化液泵两台;ZK-Ⅱ控制台一套;DW80-200A 馈电开关两台;各种低压开关、绞车。

(4)81021 巷 JD-25 调度绞车 7 台,JH2-14 回柱绞车 3 台。

附图 6:81021 工作面设备布置图(略)

表 9-7 主要设备配置表

序号	名称	型号	数量
1	采煤机	MG400/930-WD	1
2	液压支架	ZZSX-6000/17/37	61
3	刮板输送机	SGZ-800/800	1
4	桥式转载机	SZZ-830/200	1
6	锤式破碎机	PCM160	1
7	胶带输送机	SSJ1000/160	1
8	移动变电器	KBSGZY-315KVA	1
9	移动变电器	KBSGZY-1500KVA	1
10	移动变电器	KBSGZY-1000KVA	1
11	乳化液泵	MRB200/31.5	2
12	液箱	XRXT-1000	1
13	回柱绞车	JH2-14	3
14	调度绞车	JD-25	7

三、顶板管理

(一)支护设计

本工作面选用 43 架 ZZSX-6000/17/37 液压支架。

表 9-8　　ZZSX-6000/17/37 主要技术特征表

<table>
<tr><td rowspan="2">类型</td><td>适用煤层厚度(m)</td><td>适用煤层倾角(°)</td><td colspan="2">支架高度(mm)</td><td rowspan="2">支护宽度(mm)</td><td rowspan="2">初撑力(kN)</td><td rowspan="2">工作阻力(kN)</td></tr>
<tr><td></td><td></td><td>最低</td><td>最高</td></tr>
<tr><td>支撑掩护式</td><td>2 ~ 3.5</td><td>≤15</td><td>1700</td><td>3650</td><td>1500</td><td>5105(26MPa)</td><td>6000</td></tr>
<tr><td rowspan="2">支护强度(MPa)</td><td colspan="3">立柱</td><td colspan="4">推移千斤顶</td></tr>
<tr><td>缸径(mm)</td><td>柱径(mm)</td><td>行程(mm)</td><td>缸径/柱径(mm)</td><td>行程(mm)</td><td>推溜力(kN)</td><td>拉架力(kN)</td></tr>
<tr><td>0.92</td><td>250/180</td><td>230/160</td><td>1950</td><td>180/100</td><td>750</td><td>204.2</td><td>457.4</td></tr>
<tr><td colspan="2">乳化液泵站</td><td colspan="3">管路规格(mm)</td><td>支架运输尺寸(mm)</td><td colspan="2">支架重量(t)</td></tr>
<tr><td>压力(MPa)</td><td>流量(L/min)</td><td>主进液管</td><td>主回液管</td><td>支管</td><td rowspan="2">4910×1450×1700</td><td rowspan="2" colspan="2">17.9</td></tr>
<tr><td>26</td><td>2×200</td><td>32</td><td>38</td><td>10、16、19</td></tr>
</table>

超前支护 25m 范围内巷道顶板压力为 1898kN，超前支护使用 DW35-180/100 单体液压柱支护。

表 9-9　　DW35-180/100 单体液压支柱参数

型 号	DW35-180/100	初撑力	108.5 ~ 144.7 MPa
最 高	3500 mm	工作阻力	150 KN
最 低	2500 mm	额定压力	19.1 MPa
行 程	1000 mm	泵站压力	15 ~ 20 MPa
缸 径	100 mm	重　量	88 Kg
工作液体	乳化液	回柱方式	近距离和远距离

（二）顶板管理

1.正常工作时期顶板支护

工作面正常割煤时，采用工作面中部斜切进刀，上下切口由采煤机自行开切，进刀时煤机速度控制在 3m/min，进刀工序为：回采割煤时进刀长度 30m,往返一次割煤一刀并装煤，工作面运输机运煤，随割煤顺序依次移架，移架滞后割煤 6 ~ 9m，返空刀清浮煤，滞后煤机后滚筒 9 ~ 15m 推移采面输送机，如此循环往复。

工作面面长 60m 布置 43 架 ZZSX-6000/17/37 型支架，架中心距 1.5m；沿工作面布置，以本架操作、追机作业、顺序移架的工作方式及时支护的方法管理顶板，当工作面采宽达 25m 时，如顶板仍不冒落，必须进行人工强制放顶。

在工作面头、尾顺槽进行超前支护，支护范围为距工作面煤壁 20m 内，支设三排单体液压支柱，并使用“一梁三柱”支护方式，柱间距 1.2m。

2.特殊时期顶板管理

工作面如遇过断层、冲刷区、陷落柱、伪顶破碎地段等顶板压力显著变化、顶板破碎区域，制定专项措施，必须采用带压追机擦顶移架方式，及时进行支护管理顶板，即拉架滞后采煤机前滚筒1.5m，移架后支架前梁端面距煤壁不影响下一刀割煤。支架必须升紧支牢，达到初撑力，泵站必须保证液泵正常运转，液泵输出压力保证达到30Mpa，管路阀组无跑、冒、滴、漏液现象。

(1)由于本工作面在回采过程中，将通过上覆一下采空区保护煤柱，顶板压力大，过煤柱时应调斜开采，并加强液泵、液压支架的管理，保证压力达到要求。

(2)由于本工作面直接顶为1.0m~1.7m的细砂岩或粉砂岩，胶结松软，性脆，易垮落，因此回采时应加强顶板的支护工作，防止发生漏顶及伤人事故。

(3)本工作面12#层与上覆3#层层间距约为111m。

(三)运输巷、回风巷顶板及端头支护管理

1.工作面运输巷、回风巷的顶板超前支护管理

支护方式：

21021巷超前支护长度为25m，巷道净宽为4.2m，采用4.0m走向吊管架设3.2m的"π"钢梁配合三排单体液压支柱进行联合支护，首柱与工作面煤壁对齐，柱距1.2m，靠下帮第一根单体柱为0.6m，第二根单体柱与转载机、破碎机间距不小于0.3m，第二根单体柱与第三根单体柱间距不小于0.7m，第三根单体柱与工作面煤帮不小于0.3m，共支66根。

采用4.0m1寸走向吊管架设"π"钢梁，每根走向吊管分别吊在固定21021巷的两排顶锚杆下端的横向水泥托板上，人工将"π"钢梁放到走向吊管上，然后将单体柱均匀注液缓慢升起，并支设牢固，所有单体支柱支在实底上，必要时要穿柱鞋。

51021巷超前支护长度为25m，巷道净宽为3.6m，用2.6m的"π"钢梁配合三排单体液压支柱进行联合支护，首柱与工作面煤壁对齐，柱距1.2m，排距0.8m，距工作面煤帮0.5m，共支66根。

2.工作面两端头顶板支护管理

工作面头、尾端头采用液压支架与单体柱联合支护工作面两端头顶板。

工作面端头的液压支架距煤帮小于0.6m时不支护；0.6m~1.2m支设两根；1.2m~2m支设四根；大于2m可适当增大排距或增加一排单体柱。单体柱首柱要与支架切顶线对齐，柱距1.2m，排距0.5m。另外，溜头或溜尾距煤帮小于0.6m不支护，大于0.6m支两根单体柱，并切顶线处使用一排关门柱，排距不大于0.5m，用防护网将关门柱处护住，防止矸石塌落伤人，并挂设"禁止入内"指示牌防止人员入古塘。

3.安全出口

工作面两顺槽的安全出口必须经常保持畅通无阻，严禁堆放任何设备或杂物。两顺槽支护高度不得低于1.8m，人行道宽度不得小于0.7m。

4.初次放顶、局部放顶与放顶步距

初次放顶步距为25m(即切顶线距切眼北帮)，顶板不冒落或冒落高度不足2倍采高或冒落面积不足采空区面积的3/4时，必须停止采煤，进行人工强制放顶。

初次放顶后，在开采过程中如遇局部悬板超过$2\times5m^2$，或上下落三角悬板超过$2\times5m^2$，必须停止生产，进行人工强制放顶。

5.防片帮安全技术措施

(1)工作面开工前认真开展“四位一体”安全检查,严格执行开工前敲帮问顶制度。

(2)21021巷每班由跟班干部负责片帮的安全检查,51021巷每班由一名副工长进行防片帮安全检查。

(3)生产班割煤时工作面煤机司机、支架工、看电缆工等作业人员以及中班检修时工作面作业的人员必须在工长和跟班干部的带领下消除了工作面的片帮安全隐患方可作业。

附图7:81021工作面支护示意图(略)

(四)矿压观测

1.矿压观测的内容

本工作面矿压观测的内容有:液压支架阻力观测、支架活柱缩量观测、顺槽超前支护范围内单体液压支柱阻力观测以及支护质量动态监测。

根据观测结果对工作面顶板活动规律、来压特征、工作面支架受力特点、支架对顶板的适应性和控制效果、超前支承压力影响范围和分布特点和顶板、煤层稳定性,以及工作面支护质量等进行定期分析,并进一步了解煤、岩体力学参数等基础数据。

2.巷道的矿压观测

端头、超前支护的单体液压支柱由本队利用增压式测力计每班不定期进行检查,发现不符合规定立即处理。端头、超前支护初撑力≥90KN(11.46Mpa)。

四、生产系统

(一)运　输

1.运输设备及运输方式

(1)运煤设备及装、转载方式:

工作面由MG400/930-WD型采煤机破煤、装煤,经SGZ-800/800型刮板输送机、顺槽SZZ-830/200型转载机、顺槽SSJ1000/160双驱动型胶带输送机运到410皮带,实现自动转载、联合运输。

(2)辅助运输设备及运输方式:

51021巷采用JD-25、JH2-40型绞车“对拉”方式运输材料、设备,所有绞车均采用地锚杆与戗压杠固定。在51021巷超前20m前稳设JHMB-14回柱绞车,用于超前范围材料、设备的进出。

在21021巷设备车前稳设一部JHMB-14回柱绞车,用于拉移设备车,其运输方式为绞车牵引运输。

2.移溜(转载机、破碎机)方式

运输机的推移是以液压支架为支点,由支架推移千斤顶经推溜方杆、联结头将运输机整体推移,推移输送机滞后采煤机后滚筒15m以上距离,推溜步距0.8m。

移溜时,溜槽在水平弯曲角度不大于10,垂直弯曲角度不大于30,水平弯曲段必须大于21m(14节溜槽),该段保持3个推移千斤协同推溜,移过的刮板输送机必须达到平、稳、直的要求,移架后支架手把打至零位。

21021巷设备车前备用两根7600液压大油缸用于牵引移动转载机(含破碎机)和皮带尾滑道。

3.运煤路线(略)

附图8:81021工作面生产系统图(略)

(二)"一通三防"与安全监控

1.通风系统

根据同煤集团公司矿井配风量计算实行标准的有关规定,81021综采工作面配风量计算如下(略)。

根据计算及工作面现场实际情况,考虑到本盘区为高瓦斯盘区,并且临近工作面瓦斯较大、煤层厚度等情况,确定本工作面配风量1100m³/min,由于Q小<1100m³/min<Q大,满足工作面风速验算结果,符合标准规定。

新风:

副井、材料斜井、南翼进风井—1030南大巷—五暗斜井—12#层410皮、12#层410轨—21021巷—81021工作面。

材料斜井—980配风巷—12#层410皮、410轨—21021—81021工作面。

副井、材料斜井—1030南大巷—平板车库房—过度皮带—980配风巷—12#层410皮、410轨—21021—81021工作面。

污风:

81021工作面—51021巷—12#层510辅回—12#层510-1回—402二风井—地面。

附图9:81021工作面通风系统图(略)

2.防治瓦斯

(1)瓦斯检查:

工作面生产期间,通风区必须派专职瓦斯员检查瓦斯浓度,每班必须跟班按规定检查工作面头、中、尾上隅角、进、回风巷等规定地点瓦斯浓度,每班必须坚持三检查、三汇报制度,本队工长以上干部、特殊工种人员入井时必须随身携带瓦斯检测便携仪,对工作地点瓦斯进行连续监测。

(2)安全监控系统:

本工作面由矿通风区按照《煤矿安全规程》、《煤矿安全监控系统及检测仪器使用管理规范(AQ1029—2007)》、《煤矿安全监控系统通用技术要求(AQ6201—2006)》的有关规定,安装安全监控系统,我矿现使用的安全监控系统为北京康斯培克环保系统设备有限公司生产的"森透里昂S800"系统。

表 9–10　　　　安全监控系统装备表

监控项目	设备类型	安装位置	报警浓度	断电浓度	复电浓度	断电范围
CH_4监控	CH_4传感器 T_0	工作面尾上隅角切顶线对应的煤帮处	≥0.8%	≥1.2%	<0.8%	工作面及其回风巷内全部非本质安全型电气设备
	CH_4传感器 T_1	回风流距工作面煤壁≤10m处	≥0.8%	≥1.2%	<0.8%	
	CH_4传感器 T_2	回风流距回风绕道口10～15m处	≥0.8%	≥0.8%	<0.8%	
	采煤机机载CH_4便携仪	采煤机机身上	≥0.8%			采煤机及工作面刮板输送机电源（手动）
	断电器	皮带头高压开关处	作用：瓦斯超限按断电范围自动断电			
	馈电传感器	被控高压开关的负荷侧	作用：监测被控设备瓦斯超限是否断电			
CO监控	CO传感器	工作面尾上隅角	≥0.0024%	作用：CO浓度超限，要断电撤人		
温度监控	温度传感器 T	回风流距工作面煤壁≤10m处	30℃	注：工作面空气温度不得超过26℃，若温度超过30℃必须停止作业		
设备监控	开停传感器	带式输送机开关负荷电缆上	作用：监控设备的开停状态			
风门监控	风门开关传感器	回风巷两道风门上	作用：当两道风门同时打开时，发出声光报警信号			

（3）其他有关规定：

工作面工长以上干部及电钳工、爆破工入井随身携带便携仪。

通风区定期对监测系统进行维护、校验，确保系统的灵敏可靠。

当瓦斯超限报警时，要按规定安排断电撤人，并及时查明原因，进行处理。

如果工作面瓦斯超限影响生产，由通风区研究方案，制定工作面通风管理专项措施。

附图10：81021工作面安全监控系统布置图（略）

3.综合防尘系统

（1）一般规定：

①工作面生产前，通风区必须在21021巷距进风口50m和距工作面50m范围各安装一道净化水幕，51021巷距工作面50m范围、距回风绕道口50m各安装一道净化水幕和捕尘网，水幕要覆盖全断面，确保正常使用。

②工作面生产前，管路区必须在21021巷、51021巷各铺设一趟消防防尘管路，21021巷每50m设有一出水阀门，51021巷每100m设有一出水阀门，保证水压达到4MPa，由管路区负责安装维护。

③工作面生产前，本队必须在各个转载点安装净化水幕，保证开机开水，停机停水；工作

面至少每两架安装一组架间喷雾装置。

④煤机割煤时，必须使用内外喷雾灭尘，内喷雾压力不得小于3MPa,外喷雾压力不得小于2 MPa，若内喷雾不能使用，外喷雾压力不得小于4 MPa，并严格执行停机停水，开机开水，支架推移必须开启架间喷雾。

⑤煤体必须实行预注水，注水超前工作面100m，注水方法、要求和安装注水设备的管路铺设必须符合规定，具体措施由本队另行制定。

⑥工作面施工人员必须正确佩戴和使用个体防尘口罩。

⑦本队负责工作面及两巷煤尘冲洗，21021巷、51021巷每周至少冲洗一次，工作面煤尘冲洗每周不少于两次。皮带头、转载点及其他易产生煤尘飞扬的地点和发现有煤尘堆积现象地点必须及时冲洗。

（2）隔绝瓦斯、煤尘爆炸措施：

①通风区必须在21021巷、51021巷距工作面60～200m范围，及距回风绕道150m范围内，顶板平整处安装隔爆水袋，隔爆水袋用水量不少于200L/m²。根据断面计算，21021巷距工作面60～200m和距回风绕道50m范围内安设两组，各84个；51021巷距工作面60～200m和距回风绕道50m范围内安设两组，各64个；每个隔爆水袋注水量不低于40L。

②在工作面开采前两顺槽巷由矿通风区负责各安装两组隔爆水棚，其长度不少于20M，每棚间距为1.2M，隔爆水袋每个容水量为40L。

③隔爆水棚安装位置、数量、规格、质量等必须符合《煤矿安全规程》和《防尘规范》要求。

④煤层注水：为了从源头治理粉尘，必须进行煤体注水，此项工作由本队进行。

注水方案：

（1）注水方法：由于本工作面煤体孔隙率大，透水性好，因此采用静压注水。

（2）注水压力：2.3Mpa。

（3）钻孔布置：工作面面长60m，从51021巷垂直煤壁，以水平0°角向工作面煤体钻孔，孔径Φ62mm，每孔深40m，孔间距15m，钻孔距煤层底板1.5m。

（4）注水时间，由于采用静压注水方式，水压较低，故注水时间较长，煤体水分达4%，煤壁均匀"出汗"即停止该循环注水，进入下一循环。

（5）一般每循环注水时间为7～10天。

（6）一次性钻孔数量：工作面面长60m，按日进8M计算，月进240M，240/15＝16个，每周钻孔四次，一次钻孔以3~4个为宜。

（7）封孔：采用高压胶管封孔器封孔，封孔长度2m。

（8）注水管路连接：51021巷供水管每隔100m安装一个阀门，与注水软管连接，注水软管每隔15m安装一个阀门，通过软管与高压胶管封孔器连接。

（9）必须经常检查煤体注水流量表及压力表，保证运行正常。

4.防治煤层自燃及防灭火措施

（1）加强通风管理，确保工作面的风量风速达到规定值，有害气体浓度不超限。

（2）工作面割煤期间，必须沿两巷高度割平顶底，保证采高，浮煤清理干净。

（3）保持工作面上下出口畅通，进、回风流不受影响，减少工作面古塘漏风量、防止煤炭氧化自燃。对CO浓度实时监测，对CO_2定期检测，发现超限，立即撤人并向上级汇报进行处理。

(4)加强工作面机电管理，严禁机电设备失爆。电气设备保护装置齐全可靠，防止电气火灾。

(5)井下使用过的油脂、棉纱、布头和纸等易燃物不准乱扔乱放，应放在盖严的铁桶内，由专人带出地面，严禁随意堆放，严禁将剩油、废油倾倒井下。

(6)胶带输送机头必须设置专用消防灭火工具，配备沙箱及和0.3m^3以上的消防砂，两个干式灭火器等，工作人员必须熟悉灭火器材的使用方法，皮带头的灭火器必须放在架子内，吊挂在离皮带头5m处，便于取用的地方。

(7)两巷水幕、各转载点洒水、架间喷雾及煤层注水等综合防尘设施按规定使用。

(8)各旋转、摩擦部位处浮煤必须清理干净(如皮带尾及主被动滚筒处)。

(9)任何人发现井下火灾时，应视火灾性质、灾区通风和瓦斯情况，立即采取一切可能的方法直接灭火，控制火势，并迅速报告区(队)值班室、矿调度室。矿调度室在接到井下火灾报告后，应立即按灾害预防和处理计划通知有关人员组织抢救灾区人员和实施灭火工作。

对所留底煤进入古塘后发生自燃，要立即断电撤人，矿通风部门要制定专项措施进行处理，并经相关部门确认安全后，方可开工生产。

抢救人员在灭火过程中，必须指定专人检查瓦斯、一氧化碳、煤尘、其他有害气体和风向、风量的变化，必须采取防止瓦斯、煤尘爆炸和人员中毒的安全措施。

(三)供排水、压风系统

管路区必须根据工作面最大涌水量、用水量，选择供、排水设备和系统，并在51021巷、21021巷安装水泵及排水管路，本队进行日常排水工作。

(1)供液系统(略)。

(2)供水系统(略)。

(3)排水系统(略)。

(4)压风系统(略)。

附图11:81021工作面防治水、排水系统图(略)

(四)供电系统(略)

附图12:81021工作面供电系统图(略)

(五)通讯、照明(略)

附图8:81021工作面生产系统图(略)

五、劳动组织和主要技术经济指标

(一)劳动组织

本工作面全队在册人数114人，其中队长、支部书记各1名，副队长4人，技术员3人。每班由一名跟班干部和两名带班工长负责组织生产，按90%出勤率，配有各工种和管理人员103人。

根据高产高效的原则和本队的实际情况：检修班定员为40人(各1名跟班干部，2名工长)，其中：采机组4人负责采煤机的日常检修和维护兼油脂库的管理；液压组2人负责泵站的日常检修和维护；三机组2人负责工作面输送机、破碎机、转载机的日常检修；皮带组4人负责皮带输送机的日常检修和维护；电气组4人负责设备列车和工作面所有电气设备的日常检修和维护；支架组4人负责液压支架检修；10人负责81021工作面两巷标准化工作；其他工种7人负责上下出口的文明生产兼移设备列车和生产准备。4个生产班各19人(每班各配备1名跟班干部，2名工长)，主要负责按正规循环作业和工作面文明生产、工程质量达标以及上下两顺槽超前、端头支护的按标准支设。

表9-11　　劳动组织图表

<table>
<tr><th>序号</th><th>工种</th><th>早班</th><th>中班</th><th>三班</th><th>四班</th><th>合计</th></tr>
<tr><td>1</td><td>跟班干部(副队长)</td><td>1</td><td>1</td><td>1</td><td>1</td><td>4</td></tr>
<tr><td>2</td><td>工 长</td><td>2</td><td>2</td><td>2</td><td>2</td><td>8</td></tr>
<tr><td>3</td><td>煤机司机</td><td>2</td><td>4(检修工)</td><td>2</td><td>2</td><td>11</td></tr>
<tr><td>4</td><td>支架工</td><td>3</td><td>4检修工)</td><td>3</td><td>3</td><td>14</td></tr>
<tr><td>5</td><td>皮带司机</td><td>1</td><td>4(检修工)</td><td>1</td><td>1</td><td>8</td></tr>
<tr><td>6</td><td>泵站工</td><td>1</td><td>3</td><td>1</td><td>1</td><td>6</td></tr>
<tr><td>7</td><td>电 工</td><td>1</td><td>4(检修工)</td><td>1</td><td>1</td><td>7</td></tr>
<tr><td>8</td><td>开溜工</td><td>2</td><td>2(检修工)</td><td>2</td><td>2</td><td>8</td></tr>
<tr><td>9</td><td>支护工</td><td>6</td><td>4(检修工)</td><td>6</td><td>6</td><td>22</td></tr>
<tr><td>10</td><td>清理工</td><td>4</td><td>14(杂工)</td><td>4</td><td>4</td><td>26</td></tr>
<tr><td>11</td><td>合计</td><td>18</td><td>40</td><td>18</td><td>18</td><td>103</td></tr>
<tr><td>12</td><td>队长</td><td colspan="4">1</td><td>1</td></tr>
<tr><td>13</td><td>副队长</td><td colspan="4">4</td><td>4</td></tr>
<tr><td></td><td>支部书记</td><td colspan="4">1</td><td>1</td></tr>
<tr><td>14</td><td>技术员</td><td colspan="4">3</td><td>3</td></tr>
<tr><td>15</td><td>质量验收员</td><td colspan="4">2</td><td>2</td></tr>
<tr><td>16</td><td>跑车工</td><td colspan="4">8</td><td>7</td></tr>
<tr><td>17</td><td>库工、跑料工、办事员</td><td colspan="4">5</td><td>4</td></tr>
<tr><td colspan="2">合计</td><td colspan="4">22</td><td>114</td></tr>
</table>

(二)作业循环

1.工作制度

本工作面采用“四六制”工作制,每班作业6小时,“三采一准”组织形式,早、夜班生产,中班检修。

2.作业方式

采用正规循环作业方式,即以割煤→移架→推溜全过程为一个循环。

工作面面长60m时,可采走向长570m,早班3个循环,夜班(三、四班)7个循环,循环进度0.8m,日循环10个,日推进8m。

附图4:81021工作面正规循环作业图表(略)

(三)主要经济技术指标表

表9-12　　主要技术经济指标表

序号	项目	单位	数量
1	工作面走向长度	m	600(可采570)
2	工作面倾斜长度	m	60
3	采高	m	3.0
4	工业储量	t	243345.6
5	可采储量	t	231178.32
6	循环进度	M	0.8
7	循环产量	t	191.1552
8	日产量	t	1911.552
9	月循环数	个	300
10	月进度	m	240
11	月产量	t	57346.56
12	可采期	天	72
13	在册人数	人	114
14	出勤人数	人	103
15	出勤率	%	90
16	回采工效	t/工	32
17	坑木定额	m^3/万t	3
18	截齿消耗	个/万t	80
19	乳化油消耗	Kg/万t	150
20	油脂消耗	Kg/万t	100

六、煤质管理(略)

七、安全技术措施

(一)一般规定

1.一般规定

(1)所有作业人员必须经过上岗前培训,取得相关资格证和操作证,并在工作中严格执行《煤矿安全规程》、《煤矿安全技术操作规程》和《81021工作面作业规程》中的有关规定。

所有人员必须认真履行安全生产责任制和岗位责任制,认真执行安全管理各项制度,认真填写各种记录和日志,认真进行隐患排查、分析和治理,严禁违章指挥、违章作业、违反劳动纪律。

所有人员必须严格执行国家、省、集团公司、矿等上级部门下达的各种安全文件和指令。

(2)严格执行开工作业前的“四位一体”检查,跟班干部、瓦检员、安监工、工长四人联合对工作面顶板、煤帮、瓦斯、端头与超前支护等进行全面检查。

跟班干部、工长、安检工和固定岗位工种人员用长柄工具(不低于3m)对施工区域顶板煤帮、固定岗位的就近地段进行“敲帮问顶”安全检查,发现隐患及时处理,否则不许开工作业。

(3)安监站、通风区必须班班配备专职安监、瓦检人员,安监、瓦检人员应尽职尽责,对工作面安全隐患及通风系统进行监测、监控,发现问题及时反映、汇报和处理。

(4)严格执行安全质量标准化的各项要求,做到动态达标,安全生产、文明生产。

2.安全制度

(1)交接班制度:

①所有员工必须在规定时间内到达岗位,实行手拉手交接班,在接班人员未到达岗位之前,交班人员不得离开岗位。

②交班时必须做到跟班队干部之间交班,班长和班长之间交班,工种与工种之间交班。

③交班时,交班人员必须将工程质量、设备运行状况、遇到的问题及处理情况、配件及材料消耗情况和接班后必须注意的问题交代清楚,交班人员对本班内能够处理的问题必须在交班前解决,否则接班人有权不接。交班双方应做到“三不交接”即文明生产不合格不交接,故障不排除不交接,问题不交代清楚不交接。

④凡能通过试运转交接的设备必须进行试运转验收,对于在交接班过程中发生的影响生产的问题,交接双方必须予以处理。

⑤接班人员必须在交班人员在场的情况下,按照设备与工程质量验收标准,对设备与工程质量进行认真细致的检查,接班者对自己盲目验收而接班后发生的问题要负全部责任。

⑥交班人员要将工作面情况和交接班汇报给跟班干部,跟班干部与验收员核对后,要将上一班验收交接情况如实详细地写在验收本上。

⑦所有进行交接班得人员均要严格执行现场交接班制度,不得找任何借口破坏制度的实施执行。

⑧如果交班人员有意隐瞒事实，或者接班人员故意刁难不按验收标准验收，不遵守交接班制度，发现后将严格处罚。

⑨接班后，割第一刀煤的过程中发现上班未交代或未发现的遗留问题，需及时向跟班领导汇报。并向值班人员说明情况，以备进行事故追查。对于一刀煤之后发生的问题由本班人员负责。

(2)敲帮问顶制度：

①交班前，跟班干部、工长和专职安监员、瓦检员必须对工作面安全情况进行全面检查，确认无危险时，方准进入工作面。

②工作人员必须经常检查工作地点的顶板、煤壁、支架等情况。

③加强对工作面两顺槽顶板管理，敲帮问顶，责任到人。

④敲帮问顶范围：21021巷为皮带头往工作面50m，留头至设备列车前50m；51021巷为溜尾机尾前200m。敲帮问顶负责人：当班工长和固定岗位工种人员。敲帮问顶工具存放地点：共有2根3m的长柄工具，分别放在头尾超前支护范围内，便于取放的位置。

⑤当发现隐患时，必须立即采取措施，未处理前，班组长和安监员不得离开现场。

⑥跟班队长负责监督检查工长、固定岗位工种人员及安监员的工作落实情况。

(3)工程质量管理制度：

①开采过程中，严禁超高或降低采高，严禁留有伞檐、马棚，严禁任意丢失底煤，应按照两巷高度见顶留底，平行顺槽推进，工作面及上下端头浮煤应在当班清理干净。

工作面做到“三直两平两畅通”，即工作面煤壁成一直线、运输机成一直线、支架除头尾4架外均成一条直线，顶、底板平，头尾安全出口畅通。

工作面顶板不出现台阶下沉，工作面控顶范围内，顶、底板移近量按采高≤100mm/m。

移过后的运输机，要保持平、稳、直，溜头溜尾要放平，溜头与转载机搭接合理，溜头不拉循环煤。

②支架与顶板接顶严密，无空顶区，相邻支架间错差不超过支架顶梁侧护板高度的2/3，支架顶梁与顶板平行支撑支架不咬不挤。支架及架间内无浮煤、浮矸堆积，柱芯体无煤粉、岩尘。

③工作面上下出口要畅通无阻，严禁废旧物品堆放，严禁影响行人和通风。

④工作面上下端头及超前支护必须按本规程的规定，保质保量支好，单体液压支柱必须达到初撑力，柱子要支成直线。

⑤两顺槽无超标积水、无煤泥、浮渣、杂物，材料、设备码放整齐，并有标志牌。

(4)机电设备管理制度：

①加强设备的账、卡、物、牌板管理，做到设备在用、备用情况清楚。

②做好员工的业务培训工作，逐步提高技术和设备维护操作水平。

③实行设备“四检制”和“包机责任制” 确保设备检修质量并责任到人，并认真填写相关记录。

④严格执行《技术操作规程》，落实岗位责任制和交接班制。

⑤使用中的设备必须保持完好状态，安全保护装置齐全，动作灵敏可靠，电气设备做好

定期保护试验与接地电理测试，并做好记录。

⑥严格按照矿有关机电设备管理考核内容的要求，抓好机电各项管理工作，寻找差距，弥补不足，积极创新，提高管理水平。

⑦做好机电材料配件的节支降耗工作，实现生产成本最低化。

⑧实行机电设备事故分析追查制度，总结经验教训，制定并贯彻机电事故防范措施。

（5）油脂管理制度：

设备润滑合理、油脂型号符合规定、油液清洁、油质合格是保证设备正常运行的重要条件，因此必须制定严格、完善的油脂管理制度。

①进口设备使用的液压油、齿轮油、机械油、润滑油、乳化油必须按照引进设备使用说明书规定的油脂牌号或相对应国产油脂，经上级有关部门检验合格确认后，方可使用，严禁油脂任意代用。

②建立设备油脂润滑表，标明设备名称、型号、注油点、用油品种、牌号、注油量、换油周期、日期、油量及操作人员。

③不同油品、不同生产厂家或不同牌号的油脂不准混用，更换不同牌号的油脂时，必须进行彻底清洗。

④向井下运送油脂时，必须是厂家出厂时使用的油桶，并完好无损，油脂上应有明显的标记，并写明油脂牌号和生产日期等。

⑤加换油由专职注油工操作，加换油必须将注油孔周围擦拭干净，保持油脂清洁，使用专用注油工具，做到无尘注油；要使用专用塑料桶，严禁随意代用，并保持油桶卫生清洁。

⑥设备换油时，旧油必须全部回收，回收的旧油要及时交有关部门。

⑦存放油脂、液体油桶的盖子必须盖好，不得敞口，防止杂物进入。

⑧设备润滑的管理及包机人员，要经常对设备润滑情况进行检查，发现油脂外观变化，油混浊不清、乳化变黑，有可见金属颗粒和取油样化验不合格时，必须及时更换新油。

（二）顶板

1.顶板管理

（1）割煤一定要割平顶底，以便支架接顶严实，确保初撑力。

（2）支架必须达到初撑力，必要时进行再升架作业。

（3）工作面顶板破碎，要提前把支架拉过，尽可能地缩小空顶距，并采用追机擦顶移架。

（4）工作面悬板超过 $2\times5m^2$、上下落三角超过 $2\times5\ m^2$ 时，严禁作业。由放顶队在工作面头、尾进行人工强制放顶，炮眼距离必须超过支架切顶线1m，方可放炮，放顶作业由放顶队编制专项安全措施实施。

（5）工作面内采空区冒落高度普遍小于1.5倍采高，局部悬板或冒落高度不充分，工作面立即停采，进行人工强制放顶。放顶期间严格执行放顶队编制的安全措施。

（6）工作面上、下端头及超前支护必须严格按照本规程定支设，确保支护质量、数量，支紧支牢并达到初撑力，端头支护柱体柱帽联结防倒装置必须齐全可靠，两巷超前支护柱体与“π”钢梁联结必须齐全可靠。

（7）开采过程中，如巷道范围内的顶板压力增大或破碎，再超前15m支设液压单体支柱，柱距1.2m，各种防护装置齐全。

（8）开采过程中，如巷道超前支护区以外顶板有破碎现象，制定专项措施，由矿责成有关单位负责维护。

（9）生产过程中，因受采动影响，工作面巷道炸帮煤增多，必须用如下方法进行处理或维护：①用3m以上的长柄工具，人员站在支护安全的一侧，清理好退路，将其撬下，然后运走。②支设护帮柱。紧靠煤墙支设一排护帮柱，柱距0.5m，支紧支牢，用刹顶木背帮，要求木柱直径≥18cm。

（10）在开采过程中，一切工作人员要随时注意顶板变化情况，特别是运输机司机，转载机司机与打大块人员配合好，严禁将直径80cm以上的大块拉出。打大块工要站在有支架掩护的地方，停机后再作业并闭锁，严禁站在煤壁侧工作，严禁坐在设备上操作、休息。其他人员要坚守工作岗位，无论任何人发现有大面积顶板垮落时，要立即断电停止工作，就近躲在安全地带，支架附近人员就近躲在支架内蹲下，背朝古塘且抱住立柱，整个身体要紧贴立柱，以防暴风伤人。

（11）严禁一切人员在机道内行走，确需进入机道内工作，必须请示当班跟班干部，由工长亲自检查，同时断开采煤机滚筒离合器，将采煤机和运输机开关打至零位并闭锁好，设专人看管。将支架拉至最小控顶距，机道内要有临时支护，其支护形式、方法由当班干部视现场实际情况而定。确认安全方可进入机道作业，同时作业地点周围20个支架不允许动作，保证支架达到初撑力。

（12）一定要加强设备维修质量，确保支架完好无损，并将支架顶梁上的矸石、浮煤清理干净，以便支架能充分接顶接底，支撑好顶板，工作面空顶距不能超过规程规定，最小端面距340mm，最大端面距1140mm，泵站压力必须达到30Mpa。

（13）工作面进出上覆采空区煤柱，注意顶板变化和水患影响，加快推进速度，缩小控顶距，采取追机擦顶移架，确保支架初撑力，巷道顶板破碎时必须提前进行加强支护。

2.初次来压和周期来压的预防

（1）技术科应及时把初次来压和周期来压前的预报提交矿生产作业会，以便向生产队组通报。

（2）工作面进入初次来压区，应缩小端面距，加强端头及超前支护，端面距小于0.34m，超前及端头支护的柱距由1.2m改为1.0m，工作面支架必须升紧，达到初撑力。

（3）加强设备的检修质量，保证正常开机，加快推进速度。

（4）将支架顶、前梁上方的浮矸清理干净，确保支架接顶严实。

（5）搞好步距和局部放顶工作，来压前必须将古塘悬板处理掉，保证其冒落高度超过采高的1.5倍。

3.支、回柱安全措施

（1）端头支、回柱：

①端头支、回柱必须坚持“敲帮问顶”和“先支后回”的原则，顶板破碎或压力较大时，必须打好临时护身柱，确保人员在安全的条件下作业，严禁空顶作业。

支设好的单体柱必须上牢硬联结防倒装置，联结位置要在单体柱支设高度一半以上，发现自泄的单体柱必须立即更换。柱帽用专用链结钩环联结，柱体用专用防倒装置联结。单体柱初撑力超前支护不得小于50KN 端头支护不得小于90KN。

②端头支回柱前，必须仔细观察支、回柱地点的安全状况，待隐患消除后，方可支柱回柱。

③端头支柱时，扶柱、持液枪、上专用柱帽、观察周围安全情况要四人相互配合，等柱帽接触顶板稍微"吃"紧时，将液枪手把捆绑至给液位置。然后人员撤离支柱点，站在有支护的安全地点，给液升紧，并达到初撑力。

④端头支、回柱时，要慢升慢降，防止升降突然造成柱帽跌下伤人。

⑤柱帽重心点，应放置在支柱柱芯上，以便升降平稳。

⑥头尾割通，前移运输机、转载机，回移端头支护，支好后方可再前移支架，回撤端头时，确认安全，方可回撤，如遇顶板破碎或压力较大，回撤单体柱困难，应先打木替柱，再撤单体支柱。

端头回柱实行远方操作，严禁人员进入老塘内回柱或抬柱，回出的支柱、柱帽要及时运出，严禁堵塞退路。

（2）超前支、回柱：

①在两巷支设"一梁两柱"、"一梁三柱"前，严格执行"敲帮问顶"制度。敲帮问顶工作应由当班组长具体负责，并由当班组长和一名有经验的老工人担任，先顶后帮，一人找顶（使用长度不小于3.0m的长柄工具），一人观察顶板，敲帮问顶人员必须站在安全地点，观察顶板的人站在找顶人的侧后方，两人要保证后退路线的畅通。

②巷道两帮煤壁有片帮迹象时，人员必须站在片帮煤斜上方，用长柄工具将其撬下，严禁用手搬或站在片帮煤中部或下方处理片帮煤。

③超前支护单体支柱必须支在实底上且支柱柱头用铅丝与"π"钢梁捆绑牢固，升柱前，若因巷道超高，必须在柱头上垫木楔子并垫实，垫牢（或在支柱柱跟下垫柱鞋或道木，垫实，垫稳），严禁超高使用支柱。

④所有超前支设的支柱必须完好。支柱时调整好柱子迎山角，均匀注液缓慢升起，确保支柱支撑有力，并且支柱的初撑力必须达到50KN。如出现底板松软，支柱钻底现象时，支柱必须穿底鞋。

⑤在架设"π"钢梁前，必须有3人将每根1寸走向吊管分别吊在固定巷道的两排锚杆下端的横向水泥托板上。

⑥架设"π"钢梁前，将2架梯子提前搬到作业地点后，然后由4人负责分别将单体支柱和"π"钢梁抬到作业地点，先由2人将"π"钢梁放在梯子上，2人负责扶好梯子2人将钢梁横向抬放在1寸走向吊管上，并保证架设"π"钢梁与1寸走向吊管稳定牢靠。

⑦在巷道超前支、回柱时，两帮摆好单体柱后由2人负责扶柱，2人升、降柱，单体柱要均匀慢升慢降，并支设牢固，所有单体支柱必须支在实底上，必要时要穿柱鞋。

⑧站在梯子或高凳上的作业人员必须佩戴安全带。

⑨采煤机上头或下尾距头、尾20m时，应停止煤机牵引及转载机运输机，头尾5架支架严禁操作。首先清理干净安全出口杂物，回移前要在该柱和相邻支柱之间0.6m位置上支设

一根临时单体支柱，然后回移超前支护首柱，这时临时柱变为首柱，从而保证首柱时刻与煤壁对齐，减小安全出口的空顶面积，严禁提前回移超前支护。在回移端头支护时，必须在支架未移之前，先在支架将移到位置的前柱位置支设支柱，然后回撤古塘侧端头支护，回柱时必须坚持先支后回的原则。

（三）防治水

（1）开采前，管路区必须在21021巷、51021巷各铺设一趟4寸排水管路，并在合适位置安设水泵和潜水泵，并配备不少于两台备用水泵，由本队进行日常排水工作。

（2）矿必须安排地质科、放顶队、管路区等有关单位排放上覆采空区积水，否则不准生产。

（3）地质部门、小窑管理部门每月进行一次水文地质灾害预测预报，将上覆积水、地质探孔、两顺槽、小窑破坏区涌水等情况，提前3天将预测结果通知下达给生产队组，生产队组根据预测结果，提前采取相应安全防范措施。

（4）工作面一旦出现涌水征兆或发生涌水现象，跟班干部立即根据现场实际情况及时组织人员撤至安全地点，并切断工作面电源，向队矿值班人员汇报，待地质科查明情况后，方可恢复生产。

（四）爆破

工作面如需要进行爆破作业，要另行制定专项措施，并严格按措施执行。

（五）“一通三防”与安全监控

1.通风

（1）通风区必须为81021工作面构筑完善、合理、可靠的通风系统，确保风流稳定，并定期进行测风，保证风量、风速符合规定。

（2）回风巷两道风门安装牢固，风门必须安装开启报警和风门闭锁装置，并保持正常运行，密闭无漏风现象。工作面所有人员必须爱护通风设施，不得随意损坏、破坏风门和调节等，进出风门随手关闭，严禁将两道风门同时打开。

（3）生产队组定期清理回风绕道口，严禁在回风绕道堆放杂物，保证风流畅通。

（4）进、回风巷严禁堆放其他杂物，堵塞通风断面。

（5）发现通风不正常（无风、微风、风流反向）或通风设施损坏等情况时，要立即停电撤人，并向矿调度室、队值班室、通风区值班室汇报，通风区处理后，确保安全、正常通风后方可进入工作面工作。

2.瓦斯防治

（1）通风区必须派专职瓦检员，按照通风区规定的时间、地点、次数跟班巡回检查工作地点有害气体浓度。

本队工长以上干部及特种作业人员入井时，必须随身佩戴瓦斯便携仪，对工作地点瓦斯进行连续监测，工作面所有工作人员必须服从瓦检员指挥，一旦发现有害气体浓度超限，立即切断工作面电源，把所有人员撤至安全地点。工作面回风巷风流中瓦斯浓度超过0.8%、CO超过24PPm或CO_2超过1.5%时，必须停止工作，撤出人员，采取措施，进行处理。待矿安监、通风有关部门把事故处理结束，经瓦检员检查和安监、调度部门同意后，方可进入工作地点恢复生产。

(2)本工作面必须由监测队安装瓦斯传感器,实现瓦斯连续监测和超限报警断电功能,其数量、位置、报警和断电浓度、范围符合《煤矿安全规程》和《煤矿安全监控系统及检测仪器使用管理规范》的规定。

(3)采煤机司机必须随时观察机载瓦斯断电仪数据变化,随身携带便携式瓦斯检测仪,发现机载断电仪或便携仪报警,应立即通知B点电站工作人员切断工作面煤机运输机电源,查明原因经处理,并检查瓦斯浓度<0.8%时方可送电开机。

(4)各类气体监测传感器要每10天调校一次,保证数据联网传输可靠、准确。

3.防灭火

(1)工作面胶带输送机头必须配置2个灭火器、消防沙箱、钩、锹、、水桶等消防器材。

(2)井下电气设备严禁失爆,严禁带电检修、搬迁电气设备,严禁明火操作,严禁强行送电。

(3)易燃物品必须及时清运,污油、棉纱等物品必须放入垃圾箱,垃圾箱内杂物必须及时清理出井。

(4)工作面开采期间,严禁低于巷道高度采煤,如果巷道超高,要保证采煤机的最大采高,以减少煤炭丢失,工作面浮煤必须当班清理干净。

(5)21021巷、51021巷分别铺设消防、防尘水管路,并按规定安设出水阀门。水压保证不小于4Mpa。

(6)通风区必须加强CO检查,并定期取样化验分析,发现有CO涌出,必须立即查找原因,及时采取措施处理。

4.防治粉尘

(1)通风区区必须在51021巷、21021巷按规定安设净化水幕后交予本队管理、管理和使用,本队必须在各转载点安设喷雾洒水装置,并保证开机开水、停机停水。

(2)本队必须安装煤机内外喷雾装置,保证开机开水、停机停水。支架安设架间喷雾装置,保证推移支架时喷雾,停架时停水。

(3)本队必须超前100m,进行煤体注水,注水作业符合煤层注水专项措施规定。

(4)工作面所有工作人员正确佩戴防尘口罩。

(5)本队必须按规定时间、次数冲洗工作面、21021巷、51021巷煤尘。如发现有煤尘堆积现象,必须及时冲洗,并且每周至少冲洗一次工作面。

(六)运输

(1)移动变电站设备列车时,必须由机电队长或当班跟班干部、工长亲自带领进行。移车前将电站停电,并停止皮带运转。

移动转载机要先将周围电缆、超前、单体柱大块煤、杂物移开,拉转载机滑道要先将皮带输送机停止。移动前先检查绞车完好情况,与转载机和滑道连接情况,在确保安全的情况下方可开动绞车。在拉转载机过程中,转载机尾人员要随时观察转载机移动情况,到达位置后要及时给出停车信号。

移动转载机、缩皮带,移动时两侧禁止行人、停留或作业,防止挤伤人员。

(2)在移动车辆前,跟班干部、工长要亲自检查串车的联结状况,轨道、绞车、钢丝绳、电缆的完好状况，发现问题及时处理，在串车到达置，提前上好阻车器，打好十字挡车眼。确认安全后，由跟班干部下令，方可移动，否则不许开工作业。开停绞车必须使用口哨联系，听不清信号均按停止信号对待。

(3)装运设备、物料的平板车必须完好，严禁使用坏车。装运的设备、物料要重心适中，严禁超载、超高、超宽装运设备、物料。

(4)凡使用机械、电气设备起吊或提升设备时，均必须校核起吊、提升能力，检查绳缆是否完好可靠，确认安全后方可作业。严禁在重物及起吊设备下站人、行走或作业。起吊重物必须使用专用起吊锚杆或起吊梁，严禁使用支护设施起吊重物。

(5)捆绑平车的钢丝绳必须使用5分绳，连接车辆的绳套使用6分绳，插销使用专用闭锁插销。

(6)在斜井、平巷运送物料时，一定要检查好沿途使用的绞车是否完好，绳缆、地锚或戗压扛是否牢固可靠，信号控制系统是否灵敏可靠，确认安全后方可提放车，信号规定“一声停，二声吃绳，三声松绳”。

(7)车辆运行时，严禁在车辆前后、两侧停留、行走、作业，更不准蹬钩车。暂时存放的车辆要上好阻车器，并在车的下方用十字木打好阻车眼，严禁在有坡度的巷道存放车辆，以防发生跑野车事故，严禁放飞车。

(8)斜井运输严格执行矿有关上下斜井的规定，挂好保险绳，严格执行“行人不行车，行车不行人”的规定。

(9)在斜井、平巷运输物料时，车辆经过的所有通道口必须设好拦人警戒。

(10)挂车规定：在有坡度巷道运输车辆时，重车挂一辆，空车可挂两辆；平巷挂车，7t以上重车挂一辆，7t以下最多挂两辆，空车不超过5辆。

(11)抬运设备、物料人员要相互配合，重拿轻放，顺肩抬运，以防砸脚碰手。

(12)工作面及两巷运送物料设备时，一切转动的设备必须停止运转，开关打至零位，并设专人看管。

(13)如车辆在运行中落道，抬车时必须有工长以上干部现场指挥，抬车前必须打好阻车眼，车辆运动方向、车辆倾斜一侧不允许站人或进行其他作业。斜井落道，车辆运动方向的下方，不允许站人，同时在各通道口必须设置拦人警戒。

(14)抬落道车时，车辆抬动方向一侧，车可能倾倒或重物可能下滑的方向，严禁站人。车辆抬起后必须重新进行稳固性检查，必要时重新捆绑牢固。

(15)车辆移动前，严禁作业人员在设备车经过的巷道两侧行走作业或停留。开车司机必须持证上岗，站在绞车操作台操作。

(16)51021巷所有运输小绞车必须打牢地锚，并用四压两戗稳好绞车，绞车信号必须齐全完好，防护装置齐全可靠。巷道有坡度的地方严禁存放车辆。运输车辆时严格遵守“行人不行车，行车不行人”的规定。在行车巷口设置拦人警戒。

(七)机电

1.对设备质量的要求

(1)采煤机：

①各部位的螺栓、销块、挡板要齐全牢固，对口接合面间隙不大于0.05mm。采煤机必须安装机载瓦斯断电装置或瓦斯报警仪。

②左右滚筒牙座齐全，截齿锋利，焊接部位无砂眼。

③注油部位无渗油、漏油现象，油管接头要严密、坚固、密封件完好无破损。

④加注的油脂要清洁，坚持使用注油泵加注油脂，注油量不得超过空容器量的1/2 ~ 2/3，即以转动部位接触油面为佳。

⑤正常开机高压表读数不得超过15MPa，低压表读数不得超过2.5MPa，牵引温度不得超过75度。

⑥采煤机电缆及洒水管路的长度应大于工作面布置长度的10~15m，以防过度拉伸，损坏管线。

⑦内外喷雾装置齐全，水路畅通，达到雾状喷出。

(2)支架：

①工作面支架完好率必须达到98%，无跑、冒、漏、串液的支架。

②各部位销类、挡板、挡圈、开口销应齐全，焊接部位无裂纹、开焊、变形现象。

③支架内各种零部件齐全，管路无破损，支撑环、密封要上好上全，“U”形销要双腿插入，严禁单腿插入或用铅丝代替。

④支架立柱安全阀开启压力为28.5MPa。

(3)三机(运输机、转载机、胶带机)：

①三机的各种螺栓、弹垫、销要齐全、坚固，无严重损伤或锈蚀。

②机头、机尾无严重变形，开焊现象，运转平稳。运输机头与转载机搭接处必须有防护链、防护栅栏，运输机头有急停转载机按钮。

③分链器、压链板、护轴板、楔块等要完整、坚固、无变形，运转时，无卡碰现象。

④紧链机构部件齐全完整，安全可靠。

⑤溜槽及联结件无开焊断裂，中板无漏洞。

⑥链环、链条配合合理，无咬环、扭环现象，刮煤棒每m安设1根。

⑦各种减速机箱体无裂纹或变形，接合面配合紧密不漏油，加注油脂要清洁，油量要适中，占油腔容积的1/3 ~ 2/3。

⑧液压联轴节易熔合金完整，安装正确，符合规定，严禁用其他材料代替。

⑨各部电机接线正确，风叶、护罩齐全，保护动作灵敏、可靠。

⑩皮带各种规格滚筒无变形、开裂现象，轴承温度T<75℃，上下托辊齐全，下托辊每3m一串，上托辊每1.5m设置一串，不转或转动不灵活的托辊必须及时更换。

⑪皮带必须使用阻燃胶带，必须使用皮带综合保护，保证各类保护动作灵敏、可靠。

⑫人员通过运输设备的地段必须安装行人过桥，破碎机出入口必须安装安全防护装置。

(4)液泵：

①液泵密封性能良好，不漏油，运转时无异常声音，压力保持在26Mpa。

②加注油脂清洁适中，乳化液无析皂现象，浓度达到3%~5%，每班泵站工使用折射仪对乳化液浓度至少测试一次，以确保浓度达标，发现不达标及时加乳化油，发现超标及时加水

稀释。

③高低压过滤器性能良好，安全保护装置齐全，动作灵敏可靠，管路布置合理、整齐。

④泵箱清洁，箱口盖板完好，无溢液、漏液现象。

(5)单体液压支柱：

①零件齐全完整，手把无开裂，焊缝无裂纹，不自卸，三用阀完好。

②缸体划痕深度不大于1mm，活柱镀铬层完好，不影响升降。

③注液嘴无损伤，支回柱要有长柄(1.2m)专用卸载工具。

④高压胶管内衬钢丝有破损时，必须立即停泵更换，严禁使用。

2.机械设备的安全防护措施

(1)操作机械设备人员必须持证上岗，按操作规程操作。

(2)所有外露的转动装置必须安设可靠的防护罩或防护栅栏。

(3)人员通过胶带输送机的地方必须安设行人过桥及拦挡装置，严禁人员乘坐或跨越运行中的运输设备。

(4)清理转载机和胶带机下部、左右的浮煤、杂物时必须停机，并要用1.8m以上长柄工具，严禁将身体伸入机身内清理。

(5)严禁用长柄工具伸入正在转动的部位做清理或维护工作。

(6)行人跨越转载机处必须设置行人过桥，过桥安装在破碎机出口处。破碎机出口要设好挡矸帘，以免煤块溅出伤人，破碎机大轮罩要完好、挡板安装齐全,人员通过必须停机，开机时严禁人员通行。

(7)检查或检修转动的机械设备前，必须将转动设备的控制开关手把打至零位，并设专人看管，未接到当班干部的确切指令，严禁送电。

(8)采煤机、运输机、转载机要安装设置可靠的联、闭锁保护装置。

(9)严禁在皮带运行中安置上下托辊或其他部件、装置。

(10)皮带尾必须增设压尾戗杠，要经常检查滑道的完好状况，滑道出现有开裂或有挠度现象应及时更换，戗压杠必须用铅丝与托板拴牢。

(11)一切转动的机械设备起动、停止都必须有清晰的联络信号，信号以钟铃或口哨为准，规定“一声停，二声开，三声倒”，听不清的信号均按停止信号对待。

(12)采煤机开机前，必须发出开机信号，等5秒后方可挂离合器开机，开机信号以口哨为准，规定“一声停，二声开”。

(13)更换截齿、维修煤机时，煤机要停在顶板完整、无片帮、无淋水的地段，空顶距缩到最小，滚筒离合器拉开，将煤机开关打至零位并上好机械闭锁，闭锁运输机设专人看管；同时要用单体柱在机道支设临时支护，进行护帮护顶，其具体位置由当班跟班干部视现场实际情况而定，要求严禁操作煤机周围支架，确认安全后方可开工作业。

(14)支架必须按降、移、升操作程序作业。移架时，先清理干净支架前的障碍物，在移动的支架范围内严禁有人停留、行走或做其他作业。支架移过升紧后，操作手把必须打回零位。顶板破碎时，要采用追机带压擦顶移架，推移支架时周围严禁有人，谨防矸石从支架侧面掉下伤人。工作面倾角大于15°时，液压支架必须采取防倒、防滑措施。

(15)严禁带压维修支架。检修前必须停泵、释放余压,严禁高压管口对准他人作业。

(16)清理支架顶梁浮煤、浮矸时,要先处理其周围顶煤、片帮、零皮等安全隐患,必须支设临时性支护,清理时应降前梁或前柱,用3m以上长柄工具进行清理。严禁人员将身体某一部位伸入顶梁做清理工作。

(17)在清理支架顶梁浮煤、浮矸过程中,严禁任何人员操作该支架及相邻支架的操作手把,操作手把必须打至零位,严禁周围有人干其他无关工作。

(18)破碎机的门帘要齐全、完好,防护设施必须齐全可靠。

(19)严禁乘坐或躺在设备减速机上开运输设备。

(20)严禁一切人乘坐三机或用三机运送物料。

3.电气设备的安全措施

(1)工作面电气设备必须符合电气防爆标准和完好标准的有关规定。

(2)一切机电设备必须完好防爆,按要求做到"三无、四有、两齐、三全、三坚持"。

(3)严禁带电检修和搬移电气设备,严禁甩掉保护运行,严禁随意调整各电气设备保护整定值,严禁明火操作和强行送电。

(4)电气设备过流、接地、漏电等保护装置必须齐全、灵敏可靠,严禁带病运行。

(5)发现电气有故障时应先查明故障原因,严禁强行送电。

(6)处理电气故障时,一定要按照停电、放电、验电、装设接地线的程序作业。严禁约时传话停送电,开关点设专人看管防止误送电伤人,专人联系停送电,严格执行停送电工作票制度。

(7)一切电气设备都必须派专人维护,严格执行包机责任制,电缆吊挂整齐,同侧高低压电缆间距应大于0.1m,开关上架,发现问题及时处理。

(八)其他

1.防治片帮措施

(1)严格执行开工前的"四位一体"检查,跟班干部、安监工和一名工长要对工作面及两巷顶板、煤帮等进行全面检查。在靠近煤壁、巷道两帮作业前,先进行安全检查,并用长柄工具(不低于3m)对施工区域顶板、煤帮进行"敲帮问顶"安全检查,发现隐患及时处理,否则不许开工作业。

(2)生产过程中,因受采动影响,工作面及巷道片帮煤和零皮增多,必须用如下方法进行处理或维护。

①用3m以上的长柄工具,人员站在支护安全的一侧,有专人观察周围情况,如需等梯子进行处理,要有专人扶梯子和观察周围情况,并清理好退路,将片帮、零皮其撬下,然后运走。

②支设护帮柱。紧靠煤墙支设一排护帮柱,柱距0.5m,支紧支牢,用刹顶木背帮,要求木柱直径≥18cm。

(3)严禁一切人员在机道内行走,确需进入机道内工作,必须请示当班跟班干部,由工长亲自检查,同时断开采煤机滚筒离合器,将采煤机和运输机开关打至零位并闭锁好,设专人看管。将支架拉至最小控顶距,机道内要有临时支护来护帮护顶,其支护形式、方法由当班干部视现场实际情况而定。确认安全方可进入机道作业,同时作业地点周围20个支架不允许动作,保证支架达到初撑力。

(4)对割煤过程中,由于采高3.0m,煤壁容易出现炸帮煤,机组司机要根据工作面响动和压力情况,要来观察采煤机运行,只有操作按钮和调高手把时方可站在煤机附近,并要在离开两边滚筒3m以外的机身处掩护下行走,以防炸帮煤伤人。支架操作工要进入支架操作,看电缆人员也要躲在支架前柱前行走并随时观察顶板和煤壁情况,尤其距采煤机滚筒4m内不能在人行道随意停留,发现可能出现炸帮,先进入支架进行躲避,待确认安全后方可作业。其他人员原则上不准在人行道行走,如必须在人行道行走要远离煤机左右滚筒4m以上,在有压力和响动地段超前拉架,并有专人随时观察。

2.机头、机尾清煤、打大块注意事项

(1)头、尾清煤时转动的运输设备必须停止运转。

(2)头、尾清煤前必须先观察顶板、煤帮状况,发现隐患及时处理,同时必须支设临时支护,进行护帮护顶,其支护位置及方式由当班干部视现场情况而定。

(3)打大块时,必须停止运输机运转,人员站在有支架掩护的地方进行,不准进入机道内作业。

(4)过头尾绞车窝时,必须提前20m用三根一组堆柱(其中一根戴帽),在横峒内中线位置上进行支护,以减小空顶面积。

3.提高煤质措施

(1)工作面、转载机侧、皮带头应配备垃圾箱,将杂物扔入垃圾箱内,并及时清理交井下回收库房,严禁上皮带运走。

(2)煤、矸分装分运,严禁将矸石和杂物扔上主皮带运走。

4.其他措施

(1)机组司机要严格掌握采高,尤其是头尾过渡段的高度,并根据工作面采煤机和运输机高度,正常推进时及时调整摇臂高度,没有特殊情况,严禁割顶割底。

(2)工作面开采期间,若割煤后机道顶板破碎,较难维护,要采取及时移架和控制采煤机滚筒截深(变0.8m截深为0.6或0.4m浅截深的方法)。

(3)开采过程中如遇地质构造,必须编写专项措施。工作面放炮,必须编写放炮专项措施。严禁放明炮、糊炮。

(4)其他作业过程严格执行《煤矿安全规程》、《操作规程》中的有关规定。

八、灾害应急措施与及避灾路线(略)

第二节 华晋焦煤公司沙曲矿24305回采工作面作业规程(概要)

一、工作面概况

(一)工作面位置、范围及四邻关系

24305工作面为北三采区第五个沿煤层走向布置的倾斜长壁式回采工作面。其东面为

龙沟村村庄保护煤柱（柳政发【2008】10号），南面为未开掘区（24304工作面），北面为正在施工的24306工作面，西面为北翼大巷。

工作面底板标高预计在+440m ~ +560m之间，工作面上覆地表均为黄土覆盖区，地面标高为+806.6m ~ +1000.7m，预计盖山厚度为440m ~ 550m，地表由冲沟和黄土峁梁相间分布组成，为典型的梁峁状黄土低山丘陵地貌。有山间小路、沟壑、瓜地，工作面地表有民用坡地和果树，回采可能引起地表裂缝和塌陷。

（二）煤层、煤质及顶底板岩性

1.煤层特征

根据工作面内打钻钻孔及已掘进巷道资料分析，工作面3#、4#煤合并，煤层厚度在3.4m~4.2m之间，平均厚度为4.02m。煤层结构为：1.45（0.33）2.34，即3#煤层与4#夹矸为330mm，岩性为碳质泥岩。

2.煤质特征

4#煤层呈黑色，玻璃光泽，结构均匀，内生裂隙发育，容重为1.36t/m^3，f=2.0，抗压强度为10.5~14.77Mpa。煤岩组分以镜煤为主，条带状。煤岩类型为光亮型煤。4#煤为低灰，特低硫、低磷，中等挥发分，黏结性良好，为世界优质焦煤之一，有“中国瑰宝”之美誉。

3.煤层顶、底板岩性及特征

表9-13　煤层顶、底板岩性及特征

顶板名称	岩石名称	厚度（m）	岩性特征
老顶	泥岩	2.0	灰黑色泥岩，含植物碎片化石，上部有菱铁矿，局部含砂。
直接顶	中砂岩	4.9	灰白色中砂岩，泥质胶结，脉状层理。
直接底	中砂岩	1.2	灰色中砂岩，可见大量的白云母碎片，顶部渐粗。
老底	粉砂岩	1.58	黑色粉砂岩，有植物碎片化石。

（三）工作面地质构造特征

24305工作面地质构造相对简单，整体呈单斜构造，煤层倾向南西（WS），走向245°，倾角4°~8°，平均倾角6°。

24305胶带巷36m处揭露正断层FN29（225°∠48° H=2.5m）和160m处揭露逆断层FN32（230°∠31°H=1.8m），均会对工作面造成一定影响。在巷道掘进过程中揭露一煤层冲刷带。24305胶带巷在配巷前12m处受该冲刷带影响，影响范围100m左右，在一横贯前108m煤层恢复正常，煤厚3.6m，倾角6°；24305轨道巷在配巷前60m受该冲刷带影响，影响范围约为323m，在配巷前383m处4#煤厚3.8m，倾角8°，该冲刷带多以砂质泥岩、中砂岩沉积。

（四）工作面水文地质情况及措施

1.水文地质情况

该工作面水文地质条件中等，全区带压开采，4#煤层底板标高440~560m，太灰水静水位标高780m，最大带压3.4MPa，根据相邻工作面揭露情况，本区域内太灰岩厚度不大，岩溶发育不均匀，出露范围小，富水性弱，在执行《24305回采工作面探放水设计》前提下，不会对回采造成影响；奥灰水静水位标高800m，最大带压3.6MPa，奥灰水突水系数为0.024，属相对安全区。工作面回采过程中严格坚持“预测预报、有采必探、先探后采”的原则，执行“物探先行，钻探验证”的综合探测手段，确保工作面回采安全。

预计本工作面最大涌水量12 m^3/h，正常涌水量在3.0 m^3/h。

2.措施及建议

（1）遇地质构造及时通知地质测量科现场勘查。

（2）巷道低洼处应挖设水仓，配备相匹配功率的水泵，以便及时排除积水。

（3）在断层、煤层冲刷带等地质构造附近瓦斯涌出量异常时，通风、防突等部门应采取相应的措施，施工单位必须加强顶板管理，确保安全回采。

（4）由于煤层为带压开采，回采队组应加强对井下工人的防治水基本知识的培训和学习，并熟悉掌握井下避水灾路线。

（五）瓦斯、煤层、地温、地压及自然发火情况

沙曲矿为高瓦斯、煤与瓦斯突出矿井，4#煤层瓦斯含量比较高。3#+4#煤与5#煤层距离较近，在回采期间，瓦斯涌出量除来自本煤层外，还有来自上部2#煤层和下部5#煤层的卸压瓦斯，2#煤瓦斯含量为10.65m^3/t，5#煤瓦斯含量为12.08 m^3/t，预计在回采期间其绝对瓦斯涌出量将达到20m^3/min~25m^3/min以上。在遇小型构造附近、煤层产状、煤层厚度变化较大的地段以及煤层受地质应力作用变软或煤层结构遭到破坏的地段，工作面瞬间瓦斯浓度会增大，将给安全生产带来重大隐患。因此，本工作面在回采期间必须严格执行《24305综采工作面防突设计》中的有关规定。

4#煤层为Ⅲ类不易自燃煤层，其煤尘具有爆炸性，爆炸指数为30%~31%。根据3+4#煤及以往相关工作面回采情况，本工作面地温、地压均在正常范围内。

（六）储量及服务年限

1.储量

	块段号	倾向长（m）	走向长（m）	面积（m^2）	煤厚（m）	容重（T/m^3）	工业储量（万吨）	回采率	可采储量（万吨）
储量计算	A-1	47-60	200	12100	4.02	1.36	6.6		
	A-2	57-138	110	8400	4.02	1.36	4.6		
	A-3	241-278	110	26000	4.02	1.36	14.2	93%	13.2
	A-4	485-514	200	99800	4.02	1.36	54.6	93%	50.8
	合计			146300			80		64

（1）地质储量：

Q_d=80万t

（2）工业储量：

Q_g=68.8万t

（3）可采储量：

Q_k=64万t

2.服务年限

工作面的服务年限=可采储量/设计月产量=50.8万t/10.98万t+13.2/8.064≈6.27个月,该工作面的服务年限为6.27个月。

(七)巷道布置和工作面基本参数

24305工作面为倾斜长壁式工作面,为北三采区第五个回采工作面,工作面设计的巷道有轨道巷、胶带巷、回风巷、配风巷、补轨道巷及19个横贯。其中轨道巷设计长936.8m(配风巷口至切眼),胶带巷设计长982m(第一横贯至切眼),回风巷设计长982m(第一横贯至切眼),横贯设计长为45m。切眼初期回采长度为200m,回采推进485m后切眼对接缩短为110m,倾向可采长度为759m,可采面积为0.1463km^2。

胶带巷与回风巷间煤柱宽度为45m。距北轨大巷38m布置1#横贯,2#横贯距1#横贯间距为114m,5#横贯距6#横贯间距为63m,其他横贯间距均为50m。

详见图:24305综采工作面平面图(略)

二、采煤方法及工艺

(一)采煤方法

本工作面采用倾斜长壁后退式跟顶跟底的综合机械化采煤方法。胶带顺槽采用混合料充填进行沿空留巷,工作面采空区采用全部垮落法管理顶板。

(1)落煤方式:通过装有截齿的螺旋滚筒旋转和采煤机牵引运行的作用进行截割落煤。

(2)装煤方式:通过滚筒螺旋叶片上的螺旋面进行装煤,将煤壁上切割下的煤利用滚筒上的螺旋叶片将煤抛至刮板运输机溜槽内运走。

(3)运煤方式:滚筒将煤装在刮板运输机溜槽上,经刮板运输机运送到转载机,经破碎机破碎后落在胶带顺槽可伸缩皮带机上运出。

(4)支护方式:工作面采用四柱支撑掩护式液压支架支护,轨道巷、胶带巷、沿空留巷均使用单体液压支柱配合铁柱帽支护顶板。

(5)采空区处理方式:胶带顺槽采用混合料充填沿空留巷;采空区顶板管理采用全部垮落法。

(二)回采工艺

工作面采用综合机械化采煤,主要回采工艺流程:双滚筒采煤机割煤、装煤→可弯曲刮板运输机运煤→拉移支架支护顶板→推移运输机→人工清扫浮煤。

1.割煤

(1)割煤方式:

采用双滚筒采煤机(MGTY-300/730-1.1D)双向穿梭式割煤方式,前滚筒割顶煤,后滚筒割底煤,往返一次进两刀,端头斜切割三角煤进刀,返刀长度30~35m,循环进度为0.6m。

(2)进刀方式:

采用端头斜切进刀方式,即采煤机在机头(机尾)沿工作面运输机弯曲段向机尾(机头)斜切进刀,使采煤机前、后滚筒截深均达到0.6m后停止牵引,推移运输机,使其成为一条直线,然后调整前、后滚筒,牵引采煤机向机头(机尾)割通三角煤,到机头(机尾)后停止牵引,调整滚筒，牵引采煤机向机尾(机头)通长割煤，端头斜切进刀距离不30～35m。

详见图2-1：端头斜切进刀示意图(略)

(3)割煤：

割煤时采煤机由正、副司机三人协同操作，正司机负责掌握采高及正确操作设备，保证工作面采平、采直，副司机两人负责观察水管、电缆以及前、后滚筒，紧跟采煤机滚筒。

(4)采高：

根据地质测量科提供的数据，本工作面煤层厚度在3.4m~4.2m之间，平均厚度为4.02m。因此确定工作面平均采高为4.02m(考虑到煤层厚度、支架的最大支撑高度，煤层变薄带采高以确保采煤机安全通过为准，煤层变厚带采高不得超过4.5m)。采煤机在割煤过程中，要紧跟煤层顶板、底板。工作面与两巷道连接处，底板要平缓过渡，割煤时，采煤机牵引速度控制在3m/min~6m/min，过地质构造带时，采煤机牵引速度控制在1m/min~2m/min。

2.装、运煤

由采煤机螺旋滚筒配合挡煤板将落煤装入运输机，经转载机、可伸缩皮带运输机、快速溜子和北胶皮带进入井底煤仓。推移溜子铲煤板装余煤；架间浮煤，人工清理至运输机内。

3.拉移支架

工作面布置3架充填支架(型号为ZZTM11300/25/47)及ZZ5200/25/47型液压支架对工作面进行支护。其中切眼长度200m时共布置131架，切眼缩短至110m时共布置71架。采用及时支护、本架操作、追机顺序移架。以采煤机为中心追机作业，拉架距采煤机后滚筒3~5m，采煤机割煤后，及时伸出支架的伸缩梁、打开护帮板控顶护帮，移架采用带压擦顶移架，少降快拉，降柱范围150~200mm，移够步距后立即升架，升架接顶后，继续供液3~5s，确保支架初撑力达到24MPa以上。

4.推移运输机

支架拉移后应及时移溜，移溜距采煤机后滚筒10~15m处进行，刮板输送机弯曲长度不小于15m。

机头、机尾移溜时，首先检查作业地段周围顶板、煤帮及端头支护情况，处理一切安全隐患，及时清理干净煤壁侧浮煤和矸石后，方准移溜，移溜时要有专人观察，指挥机头、机尾的移溜情况，严禁硬顶、硬移。移溜时无关人员必须远离作业区域5m以外，操作人员站在支架内，面向煤壁操作。观察人员站在超前支护下，距运输机机头(机尾)3m以外。

5.清扫浮煤

浮煤每个循环清扫一次，推移运输机后，由清扫浮煤工逐架将浮煤清扫至工作面运输机内。清煤时，清煤工站在支架与工作面运输机挡煤板之间，面向采煤机前进方向(在采煤机后方)，并与采煤机后滚筒的距离不小于25m。追机进行清扫浮煤，浮煤要清扫干净。清煤时，要随时观察煤帮、架间顶板和支架的情况，以防滚帮煤和架间掉矸伤人。若发现有滚帮、掉渣等隐患时，必须立即汇报当班班长，采取措施处理，确认安全后，方可继续清煤作业。

三、沿空留巷

24305综采工作面瓦斯涌出量预计为36m³/min，为有效解决在回采期间瓦斯制约生产的不利因素，采用沿空留巷Y形通风方式，将回风瓦斯浓度控制在0.8%以下，以消除上隅角瓦斯积聚等安全隐患，达到安全高效、无煤柱护巷及煤与瓦斯共采，以提高资源回收利用率，实现安全高效生产。

（一）沿空留巷充填工艺流程

（1）沿空留巷是通过混凝土充填泵泵送充填材料至工作面留巷处，留设充填墙体隔离采空区并与原巷内支护共同承载形成巷道系统，因此充填墙体的留设必须连续可靠。

（2）工艺流程：材料运输、移架、架后支护、清理→机械立模→铺设钢筋→搅拌输送→充填→清洗泵、管路。

清理、支模：将机头充填模板支架拉移后，管理好巷道顶板，然后清理巷道底板虚矸至实底，拉移架后机械模板，根据架后高度调整充填模板至合适高度。

铺设钢筋：严格按照规定要求在机械模架内布设钢筋骨架与金属网片，并用铁丝将各钢筋接头连接牢固可靠。

搅拌输送：检查确定混凝土充填泵工作状况正常，管路畅通后，即可进行材料的搅拌输送。进料要均匀连续，要严格控制配水的水灰比。掌握设备的工作压力，防止管路阻塞。

充填清洗、拆模：混凝土充填材料进入留巷充填模框，要观察材料的平流堆积状况，材料要充满充填模框并接顶充分。充填工作完成后，要及时放专用清洗活塞，用清水清洗充填管道及泵，清洗管道污水要通过胶带巷、回风巷设置的水仓排到大巷水沟。充填后拆模前动态观测充填体的强度和矿压显现，发现问题及时处理。

（二）充填泵安装及管路布置

1.沿空留巷充填设备

充填系统由一部HBMD40-10-110S和两部HBMG30/21-110S煤矿用混凝土泵组成，采用接力式充填。

详见图3-1：充填系统图（略）

2.充填泵安装位置

第一台充填泵布置在配风巷口处，第二台充填泵安装在胶带巷二横贯里程125m位置处，第三台充填泵安装在胶带巷9~10横贯里程520m处，巷道的高度不得小于3.2m，充填泵摆放要平整，临时料场必须具有防潮措施。

3.充填管路材质及连接

（1）HBMD40-10-110S和HBMG30/21-110S煤矿用混凝土泵输送管路采用无缝钢管输送混凝土。

（2）输送管路内径为Φ125mm，Y字管内径为150mm，锥形管内径为150mm变125mm。

（3）输送管路连接方式：快换卡箍连接固定。

（4）输送管路清洗方式：利用高压水配合清洗活塞进行清洗。

4.充填管路固定

充填管路固定时充填泵出口50m内每3根管子固定一处；50～400m之间每10根管子固定一处；固定采用ø18mm，长度1000 mm底板螺纹钢锚杆+半圆形钢带（厚3～4mm），当底板出现较大变化时采用木板、木楔及料石等进行衬垫。

当巷道起伏造成充填管路悬空不能沿底板铺设时，须在管路与底板之间用木垫墩或道木等垫实，并适当减小管卡间的距离。

（三）充填体材料强度与留巷墙体宽度

1.充填材料及配比

留巷墙体充填材料的基本组分为水泥、粉煤灰、砂石骨料、复合外加剂和水，其主体原料均为来源广泛的地方材料，并利用煤矿电厂发电产生的粉煤灰。

表9–14　　设计充填材料强度指标（单轴抗压值）

天数(d)	1	3	7	28
抗压强度值(MPa)	4~7	9~12	12~16	≥22

2.墙体宽度的确定

依据生产技术科《24305回采工作面沿空留巷设计方案》，24305综采工作面沿空留巷设计充填墙体宽度为3.5m。

（四）机械立模及布筋

（1）本工作面采用沿空留巷充填模板支架自行前移机械立模，正规循环每移3.6m，充填一次；如遇顶板破碎等特殊情况，视现场实际情况缩小充填步距。

（2）充填前，将充填空间内的杂物清理干净后，调整模板使其与充填墙体平直。在框架内部均匀涂抹黄油，之后使用大块的塑料布紧贴模板内壁布置严密，并将该空间顶底板整理平整，高度以模板接顶为准，不能充分接顶时使用抗静电阻燃编织袋装煤封堵间隙，开始在充填模框内布设钢筋。

正规循环每次充填墙体长度为3.6m，宽度3.5m。设计以柱状体框式配筋在充填墙体内布筋，钢筋骨架与金属网组合，内侧（采空侧）距离充填模板200mm，外侧（留巷侧）距离充填模板100mm，金属网网片900×1700mm，网孔100×100mm，直径为6~8mm。金属网钢筋长度为3.8m与3.2m两种规格，直径为18 ~ 20mm的螺纹钢，每次充填布置三层钢筋网骨架；钢筋网片纵、横向搭接长度均为200mm；网间及网与钢筋骨架间固定均采用14#铁丝扎接牢固。另外，为防治充填墙体表皮离层脱落，保障留巷墙体的稳定性，在靠留巷侧的钢筋网骨架外与上述每层钢筋网骨架相同的布置方式，在纵向加设一层钢筋网，与骨架钢筋穿纵连接，形成纵向双网布置方式。

详见图3–2：充填模框布筋示意图（略）

抽采公司抽放队在留巷充填墙体内每间隔9m在充填模框上方布置一根4寸瓦斯抽放管，瓦斯抽放管两端用塑料布包裹严密，封闭充填箱体，将充填管路架设好，开始进行充填。

在正常情况下，当允填4~5小时后可以进行脱模，脱模时，用8#铁丝插入充填墙体，若插入深度不超过100mm，说明可以脱模进行拉移支架。若插入深度超过100mm，说明充填墙体未凝固，则不能脱模。

（五）充填材料的运输及上料充填方式

沿空留巷充填材料由我矿下龙花垣充填料生产厂房按设计配比生产出干混充填材料，装袋后从高家山矿车到24305回风巷一横贯储料场，然后人工将充填料倒至40T溜子上，经40T溜子运至充填泵小皮带上，上到料斗加水搅拌均匀后采用接力方式泵送至留巷充填模架内。进料时要严格控制水灰比，膏体混凝土材料进入留巷充填模框时，要观察膏体的平流堆积状况，材料要充满充填模框并接顶严密。

（六）冲洗充填泵、充填管路

（1）当所需的充填料全部泵送完毕后，将充填泵料斗内物料泵净，然后进行反泵1~2个冲程以达到给输送管道卸压的目的。第一台设备在清洗时，在前一车料时就应该通知前方两台泵的操作人员，让其储备足够多的混凝土，在前方无混凝土供应时，可以每隔三五分钟泵送两次，防止堵管。

（2）上坡泵送不同于平巷或下坡泵送，上坡泵送由于压力大，混凝土在管道中由于重力作用有向下运动的方向，所以在洗管时需特别小心，设备在准备洗管前需要将闸板阀关闭，将清洗活塞和海绵柱装入Y字管中，将下料斗的混凝土放干净，再将水管插入Y字管中进行反泵，泵送数次后将其盖板装上（为避免浪费时间，上搅拌不用急于清洗）。先泵送两泵清水，再将闸板阀打开，目的为清洗活塞和海绵柱后方有水支撑，防止闸板阀打开后混凝土向下运动，带动清洗活塞和海绵柱向S管运动，由于S管口径大，水在推动隔水装置时发生透水（打开盖板之前，必须先反泵一至两个冲程给输送管道卸压，防止管道内的高压伤人）。

（3）放入两只清洗活塞。清洗活塞将管道内的物料与清洗水隔开，一方面可清洗管道内壁；另一方面可防止水先带着水泥浆流走而留下砂石从而导致堵管。前一台设备在洗管时，当海绵柱将至末端时，通常由于发生轻微透水，混凝土会发生离析，这时打泵方需要通知打水方停泵一下，将末端软管移下，防止离析的混凝土进入料斗内泵送进入管道造成堵管，移下后立马通知打水方打水。

（4）泵送水，将管道内的物料用水全部推出。

（5）管道清洗完后，再反泵运行几个冲程，将料缸内残存的水及物料吸出到料斗内。

（6）当班充填结束后，搅拌器、搅拌筒等必须清洗干净，以防止充填膏体硬化堵塞管路。

四、顶板管理及支护

（一）支架选型

本工作面采用ZZ5200/25/47型液压支架支护工作面顶板，使用ZZTM3×11300/25/47型充填支架支护工作面上端头顶板。

ZZ5200/25/47型液压支架主要技术参数如下表：

支撑高度（m）	2.5~4.7
工作阻力（KN）	5200
支护强度（Mpa）	0.89
底座比压（Mpa）	1.99
推移步距（mm）	600
立柱缸径、型式	φ210 双伸缩

（二）支护强度验算及选型计算（略）

（三）工作面顶板控制及安全出口管理

1.正常情况下工作面顶板支护方式

初期回采时，采用128架ZZ5200/25/47型液压支架以及3架ZZTM11300/25/47型充填支架控制顶板；回采推进445m后，工作面切眼缩短至110m，则采用68架ZZ5200/25/47型液压支架以及3架ZZTM11300/25/47型充填支架控制顶板，最大控顶距为7.21m，最小控顶距为6.61m，拉移步距0.6m，放顶步距0.6m。

2.特殊情况下的顶板控制

（1）初次放顶及周期来压期间顶板管理：

①工作面初采前，生产队组必须编制专门的安全技术措施，审批后贯彻执行。

②工作面初放期间，矿成立初放领导小组，加强现场管理及矿压观测工作，由生产技术科牵头成立矿压观测小组，收集观测数据，应及时掌握矿压显现及变化规律，指导初放工作。

③加强工作面矿压观测、水文预测预报、瓦斯涌出量的检测工作，如发现问题及时向相关部门汇报，并采取针对性措施进行处理，同时保证排水系统正常运转。

④必须加强工作面质量标准化管理，严格进行工作面顶板支护质量的动态监测，并认真分析处理，及时将结果反馈到生产技术科，以便针对问题采取相应措施进行处理。

⑤加强工作面顶板、煤壁管理，采煤机割煤后，应及时带压擦顶移架，伸出伸缩梁、打开护帮板；若工作面片帮或顶板破碎，须及时超前移架支护顶板；若超前移架仍然不能有效控制顶板时，必须在支架前端垂直煤壁架设板梁或圆木支护顶板。

⑥加强工作面上下安全出口的管理，若采空区顶板长距离不能及时冒落时，必须采取措施进行处理，届时措施另行编制。

⑦工作面若遇地质构造带，采煤机截割困难时，要采取先放松动炮，再进行采煤机截割方式推进（届时另行编制专项安全技术措施）。

⑧工作面要确保达到“三直、一平、二畅通”的要求，架间浮煤、杂物清理干净。

⑨加强液压系统的日常检修和维护，确保完好，泵站压力达到规定值30MPa，支架初撑力不低于规定值的80%，即24MPa。

⑩保证通风、运输、排水等系统的完好，并加强采煤机、运输机等各机电设备的检修与维护工作，确保回采工作面在来压期间正常运转。

（2）过地质异常区：

①地质部门必须在工作面回采至距地质异常区前50m，提供异常区内详细的地质资料，以便提前采取针对性措施。

②施工队组技术员要根据工作面现场情况及时编制好切实可行的专项安全技术措施，报矿总工审批后贯彻执行。

③工作面过断层时严格控制回采层位、采高和破顶、底板量，并加强机电设备检修、维护，保证工作面推进度。严禁设备“带病”运转。

3.安全出口管理

综采工作面超前20m范围内，上下出口净高不得低于1.8m，上下出口净宽不得小于

0.8m。每班质量验收员必须对工作面上下推进度进行精确测量，并观察上下安全出口的宽度，及时调整以保证行人宽度；每班必须派专人对两出口煤壁及顶板片帮进行处理，发现顶板破碎、片帮严重时应及时补充安全技术措施，加强支护。若工作面安全出口不畅通时，必须及时根据实际情况进行扩帮（届时另行补写安全技术措施）或调整工作面运输机。

4.工作面支架质量标准化要求

（1）工作面支架要排成一条直线，偏差不得超过±50mm；支架均匀布置，中心距偏差不超过±100mm。

（2）支架要垂直顶底板，歪斜不超过±5°，与顶板接触严密，初撑力不得低于额定值的80%（即24MPa）。

（3）支架与工作面刮板输送机垂直，偏差不得超过±5°，在调整工作面刮板输送机的上窜下滑时，要尽量保持好支架与刮板输送机的相对位置。

（4）支架顶梁与顶板平行支设，最大仰俯角小于7°。

（5）相邻支架间的错差不得超过顶梁侧护板的2/3，支架不挤不咬，架间空隙不超过200mm。

（6）及时移架，控制好端面距不超过340mm。

（7）支架要保持完好，无窜液、漏液，不自动卸载，损坏部位要及时更换。

（8）架间无浮煤、杂物，管线、电缆吊挂整齐，支架清洁干净。

（9）支架底座陷入底板量小于100mm。

（10）不得出现死架、倒架现象。

（四）胶带巷、留巷、轨道巷、回风巷及端头顶板控制

本工作面根据巷道的实际高度选用DW-3800型、DW-4500型单体液压支柱，且存放在两巷两帮处，码放整齐。需DW-3800型150根，需DW-4500型单体850根，共1000根单体。

1.胶带巷

（1）巷道断面及支护形式：

胶带巷为矩形断面，锚、网、索、W钢带联合支护。全宽5.2m，净宽5.0m；全高3.9m，净高3.8m。

（2）补强支护：

①顶板加强：

顶板补强支护布置在原巷道支护的圆钢钢带、W钢带未打设锚索的排与排之间，采用钢绞线锚索、平钢钢板联合支护的方式，平钢钢板的规格为长×宽×厚=2500mm×350mm×12mm，大托盘规格为300mm×300mm×16mm，钢绞线锚索规格为Φ21.8×6250mm，配合大托盘并压平钢钢板施工，每块钢板布置三个长圆孔，孔中心距为1000mm。

每排布置两块平钢钢板两块平钢钢板重叠一眼铰接成一整体，打设的锚索形成“一梁五锚”的形式，间距1000mm，排距800mm；巷帮两边的锚索与顶板呈75°角打设，中间的三根垂直顶板打设，眼孔深度6000mm，每根锚索用三卷Z2455树脂药卷加长锚固。锚索预紧力不得低于100KN，锚固力不得低于200kN。

详见图4-1：胶带巷顶板补强支护平、断面图（略）

②非回采帮加强：

非回采帮补强支护870m往胶带头方向布置在原巷道支护的圆钢钢带排与排之间，采用钢绞线锚索、锚杆、W钢带、双抗网联合支护的方式，5眼W钢带的规格为长×宽×厚=3200mm×250mm×5mm，眼距为760mm，大托盘规格为200mm×200mm×16mm，钢绞线锚索规格为Φ17.8×4300mm，锚杆规格为Φ20×2000mm。

W钢带垂直顶底板布置，W钢带的顶眼距离顶板0.3m处打设，底眼距离底板0.8m处打设。锚杆、锚索交替打设，每排布置两根锚索，从顶板算起，第一排的二、四眼打设锚索，一、三、五眼打设锚杆，第二排的三、五眼打设锚索，一、二、四眼打设锚杆，锚索的间距为1400mm，排距800mm；锚索与巷帮呈75°角倾斜向上打设，眼孔深度4000mm，每根锚索用两卷Z2455树脂药卷加长锚固。锚索预紧力不低于90KN，锚固力不低于200kN。锚杆垂直巷帮布置，间排距为1400（760）mm，排距为800mm。每根帮锚杆使用一卷Z2455树脂药卷，锚杆扭矩不小于200N·m。

870m往工作面切眼方向每排布置在原巷道支护的W钢带排与排之间，采用钢绞线锚索、锚杆、W钢带、双抗网联合支护的方式，4眼W钢带的规格为长×宽×厚=2700mm×250mm×5mm，眼距为800mm，大托盘规格为200mm×200mm×16mm，钢绞线锚索规格为Φ17.8×4300mm，锚杆规格为Φ20×2000mm。

W钢带垂直顶底板布置，W钢带的顶眼距离顶板0.8m处打设，底眼距离底板1.0m处打设。锚杆、锚索交替打设，打设的锚索成“三花眼”的形式，间距1400mm，排距800mm；锚索与水平方向呈15°角倾斜向上打设，眼孔深度4000mm，每根锚索用两卷Z2455树脂药卷加长锚固。锚索预紧力不低于90KN，锚固力不低于200kN。每根帮锚杆使用一卷Z2455树脂药卷，锚杆扭矩不小于200N·m。

详见图4-2：胶带巷非回采帮补强支护平、断面图（略）

③胶带巷的补强加固支护工作必须超前回采工作面200m完成，以完全避开采动影响区。

（3）超前维护方式：

胶带巷超前维护，从工作面切眼开始采用三排戴帽点柱支护顶板，距采帮侧0.2m支设一排，距煤柱帮侧0.2m支设一排，距煤柱帮侧1.2m支设第三排，随工作面的推进煤柱帮侧两排单体延伸至沿空留巷内，另外在机头1#支架外侧0.2m打设一排，随模斗的拉移逐根回撤后抬运至转载机机尾打设，柱帽垂直于巷道布置，柱帽规格为400×100×100mm，排距为0.8m，中间一排维护紧跟破碎机打设，两边维护长度不少于30m。

详见图4-3：工作面支护示意图（略）

（4）机头扩帮段施工方式及支护：

扩帮采用打眼放炮的方式，从24305综采工作面切眼外开始进行扩帮。扩帮为随工作面推进，超前采煤工作面对巷道回采侧进行开缺口扩帮处理，扩帮宽度为3.5m，开缺口高度与巷道一致，扩帮超前工作面保持不小于2m，大于6m。

顶板采用Φ21.8×6250mm锚索、Φ22×2400mm左旋无纵筋螺纹钢树脂锚杆配合3.2m×5mm，5眼W钢带及规格为5×1.0m菱形金属网联合支护，以煤柱帮侧眼算排列为一至五眼，第二、四、五眼打设锚索，一、三眼打设锚杆；依次类推，锚杆、锚索相间垂直顶板打设，间距为0.76m，排距为0.8m。金属网长边相互搭接0.1m，短边与原巷顶板金属网搭接0.1m，每隔0.2m用14#双股铁丝系一扣，每扣扭结不少于3圈。随工作面推进及时进行扩帮、支护，扩帮长度保持超前工作面不小于2m，不大于6m。锚索预紧力不小于100kN，锚固力不小于200 kN，锚杆扭矩不小于200N·M。

随着扩帮长度的增加，在扩帮段下方打设临时支护维护顶板，采用DFB-3200型π型梁为梁，DW-2800型单体液压支柱为腿形成“一梁两柱”或“一梁三柱”的形式顺巷道方向向外套棚支护顶板。距采帮侧0.2m支设一排、距煤柱帮侧胶带巷口0.3m支设另一排，中间1.0m支设两排，随工作面推进单体、π型梁逐步前移，确保扩帮段顶板支护到位。

详见图4-4：机头扩帮段支护示意图（略）

2.沿空留巷

（1）巷道断面及支护形式：

留巷断面为矩形断面，锚、网、索、W钢带、钢板充填墙体联合支护。全宽4.2m，净宽4.0m；全高4 m，净高3.9m。

（2）留巷段维护方式：

留巷顶板采取三排顺巷戴帽点柱支护顶板，距墙体0.8m支设一排、原胶带巷留设的两排单体不变。留巷内如果压力小且顶板稳定，维护长度滞后200m之后，采用木点柱替换单体液压支柱；如果压力大且顶板不稳定可调节在300m之内进行回撤单体。回撤单体时另行制定专项措施。

3.轨道巷

（1）巷道断面及支护形式：

轨道巷断面为矩形断面，锚、网、索、钢带联合支护巷道。全宽4.2m，净宽4.0m，全高3.9m，净高3.8m。

（2）机尾切顶支护：

沿切顶线处打两排单体密集支柱，单体直接打在柱帽下，柱距0.4m，排距0.6m，在采煤机机尾返刀拉131#架前，沿推进方向前0.6m处，以同样柱距打一排单体，然后回撤最后排密集单体液压支柱，再拉出支架，随工作面推进，循环支护，密集支柱必须根根戴帽，柱帽垂直于工作面，严禁提前回切顶支柱。柱帽规格为400×100×100mm铁柱帽。

（3）机尾端头支护：

机尾煤柱帮支设贴帮戴帽点柱，在机尾131#支架外侧0.3m支设单体支柱，柱距0.8m，当煤柱帮侧单体距131#支架距离大于1.2m时，在两排点柱之间，距煤柱帮侧点柱0.8m，以0.8m的柱距再加打一排单体支柱。当顶板破碎压力凸显时，需用圆木或π型梁做梁，在端头处架设顺巷抬棚支护顶板。

（4）超前维护方式：

轨道巷超前维护，从工作面切眼开始采用三排单体戴帽支护顶板，距采帮侧0.2m支设一排，1.0m支设第二排，距煤柱帮侧0.2m支设第三排，柱帽垂直于巷道布置，柱帽规格为400×100×100mm，排距为0.8m，中间一排维护长度不小于10m，两边两排维护长度不少于30m。

4.回风巷

（1）巷道断面及支护形式：

回风巷为矩形断面，锚、网、索、W钢带联合支护。全宽4.2m，净宽4.0m；全高3.9m，净高3.8m。

（2）补强支护：

①顶板加强：

16横贯~19横贯顶板补强支护布置在原巷道支护的W钢带未打设锚索的排与排之间，采用Φ21.8×6300mm的钢绞线锚索、Φ22×2400mm的螺纹钢锚杆、3200×250×5mm的5眼W钢带、300×300×16mm的支护垫片、100×100×8mm的四方小垫片联合支护的方式。每排布置一块W钢带，从胶带巷到回风巷侧方向算起，二、四眼打设锚索，一、三、五眼打设锚杆，间距0.76m，排距1.6m，锚索预紧力不得低于100KN，锚固力不得低于200kN。

4横贯~16横贯顶板补强支护顺巷道方向与原巷道支护的W钢带垂直打设，采用Φ21.8×6250mm的钢绞线锚索、Φ22×2400mm螺纹钢锚杆、3200×250×5mm的5眼W钢带、300×300×16mm、100×100×8mm的四方小铁片联合支护，共布置三排。每排W钢带的首尾重叠一眼铰接成一整体，锚杆、锚索交替布置，间距0.76m，排距1.6m，锚索预紧力不得低于100KN，锚固力不得低于200kN。

详见图4-5：回风巷顶板补强支护平、断面图（略）

②回风巷两帮加强：

回风巷两帮补强支护从17横贯~2横贯由里向外进行，垂直布置在原巷道支护的帮锚排与排之间，采用Φ20×2000mm的螺纹钢锚杆、2.8m长的4眼圆钢钢带、150×150×10mm的四方小垫片、长×宽=30×1.0m的双抗网联合支护。圆钢钢带垂直顶底板布置，顶眼距离顶板0.8m处打设，底眼距离底板0.7m处打设。锚杆垂直巷帮布置，间距为780mm，排距为800mm，锚杆扭矩不小于200N·M。双抗网长边相互搭接0.1m，每隔0.2m用14#铁丝系一扣，每扣扭结不少于3圈。

详见图4-6：胶带巷两帮补强支护平、断面图（略）

③回风巷的补强加固支护工作必须超前回采工作面150m，以完全避开采动影响区。

5.支护管理

（1）胶带巷超前维护长度不得小于30m，轨道巷超前维护长度不得小于30m，沿空留巷滞后维护长度不得小于200m。

（2）单体初撑力：柱径为100mm的必须达到90KN以上，柱径为110mm的必须达到109KN以上。

（3）严格执行敲帮问顶制度，对人员可能进入的作业地点，在开工前，班组长必须安排有经验的工人对工作场所顶板、煤帮使用长柄工具将危岩（煤）、活矸（煤）及时处理。

（4）轨道巷回采帮共设置有19个抽采钻场，距工作面煤壁20m时必须对钻场进行加强支护。

（5）工作面在回采期间，如果巷道局部地段顶板压力大、顶板破碎时，可使用单体液压支柱加圆木或π型梁套棚加强支护，届时另行编写施工安全技术措施。

（6）工作面巷道单体支柱必须横成行，竖成列，所有在用单体三用阀严禁正对人行道，其注液口方向在整个巷道内必须朝向采空区。

（7）单体初次使用前必须先放气，所有单体必须打在实底上，且须迎山有劲，底板松软或巷道有底煤时，单体液压支柱必须穿柱鞋，确保钻底量小于100mm。

（8）所有单体液压支柱的活柱行程不得少于200mm，富余量不得小于100mm。

（9）加强工作面巷道顶板支护的巡视，发现问题及时汇报并采取措施处理。

（10）两巷每班要设专人进行维护，安全出口范围内支柱必须保证完好无缺，无折柱、断梁现象，损坏或失效的支护材料必须及时进行更换，必须采取"先替后补"的原则。严禁使用失效的支柱。

（11）工作面注液枪枪口严禁对人，枪头使用过后必须挂好，不得随意乱放，单体卸液时必须使用卸压手把或长钎。

（12）铁柱帽与顶板金属网必须拴防掉链，以防单体支柱卸载或移柱时，铁柱帽掉落伤人；所有使用中的单体支柱必须用细钢丝绳串拴，并用专用防倒链按规定拴牢，以防倒柱伤人。

（13）轨道巷距工作面200m处要备有一定数量的支护材料，便于及时维护顶板。

（14）当超前段遇有原巷架设工字钢棚且棚梁变形严重，导致无法进行戴帽点柱维护顶板时，单体液压支柱直接打在工字钢梁下，单体与梁间衬垫废旧木托板或破板，单体垂直工字钢梁弯曲方向打设，确保支护有效。

6.补强支护锚杆、锚索安装要求

（1）顶板锚杆安装要求：

①打顶板锚杆孔：采用单体锚杆钻机按设计孔位打锚杆眼。

②铺设菱形金属网、W钢带。

③送树脂药卷：向锚杆孔装入树脂药卷，用组装好的锚杆慢慢将树脂药卷向孔底推入。

④搅拌树脂：用搅拌接头将钻机与锚杆销钉(堵头)螺母连接起来，然后升起钻机推进锚杆，至顶板岩面300~500mm时开始搅拌，缓慢升起钻机并保持搅拌30s后停机。

⑤紧固锚杆：50s后再次启动钻机边旋转边推进，锚杆螺母在钻机的带动下剪断定位销或推出堵片，托盘快速压紧顶板岩面，使锚杆具有较大的预拉力，锚杆机输出扭矩≥150N·M。

⑥气动扳手二次及时加扭，顶锚杆扭矩不小于200 N·M。

⑦锚杆的外露长度标准为：锚杆螺母外锚杆丝扣10~40mm之间。

（2）帮锚杆安装要求：

①按设计部位打巷道帮锚杆孔：采用风煤钻配合与锚杆等长的钻杆施工。

②送树脂药卷：穿过钢带、金属网向锚杆孔装入树脂药卷，用组装好的锚杆慢慢将树脂药卷推入孔底。

③搅拌树脂：用连接套将帮锚杆钻机与锚杆螺母连接起来，并用锚杆将树脂药卷推入孔底，然后开动钻机边搅拌边推进，保持30s并推入孔底后停止。

④安装锚杆：50s后再次开动钻机，将螺母中的定位销剪断或推出堵片，托盘快速压紧

岩面，安装完毕。

⑤气扳机二次及时加扭，扭矩不小于200N·M。

（3）顶板锚索安装要求：

①打顶板眼：按设计眼位和角度施工安装，眼深按设计要求。

②送树脂药卷：向孔内装入树脂药卷，用钢绞线慢慢将树脂药卷推入孔底。

③搅拌树脂：用搅拌接头将锚杆钻机与钢绞线连接起来，然后升起钻机推进钢绞线，边搅拌边推进，直到推入孔底，停止升钻机搅拌20~30s后停机。

④拉钢绞线：30min后用涨拉千斤顶张拉钢绞线，预紧力不低于100kN，锚杆扭矩力不小于200KN。

（4）帮锚索安装要求：

钻孔→安装树脂药卷和钢绞线→搅拌树脂药卷→30min后安上铁托板、索头→涨拉锚索。

①钻孔采用MQS-50型风煤钻打设，孔深4.0m，孔内岩渣必须清干净。

②锚索锚固端安装两卷Z2455树脂药卷加长锚固，然后插入钢绞线，将药卷缓缓推至孔底。

③用专用搅拌筒将钢绞线与锚杆机对接，开机搅拌，先慢后快，全速搅拌45s，停止搅拌1min，收缩锚杆机，卸下搅拌筒，搅拌后锚索外露长度为距锁具150~250mm。

④涨拉锚索：待树脂药卷凝固30min后装上一个铁托片、索头，用涨拉千斤顶涨拉锚索到设计预紧力（8~12T）后卸下千斤顶，锚固力不得低于20T。

（五）特殊条件下的顶板支护

（1）当两巷遇超高、回采顶板破碎冒落区时，直接用π型梁套棚不能使梁接顶严密时，必须先人工钩顶，采用圆木、板梁、破板等材料钩"#"字形人工假顶，然后再用单体液压支柱打在圆木梁下维护顶板。

（2）当两巷遇地质构造导致顶板破碎或顶板压力增大时，轨道巷机尾密集支柱处应加强支护，采用顺巷打设单体π型梁棚支护顶板。

（3）工作面顶板破碎时，采煤机割顶煤后，及时超前拉架，若移架前顶板冒落，应及时停机，用圆木、板梁将顶够实，然后带压拉破碎顶板处的支架。

（4）支架循环步距要拉够，当端面距大于340mm时，将支架伸缩梁及时伸出支护顶板。当端面距大于600mm时，及时超前拉架支护顶板；当端面距大于1000mm时，必须在每道支架上方穿入两根板梁或圆木，挑至煤帮，维护顶板。

（5）加快工作面推进速度，减小煤壁暴露时间。

（6）工作面机道梁端至煤壁顶板冒落高度超过300mm时，应在支架前梁上方穿入板梁顶住煤帮，移架时要交错移架挑住顶板，并根据实际情况制定详细安全技术措施。

（六）两巷回收规定、步骤、方法和措施（略）

（七）矿压观测及支护监测（略）

五、煤质管理(略)

六、生产系统及要求(略)

七、通风系统及管理

(一)通风系统

1.通风方式

24305工作面回采时采用沿空留巷“Y”形通风方式,胶带巷作为沿空留巷,轨道巷为主进风巷,胶带巷为辅助进风巷。

24305综采工作面采用两进一回“Y”形通风方式,具体风流流向为:

北轨大巷 ——→ 24305轨道巷 ——→ 24305工作面

北轨大巷 ——→ 24305胶带巷

——→ 24305沿空留巷 ——→ 24305回风巷 ——→ 北回大巷

——→ 高家山回风立井

详见图7-1:24305综采工作面通风系统图(略)

(二)风量、风速计算(略)

(三)防尘设施布置及措施

24305综采工作面主采3+4#煤,煤尘具有爆炸性,爆炸指数为21%~30%,因此回采期间必须做好防尘抑爆工作。

1.防尘管路

24305工作面轨道巷、胶带巷和回风巷各敷设一趟4寸静压水管,水压不低得于4MPa;轨道巷每隔100m设置一个三通阀门,胶带巷、回风巷每隔50m设置一个三通阀门。定期进行洒水灭尘。

2.防尘设施

(1)在轨道巷距工作面煤壁50m范围内、胶带巷距工作面煤壁15m范围内以及轨道巷、胶带巷、回风巷口往里30~50m范围内分别安设一道全断面风流净化水幕;在沿空留巷内安设3道风流净化水幕,第一道距工作面机头不超过50m,向后每50m安设一道风流净化水幕,共3道,悬挂于顶板位置,喷嘴迎着风流与巷道成45°夹角,且每道喷雾不少于5个喷嘴,并能够覆盖全断面,雾化效果良好。在沿空留巷第一道风流净化水幕和回风巷风流净化水幕后小于0.3m处安设捕尘网,对回风流加强净化。防尘砂网规格:1.5m×3m。

(2)各转载点喷雾要求必须固定,雾化良好,能覆盖全部落煤点。

(3)采煤机内、外喷雾装置必须保证齐全,喷雾雾化效果良好,覆盖全滚筒,外喷雾水压不得低于1.5MPa,内喷雾、架间喷雾水压不得低于2MPa,每道支架安设一道移架手动喷雾装置,共安设131道喷雾(工作面缩短后为71道),雾化效果必须良好。

加强综合防尘管理,综采二队必须在轨道巷加设清水加压泵,确保各喷雾雾化良好后方可进行生产。

3.隔爆设施

在24305轨道巷、胶带巷、回风巷中距切眼200m开始每隔200m设置一组隔爆水袋，水量不低于200L/M2，相邻两排水袋间距1.6m。

详见图7-2：24305综采工作面防尘示意图（略）

4.煤层注水

由通风队负责煤层注水工作，从轨道巷、胶带巷距工作面最近的第一个本煤层钻孔作为注水孔，往后每6m的原钻孔作为下一个注水孔，各布置5个注水孔，最后一个注水孔控制在30m左右。每个孔注水静压力不得小于1.5MPa。随着工作面的推进及现场实际情况，将距工作面最近的注水孔和最后一个注水孔的下一个6m钻孔进行交替注水。若发现两个注水孔之间的钻孔或其中一个钻孔泄水时，要及时停止注水。在完成注水后，需要设置堵头，做好标记。

在注水过程中，每班要做好记录，记录当班的注水压力、流量、注水的孔数、当班注水量等。

（四）防尘管理要求及制度

（1）坚持综合防尘制度，工作面作业人员按规定戴好防尘口罩，做好个体防护。

（2）工作面及所有巷道煤尘超标或堆积时，必须停止作业，进行处理。

（3）工作面及其机头出口向外30m必须每班冲洗一次，各转载点前后20m范围内由相关设备司机每班洒水冲洗一次，设备周围有浮煤时必须及时清扫干净。轨道巷、回风巷、胶带巷、沿空留巷必须由专人负责每天洒水冲洗一次，严禁冲洗探头及电气设备。

（4）隔爆水袋必须定期加水，挂牌管理，确保水量充足，并指定维护人对报废的水袋要及时更换。

（5）防尘设施要按设计要求安装齐全，并坚持正常使用，损坏、失效的设施要及时维修或更换。

（6）每班岗位人员必须清扫干净系统车、开关及各种设备煤尘，两巷文明卫生必须符合标准，爱护防尘设施，并正常使用。

（7）综合防尘工作由施工队组技术员负责，指派专人对防尘设施的安设、检修及维护。

（8）工作面每道支架安设一道架间喷雾，喷头为高效喷头，喷头要迎着风流倾斜向下固定在支架上，达到雾化标准。转载机、运输机头安设一个高效喷头，责任落实在司机身上，负责清理。拉架前必须保证架间喷雾有效，方可进行移架工序。

（9）轨道巷、胶带巷、回风巷各安设三组隔爆水袋，轨道、回风隔爆水袋个数164个，每排4个，共41排。胶带隔爆水袋个数205个，每排5个，共41排。水量大于容积的2/3，达到20升/个，定期冲洗、挪移。

（10）轨道巷距工作面30m安设一道净化水幕，胶带巷距工作面100m安设一道净化水幕，随工作面推进，由专人挪移，水幕必须能够覆盖全断面，轨道巷每隔100m，胶带巷、回风巷每隔50m安设一个洒水灭尘三通。

（11）采煤机必须安设有良好的内、外喷雾，采煤机操作人员必须每班清理喷嘴。

（12）井下巷道不得有厚度超过2mm，连续长度超过5m的煤尘堆积，要经常打扫。

(13)对巷道壁、设备、电缆、压风压水管路以及抽放管路上的煤尘要经常打扫，保持无积尘。

(14)检修班必须班班清扫工作面液压支架、变电专列及顺槽高压电缆、压风压水管路以及抽放管路上的煤尘，以落尘厚度不超过2mm，连续长度不超过5m为标准。

(五)防灭火设施布置及措施(略)

(六)瓦斯抽采(略)

(七)通风系统管理规定及措施(略)

八、劳动组织及作业方式

(一)劳动组织

工作面工作制为“四六”制作业，作业方式为：两班出煤一班检修、一班充填。

(二)正规循环作业图表

1.循环方式：为多循环作业

200m工作面时，圆班割煤6刀，采取早班检修、运料，中班充填，大夜班割煤的方式作业。110m工作面时，圆班割煤8刀，采取早班检修、充填、运料，中班割煤，大夜班前半个班运料、充填，后半班割煤的方式作业。一刀为一个循环，循环进度0.6m。

2.循环产量及工效

Q =610(t)

Q面=336(t)

日产量：Q面=3660(t)

　　　　Q面=2688(t)

月产量：Q面=109800(t)

　　　　Q面=80640(t)

3.回采直接工效

工作面切眼200m时回采工效：η=3660/163=22.45(t/工)

工作面切眼110m时回采工效：η=2688/163=16.49(t/工)

(三)工作面主要经济技术指标

工作面主要经济技术指标表(略)

九、防治水

(一)水文地质情况分析

1.地表水分析

根据《井上、下对照图》以及实地勘探，该工作面地表无任何水体。

2.地质构造导水通道水害分析(略)

3.顶板砂岩裂隙水害分析(略)

(二)防治水措施

(1)工作面形成后已沿顺槽方向每隔45m施工一个探测孔，均无出水征兆，队组在回采过程中仍需密切关注这些探测孔，如有异常及时通知相关部门。

(2)加强排水系统管理,特别是巷道低洼处水仓、大功率水泵的管理,以便保证工作面积水及时排除。

(3)在回采过程中严格执行《24305工作面防治水安全技术措施》。

(三)防治水工程和排水设施

(1)工作面在回采过程中,随回采进度要在24305轨道巷配备一趟排水管;两台水泵。在24305胶带巷配备一趟排水管;两台水泵,一台工作,一台备用。各水仓内配置一台水泵,并视出水情况适当增加水泵(要求:使用D85-45×2型水泵,功率37kW,流量85m/h,扬程90m。排水管必须为4寸管)。

(2)配电设施:应同水泵、水管相适应,且能同时开动工作泵及备用泵。

(3)排水路线:24305工作面→水仓→水泵→水管→北翼轨道大巷水沟→中央水仓→地面。

(4)如果工作面出水水量增大,应适当增加水泵及排水管路,保证排水设施能在20h内排出24h的正常涌水量。

(5)水仓的管理:由采区机电队派专人负责,并定期清淤维护。

(6)排水方法:接力式排水

十、防治煤与瓦斯突出

(一)区域"四位一体"综合防突措施

1.区域突出危险性预测

根据抚顺院提交关于4#煤层突出危险性鉴定结果,4#煤层鉴定为突出煤层,严格按突出煤层进行防突管理,不再进行区域突出危险性预测。

2.区域防突措施

24305综采工作面采用顺层钻孔预抽回采区域煤层瓦斯的区域防突措施,钻孔要求辐射整个回采区域。

24305工作面顺层钻孔在轨道巷和胶带巷对向施工。24305工作面顺层钻孔采用ZDY-1200L型钻机施工,24305胶带(轨道)880m到980m范围内钻孔间距设计为3m,24305胶带(轨道)0m到880m范围内钻孔间距设计为6m,倾角都为-1°(+1°),单孔孔深为110m,钻孔倾角可根据现场施工情况进行调整,确保钻孔在煤层中的深度。

24305工作面切眼采帮钻孔设计采用国产ZDY-1200L型钻机施工,钻孔间距为6m,孔深60m,钻孔孔深可根据胶带巷本煤层钻孔的施工情况而适当加深。钻孔倾角为-6°(+6°),垂直煤壁钻进。

3.区域措施效果检验(略)

4.区域验证(略)

(二)局部"四位一体"综合防突措施

1.工作面突出危险性预测

(1)工作面突出危险性预测方法与区域验证方法相同。

(2)经工作面预测有突出危险性时采取工作面防突措施。

(3)经工作面预测无突出危险性时,在执行安全防护措施后进行回采作业。

2.工作面防突措施

（1）经预测有突出危险时，首先采取超前排放瓦斯措施。视工作面实际情况在超标钻孔左右10m范围内每2m施工1个瓦斯释放钻孔孔。瓦斯释放钻孔孔径75mm,孔深至少15m，瓦斯释放钻孔超前距保留5m。

（2）在工作面施工超前瓦斯释放钻孔时，超前瓦斯释放钻孔必须保持自然释放状态，直至各项指标符合要求为准。

（3）如采取超前瓦斯释放钻孔效果不佳时，则考虑另行采取补充措施。

3.工作面措施效果检验（略）

4.安全防护措施

（1）工作面必须形成独立的通风系统：

工作面必须构成独立通风系统。严禁串联通风，并保持回风系统中不设通风设施，保证风流畅通，回风系统内严禁行人和作业；与回风系统相连的风门、密闭、风桥等通风设施必须坚固可靠，防止煤与瓦斯突出发生后，瓦斯涌入其他区域；风流调节设施等只能在进风侧构筑，不允许移入回风系统之中。

（2）佩戴自救器：

①凡入井人员必须随身携带隔离式自救器，不得随意离身。

②入井自救器质量必须符合规定，自救器管理单位必须定期对自救器进行标校，及时进行检查，保证其质量。

十一、安全技术措施

（一）一般规定

（1）所有上岗人员必须严格执行《煤矿安全规程》、《24305综采工作面作业规程》和《综采工作面操作规程》。严禁违章指挥、违章作业、违反劳动纪律。

（2）所有上岗人员都必须持证上岗，严格执行岗位责任制、现场交接班制等队里的制度。

（3）所有上岗人员上岗前都必须学习本规程，学习后人人签字并进行考试，不合格不得上岗。

（4）加强工作面设备的管理，要按设备的完好标准进行检修和保养，保证设备处于完好状态。

（5）为防止重大事故的发生，工作面的各监测系统、通风系统、防尘系统、抽采系统、通信系统，应及时保证其完好，并坚持正常使用。

（6）在超高地点作业时，必须使用牢固可靠的施工平台或脚手架，并设专人监护顶板状况。

（7）加强矿压观测工作，掌握工作面顶板活动规律，进行来压预报，正确指导生产，工作面安装观测压力的压力表必须维修、保养好，不得遗失，损坏的要及时更换。

（8）严禁人员跨越运行的刮板机或转载机；严禁人员在停止的刮板运输机上行走。人员经常跨越的运输设备上方，要安装牢固的行人过桥，并悬挂醒目的标志牌。

（二）工程质量要求

1.质量要求

（1）工作面必须保持三直、一平、两畅通、一净、无漏液。

三直:工作面运输机直、支架直、煤壁直。

一平:溜子平。

两畅通:胶带、轨道巷及两端头安全出口畅通无阻。安全出口高度不低于1.8m,宽度不小于0.8m(作业人员从运输机机头安全出口通过时,必须停机闭锁工作面采煤机、运输机和转载机。否则,严禁人员通过)。

一净:所有设备清洁卫生,无浮煤、杂物。

无漏液:所有液压设备无漏液、串液现象。

(2)支架及超前、端头单体支柱实行编号管理,两巷材料、设备分类存放,并有标志牌。

(3)工作面必须吊挂“设备布置图”、“通风系统图”、“监测通信系统图”、“工作面避灾路线图”、“供电系统图”、“工作面支护示意图”、“正规循环作业图表”等牌板,牌板必须清晰齐全,干净整洁,能够有效指导生产。

(三)采煤安全技术措施(略)

(四)机电安全技术措施

1.机电设备检修一般规定

(1)检修人员必须熟悉设备的结构、性能。设备检修前,必须切断电源,实施闭锁,挂上停电牌,检修完毕后,必须经检修人员同意,方可由专人送电,严禁带电检修和搬运电气设备;拆卸有压容器和工件前,必须先将压力释放;对部件进行更换(抢修)时,必须有班长以上人员在现场统一指挥、监护。

(2)人员在超高地点检修时,必须佩戴牢固的保险绳。

(3)检修前要检查施工地点附近机器设备,妨碍到检修的机器设备必须切断电源,实施闭锁,挂上停电牌,检修完毕后,必须经检修人员同意,方可由专人送电。

(4)检修前要检查施工地点顶板、煤壁、支护等情况,严格执行敲帮问顶制度,严禁在空帮空顶下作业。检修完毕后要重负荷试运转,正常后,方可现场交接班。

(5)每班交班时必须及时清理净采煤机、刮板运输机机头和机尾电机齿箱上、下及两侧的浮煤和杂物。

(6)检修前要把机器设备上的浮煤杂物清理干净;检修后,必须保证每台设备的保护设施灵敏可靠,试验有效。严格按照日、周、月、季检要求逐项、逐台检查,每项检修工作都要认真做好详细记录。

2.采煤机检修

(1)采煤机上必须装有能停止工作面刮板输送机运行的闭锁装置,并正常使用。采煤机停止工作或检修时,必须切断电源,并打开其磁力起动器的隔离开关并拔出滚筒离合器。启动采煤机前,必须先巡视采煤机四周,确认采煤机启动对人员无危险后,方可合上隔离手把、滚筒离合器,之后接通电源。

(2)采煤机检修时要停放在顶板完整、支护完好的地点,将采煤机身范围内的支架护住顶;严禁人员操作或检修支架;切断采煤机电源、闭锁、挂牌,拉出滚筒离合,并将采煤机身浮煤清理干净。

(3)认真检查拖缆装置是否完好,连接销有无损坏,电缆和水管有无挤压和损坏;内、外喷雾有无堵塞和损坏，水过滤器是否堵塞，水压是否正常，水量是否充足。

（4）检查齿轨及齿轨销子是否齐全牢固；检查截齿及齿座有无损坏和残缺，缺失、损坏的截齿必须及时更换补齐。

（5）采煤机各主要部件螺栓是否紧固齐全，各部件间的对接螺栓应保持紧固；并按规定向各部位注油。

（6）操作按钮、“紧急停止”旋钮是否灵敏可靠；各种指示窗、压力表是否正常。

（7）采煤机工作时各部位有无异常声响，调高、牵引装置是否灵敏可靠。

（8）每天对采煤机各电机、电缆的绝缘值进行测定，达不到规定值必须及时查明原因进行处理。

（9）定期对油池内的油脂取样检查，变质的要及时更换；定期打开各接线腔，检查接线头是否松动，腔内是否潮湿。

（10）当人员进入煤帮检修采煤机时：

①必须断开采煤机隔离开关和离合器，并对工作面刮板输送机施行闭锁；

②严格执行敲帮问顶制度，先找掉浮煤危矸，并护顶护帮；

③若工作面有片帮预兆或梁端空顶时，必须及时处理，严禁空顶下作业；

④作业期间要设专人监护施工地点附近的煤帮、顶板情况，发现异常情况必须及时撤人；

⑤更换截齿以及在滚筒前后3m以内有人工作时，必须护帮护顶，切断电源。

3.液压支架检修

（1）检修工检修支架前必须观察煤帮及顶板情况，在片帮或顶板破碎地点，不得随意动作支架。

（2）检查液压系统有无漏液、窜液现象，管路有无堵塞、卡、埋压和损坏等情况，发现问题要及时处理或更换。

（3）检查千斤顶、联接销轴有无变形和损坏，发现问题要及时处理。

（4）定期对按钮检修，保证其操作灵敏可靠。

（5）拆卸主高压胶管时，必须先停乳化液泵或关闭供液截止阀，并卸压，确定无压后方可进行拆卸；更换高压胶管时，严禁将高压胶管的管头对着人员，严禁将高压胶管的管头随手放置在地下；严禁高压胶管敞口供液。

（6）维修液压系统时要关闭进液截止阀，保持液压系统清洁。

（7）拆修顶梁、底座、推拉杆、立柱等大型部件时必须有专项安全技术措施。

4.破碎机检修

（1）设定专职检修人员，检修前必须将转载机内煤运空，切断转载机、破碎机电源，机械闭锁并悬挂停电牌。

（2）检查各部位连接件是否松动。

（3）检查传动部件是否有损伤，确保传动部件良好；检查传动皮带张紧情况。

（4）检查锤头的连接处是否有松动和丢失现象，磨损严重时，应整套更换或按相对位置成对更换。

(5)检查各部位油位和油脂污染情况，及时注油或换油；定期在润滑部位内注锂基润滑脂。

(6)定期检查电气系统的绝缘情况和接头连接情况，防爆面要保持清洁，电缆破损时，必须更换，接线头松动时，必须重新及时紧固。

(7)更换锤头等大型部件时必须有专项安全技术措施。

5.刮板运输机、转载机的检修

(1)检查拨链器的工作情况，有无歪斜卡链现象。

(2)检查中部槽、过渡槽是否抬起，固定部件有无损坏。

(3)检查机头、机尾架有无损坏变形现象。

(4)检查连接减速器的底脚螺栓是否紧固。

(5)检查减速箱的油质是否良好，油量是否符合规定，齿轮的润滑状况和齿轮的啮合情况。

(6)及时更换损坏的链环、连接环和刮板，链条松动时要及时紧固，并经常检查齿轨的安设紧固、完整情况。

(7)每班检查机头、机尾电机的温度、冷却水量，发现问题，要查明原因，进行处理，严禁电机带病运行。

(8)每班应注意调整工作面刮板输送机与转载机的配合位置和高度，以达最佳的工作状态，减少带回头煤，防止铁器、矸石等杂物进入底槽中。

(9)转载机未封闭段必须设置防护设施。

(10)检修工必须清除传动部、电机、减速器上的浮煤以及其他杂物，以利散热。

(11)认真做好各班检修记录，详细注明检修、检查部位、更换部件、注油及故障处理情况。

6.皮带输送机检修

(1)检修皮带机前先将控制开关打到停止位置，闭锁并挂停电牌。

(2)检查驱动滚筒、换向滚筒、张紧绞车、齿箱输入(输出)轴等部位的润滑油脂，并及时加注、补充润滑油；检查电机、减速器、输出轴连轴器是否完好；联轴节的易熔塞严禁用其他物料代替。

(3)检查齿轮箱、油路、冷却系统及管接头是否漏油，观察有无震动或异常噪音。

(4)定期提取油样分析污染和磨损情况，检查液压部件是否工作正常。

(5)检查所有电气接线是否松动，导线有无磨损，清除电气箱内的灰尘、脏物；检查皮带机温度、烟雾、堆煤和速度传感器以及跑偏装置是否灵敏可靠。

(6)检查各联结螺栓是否紧固，及时更换转动不灵活或磨损严重的上下托辊。

(7)每天必须试验一次皮带机综合保护装置，确保其灵敏可靠。

(8)对有开裂或受损的皮带接头，必须及时重新做接头；更换受损严重的皮带和有问题的部件；皮带机跑偏须及时调整。

(9)底板上的浮煤和积水，特别是机尾、转载点及清煤器处堆积的浮煤和积水，必须及时清理干净，但必须在系统停止运行时进行清理。

（10）每次拉转载机及检修班时必须经常检查转载机与皮带机的搭接情况，有可能影响生产班生产时必须及时缩皮带机尾。

（11）检查绞车张紧装置的可靠性，检查皮带储带仓内跑车在导轨上的移动情况，及时清除导轨上的障碍物；检查安全防护网的固定是否牢靠。

7.乳化液泵检修

（1）注意观察泵站压力是否稳定在调定的范围之内，如发现压力变化较大时，应及时停泵，查明原因并进行处理。

（2）注意运转声音是否正常，发现声音不正常或振动较大时，应及时停泵检查处理。

（3）乳化泵各部螺栓及连接部件，特别是泵头吸液阀和排液阀的螺栓不得松动。

（4）确保泵箱密封性，严禁进入杂质，保证水质符合要求；每班检查乳化液的配比浓度不少于3次，浓度必须保持在3%～5%之间。

（5）检查各部管路及接头，如有漏液须及时处理。

（6）检查柱塞密封情况，发现密封损坏要及时更换。

（7）检查乳化泵吸液阀、排液阀情况，不合格的须及时更换、处理。

（8）定期检查蓄能器的压力，若低于规定值时应立即停止使用。

（9）检查轴瓦和十字头螺钉是否松动，检查润滑油，如油质不合格，须及时更换。

（10）清除泵站周围的杂物，擦去机器上的煤尘和油污，搞好泵站的环境文明卫生工作。

8.井下电器设备维护

（1）电气设备检修人员要正确使用绝缘用具，熟练掌握电气设备性能及使用、维护技术，保证电气设备完好、运行可靠；绝缘用具和高压验电器要按周期检验并合格；非专职人员或者非值班电气人员不得擅自操作电气设备。

（2）电气设备操作必须严格遵守操作规程规定，开关把手在切断电源时必须闭锁，并悬挂“有人工作，严禁送电”字样警示牌，并安排专人看管，坚持做到谁停电、谁送电，严禁带电检修或移动电气设备。

（3）定期检查电气设备的防爆性能、绝缘性能、保护性能和使用性能，对不符合要求的设备应及时更换，保证安全生产。

（4）工作面各种移动式的电缆，必须严加保护，避免水淋、撞击、挤压和炮崩。每班必须进行检查，发现损伤，及时处理。

（5）停电后用电压等级相一致完好的验电笔进行验电、放电（瓦斯浓度在0.8%以下），确认安全后方可进行工作；检修完毕要进行全面检查，确认无误后方可送电。

（6）使用的电气仪表、设备必须符合安全要求标准，否则不得下井使用。

（7）电工检修设备或处理设备故障时，必须与有关人员联系好，并安设专人负责看管运转设备可能伤及检修人员的设备的开关或闭锁，必要时安排专人停电闭锁。

（8）隔爆型电气设备（各类开关）维护事项：

①外壳螺栓齐全紧固，严禁出现外壳裂纹或开焊贯穿腔体，各操作手把、按钮要齐全，灵敏可靠。

②严禁接线出现鸡爪子、羊尾巴、明接头。接地线连接良好，接地螺栓无锈蚀。

③各种保护装置动作灵敏、可靠。

④电缆引入装置零件齐全紧固，防拔脱装置完好可靠。

⑤连接电缆的引入装置、闲置的喇叭嘴要用合格的橡胶密封圈和镀锌挡板进行密封；严禁密封圈割开使用、电缆护套与密封圈接合部位经刀削或包扎加工处理。

⑥定期检查设备的隔爆性能，要求外壳无变形、裂纹或严重锈蚀，隔爆面符合完好标准，凡士林涂抹清洁均匀；防爆结合面的间隙要符合完好标准要求，并不得出现缺少紧固螺丝现象。

⑦高压隔爆开关接线盒引入高压电缆后必须使用密封圈或灌注绝缘材料。

⑧严禁出现接线柱烧坏使两独立空腔连通、密封圈的单孔内穿进多根电缆。

⑨定期检查电机、开关及电缆的绝缘值。

⑩电气设备完好，无变形锈蚀、磨损不超过标准要求，接线要符合规定要求。

(9)移动变电站维护及注意事项：

①定期检查开关外壳、各隔爆面配合处有无划伤或损坏，隔爆间隙是否符合完好标准；

②各电缆连接要符合要求，不用的接线孔应当用橡胶密封圈、镀锌堵板和压紧法兰盘密封；

③各操作手把、按钮和旋钮要灵活可靠，继电器动作要正常；

④过流、漏电、过负荷、接地等保护装置动作要灵敏可靠，整定值符合要求；

⑤各种螺栓、弹簧垫圈要齐全、紧固，接地装置要齐全并连接良好；

⑥移变高、低压侧检修必须按矿制度的有关规定进行签字、停送电管理。

9.刮板运输机、转载机掐、接链条

(1)准备连接环、钢锯、扳手、抱闸等工器具。

(2)将刮板运输机(或转载机)开空，并将待掐接链条段开至机头(或机尾)附近，将刮板运输机(或转载机)停电闭锁。

(3)严格执行“敲帮问顶”制度，将工作场所及周围煤壁、顶板的松动煤、矸清除，确保煤壁、顶板安全；闭锁施工地点上下各10架支架控制器并关闭其供液截止阀，并专人看护。

(4)严格按照紧、掐链顺序进行工作。人员必须躲开链条受力方向。

(5)紧链时，必须用紧链器进行紧、掐链，严禁用单体液压支柱或其他物体进行紧、掐链。

(6)紧链时，输送机上无浮煤、矸，无杂物，无关人员要远避链条。

(7)紧链前应认真检查紧链装置，如止链楔、抱闸的完好情况，否则不得进行紧链工作。

(8)紧链程序：

①将调整部位运行到机头3m左右处停机。

②将止链楔固定在机头第四节溜子上。

③反转输送机，使止链楔楔紧输送机刮板，这时一人点动电机，一人握紧抱闸手把，待紧到合适位置，拧紧固定好抱闸；然后，进行掐、紧链工作。掐、紧链期间必须专人把握抱闸，严禁松动，严禁操作刮板输送机。

④待紧、掐链完毕，松开抱闸，输送机恢复到正转位置。点动输送机，取下止链楔，正常运转。

(9)将连接环卸开或使用钢锯将链条锯开,将多余链条掐掉。使用钢锯锯链条时,必须对锯动处浇水,防止产生火花。

(10)掐掉多余链条后,用活接环将链条重新接好,调整相应刮板位置。

(11)接链时要注意,严防链条扭劲。

(12)链条掐、接好后,要对链条、刮板及溜槽再仔细检查一遍,没有问题后,方可联系试车。

10.起吊、更换大件安全技术措施

(1)施工现场悬挂瓦斯便携检测仪,注意工作地点的瓦斯浓度变化情况,当瓦斯超限时,必须立即停止作业,进行处理,待浓度低于0.8%后方可继续作业。

(2)起吊前要认真检查顶板、支护等情况,选择牢固的起吊点,且派专人观察顶板、煤帮及起吊点的情况,发现安全隐患立即停止作业,待隐患排除后方可继续施工。

(3)更换采煤机截割电机、行走轮、滑靴、摇臂等大件时,必须在作业地点附近对煤帮进行背帮处理,人员作业时,必须站在支架下方的安全地点,严禁站在架间作业,防止被掉落的煤矸砸伤。

(4)起吊施工前,要检查起吊用具,包括手拉葫芦、绳头、锚链、联接环等,如有异常,必须停止使用,并查明原因进行处理或更换;起吊用具严禁超负荷使用。

(5)人工搬移大件时,要有足够人数,口令一致,防止碰手碰脚。

(6)使用手拉葫芦起重时,手拉葫芦必须完好,设备与手拉葫芦相匹配,吊挂(锚链)牢固,吊挂位置合理。

(7)起吊时人员要站在安全且有退路的地点。

(8)运输机拉运大件时,头尾设置警戒,闭锁键前有专人,到位后及时停车。

(9)选好起吊位置和受力角度,起吊前,必须检查捆绑是否牢固;使用锚链、联接环时,必须穿上螺丝并预紧螺母;起吊时,操作人员严禁站在起吊物的下方和倾斜下方,严禁随起吊物升降;起吊点周围5m内严禁起吊以外人员进入。

(10)操作手拉葫芦人员要随时根据受力调整起吊方位,准确操作,掌握力度,当阻力过大时,应立即停止拉链,查找出原因后再拉,不得强拉硬拽,以免挤坏设备或拉断葫芦链。

(11)起吊设备以液压支架为起吊固定点时,必须在煤壁侧给支架加打单体,加强支护,且严禁停乳化液泵。

(12)更换设备部件前,应安排生产班在作业点留出支架步距,如果更换采煤机的部件,应将采煤机牵引至机尾,顶板完好处;如果更换刮板输送机设备,就要留出作业空间,为更换设备创造条件。

(13)使用千斤顶起重时,千斤顶应放置平稳,不得倒置使用千斤顶;随着重物升起,及时在重物下垫保险枕木。

(14)用回柱绞车作业时,绳道内严禁有人;用滑轮导向时,滑轮必须用锚链与支架前梁固定牢固,锚链连接环必须装上螺栓。绞车牵引阻力过大时,要及时发送信号停车检查,严禁强拉硬拽。

(15)拉运设备时,必须设专人进行警戒,严禁闲杂人员进入拉运路线段。使用绞车拉运时，要设好警戒，人员避开钢丝绳的波及范围。

(16)施工现场要有班长及以上人员现场跟班检查、监护安全，统一指挥，协调处理施工过程中出现的各类问题。

(17)工作面更换采煤机滚筒等大件时必须编制专项安全技术措施。

(五)运输措施

(1)各工种人员必须持证上岗，严格执行《三大规程》，并严格遵守本工种安全作业标准。

(2)所有运输设备必须有可靠的信号装置联系，信号要求“声光兼备”，信号不清严禁启运设备。

(3)运输作业期间，安全员必须严格把关，杜绝平行作业。

(4)井下运输作业，严格执行“行人不行车，行车不行人”的制度，人员行走要走人行道，严禁在道心行走，见有红灯或警戒人员警示时必须躲在运输区段外的安全地点或躲避硐室中。

(5)运输过程中，非车场和摘挂钩点，不得随意挂钩，如发生事故或其他特殊情况需要摘挂钩时，必须在尾车下行方向安设牢固的挡车设施。

(6)运输过程中，车辆不得在坡道停留，特殊情况需要停留时，司机必须刹紧闸把，同时不得离开岗位，待车辆停稳，确认无误后，由运料人员负责在车辆下行方向设置可靠的挡车设施。

(7)车辆通过岔道口或过拐弯时，要事先安排专人放好警戒，禁止闲杂人员进入运输区段。

(8)车辆落道时做好安全措施并要利用专用上道工具上道，禁止利用绞车硬拉复位。

(9)绞车运输作业完成后，解除警戒，关闭各阻车安全设施。

(六)其他措施

1.处理倒架安全技术措施

(1)对因底板过软而造成倒架时，可在支架底座前端铺设板梁或道木(长度视具体情况而定)。

(2)控制工作面采高，防止超高倒架，必要时采用支架吊运输机，人员必须站在安全地点，防止吊运输机时锚链崩断伤人。

(3)支架倒架不严重时，可用支架侧护板配合调底座千斤顶进行调架作业。

(4)出现咬架、倒架严重时要使用单体或千斤顶辅助调架。单体打设要牢靠，并用双股10#铁丝拴牢。人员必须站在安全地点远距离供液。调整支架时，人员协调配合，防止误动作伤人。

(5)为防止工作面输送机的上窜下滑，工作面应调成伪倾斜，即：工作面上端头超前下端头一定距离(在实际生产过程中，可根据现场情况进行调整，保证输送机位置的相对稳定)。在此基础上，当工作面输送机上窜(或下滑)时，可采用机头多进(或少进)、机尾少进(或多进)的方法来减少或增加上端头超前下端头的距离，必要时可采用单向推溜方式配合作业。

(6)工作面调整采向时应逐步进行，调整采向期间要保证工作面的平直，防止工作面出现急弯、陡坡。

(7)为了防止工作面两端头支架发生倒架现象，129#和131#支架分别用φ15.5mm钢丝绳连接(130#支架不准连接)，钢丝绳固定在平衡油缸上，钢丝绳的两头分别用15#钢丝绳绳卡固定好，钢丝绳每头用不少于3道以免阻碍拉移支架。因工作面两端头断面积较大，拉移支架时，严禁使用成组拉移支架。

倒架严重使用以上方法不能调整时，必须编制专项安全技术措施。

2.起吊刮板输送机

工作面回采过程中，如工作面局部出现底板松软，刮板输送机可能会下陷，造成推溜困难，需要起吊：

(1)严格执行在煤壁侧作业安全措施，起吊只能单向或从中间向两端施工，严禁从两头向中间施工。

(2)起吊前，将刮板输送机开空并停电闭锁，专人看护闭锁；采煤机牵引至距离起吊位置30m以外，并停电闭锁。将起吊范围及上下各10架范围支架手把回零，关闭支架供液截止阀，并安排专人看护。在起吊地点上下各10m位置设置警戒，严禁起吊以外人员进入。

(3)起吊前，严格执行敲帮问顶制度，将起吊施工地点顶板、煤壁的松动煤、矸清除，顶板破碎时，要先维护顶板，煤壁易片时，要先背帮，确保顶板煤壁安全，并安设专人监护顶帮安全。

(4)将支架千斤顶伸出，千斤顶一端通过链条和螺栓固定在起吊段溜槽铲煤板上，另一端通过链条和螺栓固定在支架的可靠位置。

(5)所有人员躲到起吊地点5m外的支架立柱后，操作供液手把，使起吊千斤顶收缩，将溜槽吊起。

(6)稳定后，用木料将溜槽垫好。

3.回收帮锚杆、圆钢钢带等杂物安全技术措施

(1)采煤机割煤至端头时，采煤机司机要密切注意端头情况，严禁用采煤机滚筒硬割钢带、锚杆等金属件。

(2)回收锚杆、钢带时，先用采煤机松动锚杆、钢带，然后将采煤机退至距离锚杆10m外，并停止运转；刮板输送机必须停电、闭锁，脱开滚筒离合器并确认无误后，方可进行拿锚杆作业。

(3)当发现有锚杆、钢带等杂物进入出煤系统时，应立即闭锁相关运转设备，待拿出锚杆、钢带等杂物后，方可继续作业。

(4)在进行拿取锚杆、钢带等杂物作业时，人员必须用专用长把工具钩出。

(5)在机头机尾进刀时，若锚杆、钢带缠在采煤机滚筒上，应立即停止滚筒转动，将采煤机滚筒抬高，并停放到至少距离端头10m以外，然后切断采煤机电源，脱开采煤机滚筒离合器，并闭锁工作面刮板运输机，否则严禁靠近滚筒。

(6)拿锚杆、钢带等杂物时，液压支架伸缩梁必须打至煤壁，支护好顶板；护帮板必须护住煤帮后，待班组长用长把工具找去支架之间的浮矸危岩后，方可进行作业。

(7)完成锚杆、钢带等杂物作业后，必须待人员进入安全地点，并确认无误后方可开机。

4.刮板运输机管理安全技术措施

(1)司机必须经过专业培训，考试合格并取得操作合格证后，方准上岗。

(2)交接班时,上下班司机必须交接清设备运转状况、存在的问题及注意事项。

(3)司机工作时必须集中精力,不准擅离岗位,不得委托无证人员开机,并应负责清理机头附近巷道内的杂物。

(4)司机必须按规定的信号开、停输送机,每次开机前必须先发出警号,通知人员离开机器的转动部位,经两次点动后再正常运转。

(5)刮板运输机机头机尾安设牢固,机尾必须打好地锚固定牢固可靠。

(6)运输过程中出现以下情况时应立即停机,处理后方可继续开机:

①超负荷运转发生停机时;

②刮板链出槽、飘链、掉链、跳齿、断链,以及连接环缺螺丝或损坏时;

③电气或机械部件温升超限或运转声音异常时;

④液力耦合器的易熔塞熔化或防暴片爆破,造成工作介质喷出时;

⑤输送机运转危及人员安全时;

⑥出现停车或不明信号时。

(7)必须使用卡链器或手拉葫芦进行掐、接链条工作,人员必须躲离链条受力方向,以防断链伤人。

(8)在对输送机检修、处理故障或做其他工作时,必须锁闭输送机的控制开关,挂上“有人工作,不许合闸”的停电牌,并有专人看护。

(9)刮板机上严禁有人及堆放的杂物。

(10)做好刮板输送机日常维修,要勤检查、勤注油、勤清理、勤修理。

5.拆除抽放管路安全技术措施

(1)作业前备齐所需的扳手、钳子等工具,按由下向上、由里向外顺序逐节拆除抽放管。

(2)施工前班组长要全面检查作业地点安全情况,检查吊挂抽放管的钢丝绳是否牢固,顶板、煤帮是否完好,安排有经验的工人对作业区域进行“敲帮问顶”,确保安全才能施工。

(3)施工前须对作业地点附近的管路及设备加以可靠保护,严防损坏。

(4)作业时要对施工地点20m范围进行瓦斯浓度检测,当瓦斯浓度低于0.8%才可以施工。

(5)施工前,施工地点前后两端各5m处设置警戒,与作业无关人员严禁在施工地点随意走动、停留。

(6)在施工过程中工具严禁抛接,只准传递,防止工具从高处跌落,砸伤人。

(7)拆除抽放管时,四人协调作业,一人监护,两人各自用手分别托住抽放管两端,一人卸除法兰盘上的螺丝,然后再卸除吊挂抽放管的钢丝绳,最后托抽放管的两人慢慢地把抽放管放到地上。

(8)施工时人员必须协调好,托抽放管时要拿稳,放管子时要慢慢地放下,搬运时要轻拿轻放,防止挤手碰脚。

(9)若施工空间超高不便于施工时,必须采用脚手架或搭设安全的施工平台。

(10)施工必须有一名班长或班长以上人员现场监护,把好安全、质量关。

(11)拆除的抽放管要集中靠下帮码放,距离轨道不得小于0.4m,并摆放整齐,及时由抽采公司抽放队回收,严禁乱堆、乱放。

6.处理机尾采空区悬顶安全技术措施

随着工作面的回采，当运输机机尾局部顶板完整，进入落山后不易跨落时，易导致落山悬顶面积增加，为消除隐患保证正常回采，特制定如下安全技术措施：

为防止机尾落山局部发生悬顶现象，需对机尾处顶锚杆、锚索拆卸，具体情况如下：

(1)当轨道巷顶板压力小，顶板平整，无破碎顶时，以及悬顶小于2×5㎡的情况下，顶锚杆、锚索应在机头、机尾切顶线外(靠采帮侧)2~3m范围内进行拆卸，锚杆、锚索必须全部拆卸，铁丝网必须剪断。

(2)当轨道巷顶板压力较大，顶板不完整，或遇破碎顶时，顶板锚杆可以间隔800mm(即一排距离)拆卸，但铁丝网必须剪断，顶锚索必须拆卸。

(3)当轨道巷顶板压力很大，巷道变形严重时，为保护人身安全，顶板锚杆、锚索严禁拆卸。

(4)在轨道巷拆卸顶锚时，务必在保证安全的前提下进行顶锚的拆卸工作。

(5)特殊情况时，应视实际情况，进行拆卸顶锚。

(6)上述情况进行顶锚拆卸，务必保证采空区及时有效的垮落。

7.超前维护段π型梁、铁柱帽防坠落措施

(1)为防止π型坠落，在需要架设π型钢梁的地方，人工配合将其π型钢梁抬至单体液压支柱上方，然后利用送液枪将其单体液压支柱慢慢升紧、升牢。

(2)作业及回收时，至少5人协调作业，2人抬π型梁放至单体液压支柱上方，2人同时进行升降两帮单体液压支柱，一人观察顶板及煤帮情况

(3)回收π型钢梁时，采用卸液钩先将π型钢梁下方单体液压支柱缓慢卸液后，利用人工将π型钢梁抬至安全区域内，并且码放整齐。

(4)将回收的π型钢梁，缓慢搬运到超前维护处，此项工作由检修班负责，逐架进行架设，依此类推。

(5)采用π型梁套棚维护时，抬π型梁人员严禁将手、头伸到π型梁上方，防止升降单体液压支柱时出现夹手、夹头事故。π型梁支护时，利用12#铁丝将π型梁两端绑在顶板完整的铁丝网上，至少缠绕两圈，将其紧固，防止单体液压支柱卸载时，出现π型梁跌落伤人等事故发生。

(6)回收π型钢梁时，必须有跟班队长或班组长进行现场指挥，协调作业。

(7)回收π形钢梁时，严格执行先支后回，由里向外逐架进行。

(8)人工搬运π型钢梁时，必须口令一致，统一作业，防止碰手碰脚事故发生。

(9)作业时，作业人员在作业地点必须保持有畅通无阻的安全退路。

8.超前维护段支护防倒措施

(1)井下所有打设的单体必须采用防倒链、硬连接进行相互连接。

(2)防倒链连接时，采用1.2m长小铁链两端用直径6mm的铁丝弯成S形钩，一端在单体液压支柱的手把或单体液压支柱的活柱上缠绕三圈勾住小链，另一端勾住顶板完整的金属网，并且每根防倒链要勾紧、勾牢，两侧单体液压支柱防倒链方向一致指向煤帮，中间单体液压支柱防倒链一致指向下帮。

(3)安设硬连接，连接单体时，采用根根相互连接的方式，把每排单体液压支柱连成一条直线，并将硬连接，连接牢固。

(4)作业时,严格执行敲帮问顶制度,以防顶板掉渣、片帮伤人。

(5)作业时,作业人员要检查作业地点的瓦斯,顶板、煤帮安全情况,如有隐患必须先处理后再进行作业。

(6)单体必须保证初撑力,并用硬连接,防倒链将单体牢固拴好,并经常检查,补液,以防倒柱伤人。

(7)升单体支柱时,要保证单体升紧,防止单体歪斜、不稳使铁柱帽掉落伤人。

(8)整个施工过程,必须由现场负责人进行现场指挥。

9.防止巷道锚索崩断伤人安全技术措施

(1)人员在巷道行走时,必须戴好安全帽,不得随意摘安全帽。

(2)人员通过顶板压力凸显处,及时查看顶板,防止顶板突然来压将顶板锚索崩断伤人。

(3)通过部分地段顶板压力较大处,若顶板锚索已受力较大,及时避开顶板锚索受力的地段,且不得人员逗留。

(4)听从安全员的指挥,及时避开顶板较差的地段。

十二、六大系统、灾害事故应急措施及避灾路线

(一)监测监控系统

1.安全监控设施的安设位置及瓦斯浓度管理

在24305沿空留巷距切眼往里≤10m范围内,且距顶板不大于300mm,距帮不小于200mm,设置T1工作面瓦斯传感器,报警浓度≥0.8%,断电浓度≥0.8%,复电浓度<0.8%。

在24305回风巷十九横贯以外10~15m的范围内,距顶板不大于300mm,距帮不小于200mm,设置T2回风瓦斯传感器,报警浓度≥0.8%,断电浓度≥0.8%,复电浓度<0.8%。

在24305胶带巷充填泵上风侧10~15m的进风流范围内,距顶板不大于300mm,距帮不小于200mm,设置充填泵瓦斯传感器,报警浓度≥0.8%,断电浓度≥0.8%,复电浓度<0.8%。

在24305混合回风处设置混合处瓦斯传感器,瓦斯传感器距顶板不大于300mm,距帮不小于200mm,报警浓度≥0.8%,断电浓度≥0.8%,复电浓度<0.8%。

在工作面10#、30#、50#、70#、90#支架增设架间瓦斯传感器,其报警值≥0.8%,断电浓度≥0.8%,复电浓度为<0.8%。

在24305胶带巷皮带头下风侧10~15m范围内设置一台一氧化碳和烟雾传感器。一氧化碳传感器报警浓度为≥24PPM,吊挂距顶板不大于300mm,距帮不小于200mm的地点。

24305综采工作面所有瓦斯传感器断电控制范围为工作面进、回风巷及工作面所有非本安型电气设备。

采煤机、刮板运输机、胶带运输机按要求各安设一台开停传感器。

详见图12-1:24305综采工作面监测监控布置图(略)

2.安全监控设施的管理

(1)监控电缆吊挂、连接严格按《煤矿安全规程》执行,甲烷传感器必须垂直悬挂于顶板完好、无淋水、无瓦斯涌出点、距顶板不大于300mm、距巷帮不小于200mm处,防止顶板掉矸砸坏和其他机械损伤。

(2)充填系统铺设两路供电线路,实现双回路供电。在日常充填中,使用充填专用供电

线路。当充填专用供电线路发生故障无法供电，且充填泵处甲烷传感器T < 0.5%时，充填后备供电线路可以通过人工切换供电，来保证连续充填。期间，不允许工作面除充填设备以外的任何设备运行。

（3）当进行充填作业时，充填专用线路方可供电；当不进行充填作业时，充填专用线路从北三1#变电所9508高开断电。

（4）在充填过程中，当充填泵甲烷传感器T≥0.5%时，工作面及其进回风巷道内所有非本安型电气设备都必须实现瓦斯电闭锁，瓦斯电闭锁监控装置执行从北三1#变电所切断9514、9512、9510、9508四台高开向24305综采工作面供电的所有非本质安全型电源；当工作面任一甲烷传感器TX≥0.8%，且T < 0.5%时，除充填泵的充填专用供电线路外，工作面及其进回风巷道内所有非本安型电气设备都必须实现瓦斯电闭锁，此时瓦斯电闭锁监控装置执行从北三1#变电所切断9514、9510、9512三台高开向24305综采工作面供电的所有非本质安全型电源；

（5）对本工作面通风系统内，因瓦斯超限断电后的电气设备，都必须在瓦斯浓度降到0.8%以下，方可人工复电。

（6）洒水灭尘时，严禁将水洒到传感器上，严禁随意挪动、损坏传感器，人员作业时，不得影响传感器的正常监测。

（7）甲烷传感器根据规定随工作面的推进及时由瓦检员挪移，挪移传感器过程中要注意保护好传感器及其线路。

（8）监控人员按照规定周期对甲烷传感器进行调校和更换，其他任何人不准操作；监控队每7天进行一次瓦斯断电试验，确保断电动作灵敏可靠。

（9）瓦斯员每天必须使用便携式甲烷检测报警仪或光学瓦检仪与甲烷传感器进行对照，并将记录和检查结果汇报调度及监控值班人员；当两者读数大于允许误差时，先以读数较大者为依据，监控队立即采取措施并必须在8h内进行调校或更换完毕。

（10）进、回风巷及工作面所有电器设备必须有专人负责检查、维护，杜绝失爆现象，严禁使用防爆性能不合格的电器设备。所有非本质安全型电器设备必须能够实现“瓦斯电闭锁”。工作面及其他作业地点风流中瓦斯浓度达到0.8%时，必须停止作业。

（11）回风流中瓦斯浓度达到0.8%时，进、回风巷及工作面全部非本质安全型电器设备能自动断电。

（12）综采工作面回风巷风流中瓦斯浓度超过1%或二氧化碳浓度超过1.5%时，必须停止作业，撤出人员，采取措施，进行处理。

（13）每班必须按规定配齐和使用便携式甲烷检测报警仪，跟班队长、班组长、设备司机、电钳工、采煤机司机等人员必须随身携带，并使其处于常开状态，随时检测气体情况。

（14）加强安全监测监控装置的使用，每7天对瓦斯探头进行一次调校，保证悬挂位置合理，读数准确，断电灵敏可靠。每月对监控设备进行巡查一次，保证工作面所有监控设备的正常运行。

（二）人员定位系统

（1）安装位置：

①24305轨道巷巷口、轨道巷500m处各安设一部人员定位分站。

②24305胶带巷巷口、胶带巷500m处各安设一部人员定位分站。

(2)24305轨道巷、胶带巷的人员分别与联至24305轨道口、胶带口的读卡分站。

(3)设备型号：

人员定位系统分站型号为：KJ237-F(A)，人员定位识别器型号为：KJ237-F-S。

(4)下井人员必须人人佩戴人员定位识别器，且必须确保定位仪识别器能够正常使用。

(5)当井下发生灾害事故时，人员应在沿避灾路线避灾的同时在距途径每个人员定位系统分站100m范围内安下定位仪识别器上按钮，向地面发出求救信号。

(三)通信联络系统

(1)胶带巷头部快速溜子头、胶带输送机机头处、桥式转载机头处、充填泵站、胶带巷避难硐室、轨道巷无极绳绞车机头处、系统车控制台、轨道巷避难硐室、回风巷风门处安设电话一部，且统一采用KTH-15型本安电话。

(2)工作面安设KTC102型扩音器的通信控制系统。工作面从机头1#架开始进行安设，每隔10道支架安设一台扩音器；在系统车控制台、胶带巷桥式转载机机头各安设一台扩音器，用于送话和闭锁运输设备。并且每台扩音器必须能够起到闭锁工作面运输机、转载机、破碎机的作用。

(3)充填泵、模板支架、胶带移变处安设KXT127(A)矿用隔爆兼本质安全型声光通讯信号装置6台专用传话电铃线路。

(4)管理规定：

①巷道内照明灯具吊挂统一高度不得低于1.8m。

②工作面照明、信号装置每10架一个，两者必须在同一架，高度适中，并保持一条直线。

③工作面拉架等作业期间严防损坏照明、信号线路、装置等。

④加强工作面信号装置检修，保证工作面话筒完好，闭锁灵敏可靠，发出信号清晰。

(四)压风自救系统

1.安装要求

在工作面以外25～40m范围内、爆破地点、撤离人员与警戒人员所在的位置以及回风道有人作业的地点设置压风自救装置，每组压风自救至少可供5~8人使用，平均每人的压缩空气供给量不得少于$0.1m^3/min$。

2.使用说明

(1)使用范围：

ZYJ矿井压风自救装置主要用于煤与瓦斯突出矿井下的防突救护，它主要安装在井下避难硐室及采掘开工作面。当井下发生灾害时，工作人员迅速进入附近装有矿井压风自救装置的地点。

(2)使用方法：

①当矿井发现突出预兆，对工作人员生命有严重威胁时，现场工作人员要迅速跑向安设压风自救装置处。

②首先打开箱体，在打开外部阀门，戴上呼吸口具进行呼吸。

③箱体内的分阀门安装时是开通的，当呼吸口具没有用完时，要关闭没用口具的分阀门，以便节约气体。

④呼吸口具的供气压力在出厂时是调整好的，但人员之间有差异，所需压力不同，如感觉供气不足时，顺时针缓慢调整调压阀。如感觉供气压力过高时，逆时针缓慢调整调压阀，使之舒适为止。

⑤当矿井压风自救装置使用一次后，应派技术人员全方位检查仪器是否完好，完好后，恢复原有状态。

（五）供水施救系统

（1）在轨道巷和胶带巷距工作面30~50m处各布置一处供水施救管路；在避难硐室内布置供水施救管路。

（2）供水管均为2寸水管，安设水嘴。供人员在紧急情况下使用。

（3）对水压和水质的要求：

①各进水压力必须满足要求。如水压不够，检查进水过滤器是否堵塞，进水管路是否堵塞或泄露。

②水质规定为饮用水，必须清澈透明、无杂物且为碱性水Ph值为7~9。

③每班必须对管路、水质、水压进行检查，如发现不符合要求，及时处理解决。

（六）紧急避险系统

（1）自救器配备情况。该工作面所有作业人员配备了ZY45型压缩氧自救器，该自救器储氧量不小于80L，在做功量为55W（中等劳动强度）的情况下，使用时间为45min。入井前，应观察自救器压力表指示值，当压力小于18MPa时，必须及时将自救器交与管理人员进行检修，同时领用合格的自救器；携带时，不要无故开启、磕碰及坐压自救器；使用中应特别注意防止利器刺伤、划伤气囊，在未到达安全地点时不要摘下自救器；自救器一旦使用，必须进行重新充装和检验。

（2）紧急避险设施布置情况。服务于本工作面的临时避难硐室共有2个，分别位于轨道巷500m处和胶带巷500m处，其额定避险人数均为15人；硐室内配有ZYJ箱式压风自救装置3个，每人供风量不少于0.3m³/min；配有KGS箱式供水施救装置1个，具备水质过滤、减压功能；配有调度电话1部、照明1盏及足够的自救器，能够满足基本自救要求。

（3）紧急避险设施使用原则。由于煤矿井下特殊的作用条件和作用环境，一旦发生爆炸、火灾、突出、水灾等突发紧急情况，容易发生次生灾害，引起多种事故的耦合。因此，井下突发紧急情况下，应遵循“先逃生、后避险”的安全避险基本理念，只有在逃生路线被阻或逃生不能的情况下才进入紧急避险设施避险待救。

（七）灾害事故应急措施（略）

（八）避灾路线（略）

…个标准”涉及内容

第 节 山西煤炭行业 六个标准”及总则

…炭行业“六个标准”

…达标、两年基本达标、三年全面达标，今年为标准落实年。学标准、懂标准、用标准。

1.《山西省煤矿办矿企业标准》

2.《山西省煤矿建设标准》

3.《山西省煤矿建设施工管理标准》

4.《山西省煤矿管理标准》

5.《山西省煤矿现代化矿井标准》

6.《山西省煤矿安全质量标准化标准》

二、山西省煤矿（井工）安全质量标准化标准及考核评级办法（总 则）

第一条 为贯彻落实国家局《煤矿安全质量标准化基本要求及评分方法》，进一步推进我省煤矿安全质量标准化建设，按照“七高一文明”的发展模式，结合我省实际，特制定《山西省煤矿安全质量标准化标准及考核评级办法》（以下简称“标准及评级办法”）。

第二条 本标准及评级办法适用于山西省境内所有合法生产的井工煤矿。煤矿安全质量标准化矿井分为一、二、三级。竣工投产矿井的安全质量化验收参照本标准执行。

第三条 山西省煤矿安全质量标准化考核评级必须具备以下条件：

1.安全方面：一级标准化矿井年度百万吨死亡率为0，不得发生死亡事故；二级标准化矿井年度百万吨死亡率必须控制在市或集团公司当年百万吨死亡率以下，但不得发生3人及以上死亡事故；三级标准化矿井考核年度内不得发生3人及以上死亡事故。

2.依法开采：必须具有采矿许可证、安全生产许可证、煤炭生产许可证、矿长资格证、矿长安全资格证、营业执照等证照，并齐全有效。

3.采煤方法：必须实现正规壁式开采或按批准的采煤方法开采，生产布局合理，采掘关系正常。

4.瓦斯抽放：矿井“四量”即开拓煤量、准备煤量、回采煤量、高瓦斯及“双突”矿井抽采煤量符合规定，采区回收率达到规定。矿井产量不得超过矿井瓦斯抽采系统能力。

第四条 安全质量标准化考核专业分为11个，即采煤、掘进、机电、运输、一通三防、地测防治水、信息调度、应急救援、地面设施、安全管理和职业健康，各专业采用百分制。

煤矿安全质量标准化标准考核评[illegible]
算结果为矿井总得分。各专业的权重[illegible]

表10-1　煤矿安全质[illegible]专业权重系数

序号	专业	权[illegible]	序号	专业	权重
1	采煤	0.1[illegible]	7	信息调度	0.07
2	掘进	0.10	8	应急救援	0.06
3	机电	0.10	9	地面设施	0.05
4	运输	0.07	10	安全管理	0.10
5	一通三防	0.18	11	职业健康	0.05
6	地测防治水	0.12			

第五条　煤矿安全质量标准化考核评级：

一级：检查考核得分90分及以上，采煤、掘进、机电、运输、一通三防、地测防治水、安全管理专业不低于90分，其他4个专业不低于80分。

二级：检查考核得分80分及以上，采煤、掘进、机电、运输、一通三防、地测防治水、安全管理专业不低于80分，其他4个专业不低于70分。

三级：检查考核得分70分及以上，采煤、掘进、机电、运输、一通三防、地测防治水、安全管理专业不低于70分，其他4个专业不低于60分。

第六条　凡存在《国务院关于预防煤矿生产安全事故的特别规定》(国务院令第446号)第八条十五项重大安全隐患之一的矿井以及不符合国家、省政府及省煤炭厅相关规定的，不予认定安全质量标准化矿井等级。

第七条　煤矿安全质量标准化矿井考核程序各市、各集团公司年初要制定达标规划，根据达标规划，组织省属煤矿按岗位达标专业达标、企业达标的步骤组织实施，对达标矿井按照以下程序申报。

(一)申报：按照自下而上、逐级评比的原则，各市监管的煤矿由各市煤炭局初验，省属五大集团公司由集团公司组织初验，初验收合格的煤矿分别由各市煤炭局，各集团公司以正式文件向省煤炭厅申报。省煤炭厅根据各单位初验申报文件，组织现场验收，验收结果作为年度考核依据。

(二)认定：省煤炭厅通过现场验收，对各市煤炭局、各国有重点煤炭集团申报的标准化矿井进行审核和认定，符合条件的予以认定，不符合条件的不予认定。

(三)公示：为确保标准化矿井认定的公平、公正、合理，对已认定的标准化矿井，省煤炭厅将在山西煤炭信息网上公示一周，广泛征求本行业各级部门、各煤矿企业的意见，公示期满后，对合理化意见进行采纳，并作出适当调整。

(四)表彰：根据公示确定的标准化矿井名单，省煤炭厅适时召开全省煤矿安全质量标准化工作会议，对达到标准化标准的矿井予以命名表彰。

第八条　煤矿安全质量标准化矿井的检查考核：

（一）日常检查：按照分级负责的原则实施日常检查，省厅每半年抽查1次，各市和各国有重点煤矿集团公司每季度检查1次，县（市、区）每两个月检查1次，煤矿每月检查1次。对日常检查的结果建立台账档案，并录入信息平台实施管理，作为年度检查考核的主要内容之一。

（二）年度检查：根据各市、各国有重点煤矿集团公司初验合格上报的安全质量标准化矿井，省厅组织年度安全质量标准化矿井检查验收：一级安全质量标准化矿井逐矿检查验收；二、三级安全质量标准化矿井采用随机抽查的方式进行，抽查率不低于所在市、集团公司所属生产矿井及建设改造投产矿井数的30%。省厅未检查验收的二、三级标准化矿井，认定各市、各集团公司申报的验收结果。

第九条　鼓励煤矿企业积极开展科技创新，积极推行机械化开采、自动化操作、信息化管理。

凡符合以下条件的，由煤矿企业在年度标准化考评中，向省煤炭厅提出加分申请，经认定符合条件的，予以适当加分。

（一）考核年度内获得国家级、省级重大科技创新奖的分别加3分。

（二）年度内在机械化、自动化、信息化方面采用先进技术和装备的，适当加分：

1.采掘工作面全部实现机械化的，加2分；

2.采用自动化操作，实现无人工作面，加3分；

3.矿井标准化工作实现信息化管理的，加2分；

4.采用充填法等绿色开采方法的，加2分；

5.采用其他先进技术工艺的，酌情加分，但分值不得超过3分。

第十条　年度所有生产矿井安全质量标准化标准考核必须达标。对未达标的生产矿井，省煤炭厅将依法暂扣其煤炭生产许可证，责令停产整顿，限期达标；整改达标后，经市煤炭局、国有重点煤炭集团公司验收后合格后，将验收达标情况上报省煤炭厅，认定达标后方可恢复生产。

第十一条　建设改造矿井在竣工投产前，由相关市煤炭局、国有重点煤炭集团公司对其组织标准化专项验收，验收达标的出具安全质量标准化验收意见，方可领取煤炭生产许可证。

第十二条　山西省煤炭工业厅负责《山西省煤矿安全质量标准化标准及考核评级办法》的解释。本标准及考核评级办法自下发之日起执行。

第二节　采煤专业标准

采煤专业标准：

井工煤矿采煤专业按工艺分为综采综放、高档普采、水力采煤等几类。根据矿井采用的不同采煤工艺，适用相应的采煤专业标准和评分方法。

一、基本条件

矿井不得存在以下情况：

(1)采煤工作面数量超出允许布置个数；

(2)采煤工作面未实现正规壁式开采或未按批准的采煤方法开采；

(3)采煤工作面回采率未达到规定要求。

二、基本要求

(一)基础管理要符合以下要求

(1)有支护质量、顶板动态监测制度及地质和水文地质分析、预报制度，技术管理体系健全；

(2)作业规程和措施针对性、操作性强，审批手续完备，贯彻、考核和签字记录齐全，作业规程每月至少组织一次复审并有复审意见；

(3)有支护材料管理台账。

(二)岗位规范要符合以下要求

(1)应进行岗位人员培训，其能力符合相应岗位要求；

(2)操作规范，无违章指挥、无违章作业、无违反劳动纪律的行为；

(3)管理人员、技术人员应掌握专业技术，作业人员熟知本岗位作业规程和安全技术措施；

(4)作业前进行隐患排查，并实行闭合管理。

(三)质量与安全要符合以下要求

(1)工作面的支护形式、支护参数符合规程或设计要求；

(2)工作面出口畅通，进、回风巷断面满足通风、运输、行人、设备安装、检修需要；

(3)设备完好，保护齐全，使用规范；

(4)乳化液泵站压力和乳化液浓度符合要求，并有现场检测手段；

(5)工作面通信、监测监控设备运行正常；

(6)有完善的安全防护设施和安全措施。

(四)机电设备要符合以下要求

(1)采煤机、输送机、转载机、破碎机、支架(支柱)等选型有科学依据；

(2)设备能力匹配，系统无制约因素；

(3)无国家明令淘汰、禁止使用的危及生产安全的设备。

(五)文明生产要符合以下要求

(1)作业场所卫生整洁，照明符合规定；

(2)工具、材料等放置整齐,管线吊挂规范,图牌板内容准确、清晰;

(3)作业范围内支护完好,无失修巷道。

三、评分方法

(1)根据矿井采用的采煤工艺,分别按表对照评分,每个表的总分均为100分。小项分数扣完为止。

(2)矿井采煤工作面按所检查存在的问题进行扣分,对不同工作面中出现的同样问题不重复扣分。

(3)其他采煤工艺参照执行。

(4)项目内容中有缺项时,按下列计算公式进行折算:

$$A=\frac{B}{B-C}\times D$$

式中　A——本项折合分数;

B——本项标准分数;

C——缺项分数;

D——本项检查实得分数。

表10-2 综采综放采煤安全质量标准化标准和评分表

<table>
<tr><th>项目</th><th>内容</th><th>基本要求和标准</th><th>分值</th><th>评分方法</th></tr>
<tr><td rowspan="4">一、基础管理(15分)</td><td rowspan="2">监测预报</td><td>1.监测支护质量和顶板动态,建立分析和处理制度,监测、分析和处理闭合,记录资料齐全</td><td>3</td><td>查现场和资料。未开展动态监测和建立制度的,不得分;资料缺1项,扣1分</td></tr>
<tr><td>2.对工作面地质及水文地质,每月至少进行1次预报,并经矿总工程师(矿技术负责人)审查签字后,向矿相关部门和施工单位报告</td><td>3</td><td>查记录资料。未开展预报的,不得分;有1项不符合要求,扣1分</td></tr>
<tr><td>规程措施</td><td>1.作业规程符合《煤矿安全规程》和技术规范要求,并结合实际和变化情况,及时进行修订;
2.作业规程编制、审批、贯彻、实施等管理制度健全,矿总工程师(矿技术负责人)每月至少组织1次复审,并有复审意见;
3.工作面安装、初次放顶、收尾、回撤、过地质构造带、过老巷、过煤柱、冒顶区时,必须制定专项措施;
4.生产现场有安全技术措施,各种图牌板(设备布置图、通风系统图、监测通信系统图、供电系统图、工作面支护示意图、正规作业循环图表、避灾路线图等)清晰规范;
5.放顶煤开采的工作面,要编制工作面开采设计,制定防瓦斯、防灭火等专项安全技术措施,并按规定进行审批和验收</td><td>7</td><td>查现场和资料,缺1项扣1分,1项不符合要求扣0.5分</td></tr>
<tr><td>支护材料</td><td>支护材料实行台账管理(规格、型号、数量及合格证等),不超期使用,并定期检修;现场备用支护材料和备件符合作业规程要求</td><td>2</td><td>查现场和资料。备用材料和备件不足,不得分;其他缺1项,扣0.5分</td></tr>
<tr><td rowspan="4">二、岗位规范(10分)</td><td>持证上岗</td><td>管理人员按规定要求取得安全资格证,新工人经培训合格后上岗,特种作业人员持证上岗</td><td>2</td><td>查资料。有1人不符合要求不得分</td></tr>
<tr><td>规范作业</td><td>现场作业人员操作规范,执行“敲帮问顶”制度和开工前安全确认制度,无“三违”行为;零星工程施工有针对性措施、有跟班干部</td><td>3</td><td>查现场和资料。有1项不符合要求,扣1分</td></tr>
<tr><td>专业技能</td><td>管理和技术人员掌握专业技术,作业人员掌握本岗位规程和技术措施</td><td>2</td><td>随机抽考。有1人达不到要求,扣0.5分</td></tr>
<tr><td>隐患排查</td><td>作业前进行隐患排查,实行闭合管理,并建立隐患排查整改记录</td><td>3</td><td>查现场和记录。作业现场存在隐患,不得分;隐患未实行闭合管理,扣2分;无整改记录,扣1分</td></tr>
</table>

续表

项目	内容	基本要求和标准	分值	评分方法
三、质量与安全(50分)	顶板管理	1.液压支架初撑力不低于泵站额定值的80%(24Mp);工作面支架必须安装测压表,进行现场检测(放顶煤工作面检查前柱)	3	查现场。沿工作面均匀选5点,并在某两点间再任选5点,有1点不合格扣1分
		2.工作面液压支架的中心距误差不超过100mm;支架间间隙不超过200mm;立柱前后偏差不超过-50~50mm;侧护板正常使用;支架不超高使用	3	查现场。沿工作面均匀选5点,并在某两点间再任选5点,有1点不合格扣1分
		3.液压支架接顶严实,顶梁平整,最大仰(俯)角不超过7°;相邻支架错茬不超过顶梁侧护板高的2/3;支架不挤不咬,无压死的支架;放顶煤工作面支架的最小高度、放煤口插板与尾溜间距离、高度应符合作业规程的规定	3	查现场。1处不符合要求扣1分
		4.工作面应做到"三直一平";工作面液压支架端面距应符合作业规程规定。工作面伞檐长度大于1m时,其最大突出部分应为,薄煤层不超过150mm、中厚以上煤层不超过200mm;伞檐长度在1m以下时,最突出部分应为,薄煤层不超过200mm、中厚煤层不超过250mm	4	查现场和资料。1处不符合要求扣1分
		5.液压支架、支柱应编号管理,牌号清晰;操纵阀手有限位装置	2	查现场。1处不符合要求扣0.5分
		6.工作面内特殊支护齐全;局部悬顶和冒落不充分(面积小于2m×5m)的应采取措施,超过的应进行强制放顶。特殊情况下不能强制放顶时,应有加强支护的可靠措施和矿压观测监测手段	3	查现场和资料。1处不符合要求该项不得分
		7.不任意丢失顶煤和底煤。留顶(底)煤、托夹矸开采,应有审查批准的专项安全技术措施	3	查现场和资料。1处不符合要求扣0.5分,留煤顶、托夹矸开采时无安全措施的不得分
		8.采用放顶煤、采空区充填等特殊生产工艺的采煤工作面,支护和顶板管理要符合作业规程的要求	2	查现场和资料。1处不符合要求扣0.5分
		9.机道梁端至煤壁顶板冒落高度不大于300mm;工作面因顶板破碎局部冒落或分层开采,需要铺设假顶时,按作业规程的规定执行	2	查现场和资料。未采取措施或未按规定铺设假顶,该项不得分
		10.对工作面工程质量、顶板管理、规程落实及安全隐患整改情况进行每班评估,并做好记录	1	查现场和记录。未进行每班评估不得分,记录不符合要求扣0.5分

续表

项目	内容	基本要求和标准	分值	评分方法
		11.工作面控顶范围内顶底板移近量不大于100mm/m;工作面及两巷底板松软时,支柱应穿柱鞋,确保钻底小于100mm;工作面顶板不应出现台阶下沉	2	查现场。1处不符合要求扣0.5分
		12.工作面上、下出口控顶距符合作业规程规定;进、回巷与工作面放顶线放齐;挡矸有效	2	查现场和资料。1处不符合要求扣1分
三、质量与安全(50分)	安全出口与端头支护	1.工作面安全出口畅通,高度不小于1.8m,人行道宽度不低于0.8m;工作面内排头支架与巷道支护间距不应大于0.5m。宜使用端头支架或其他有效支护形式	4	查现场。安全出口不畅通,该项不得分;其他1处不符合要求扣2分
三、质量与安全(50分)	安全出口与端头支护	2.超前支护距离不小于20m,支柱柱距、排距允许偏差±100mm,初撑力符合作业规程规定,并进行现场检测	4	查现场和资料。超前支护距离不符合要求不得分;上下超前支护段均匀各选5点,有1点不符合要求扣1分
三、质量与安全(50分)	安全出口与端头支护	3.架棚巷道超前替换距离、锚杆(索)支护巷道退锚距离符合作业规程规定	2	查现场和资料。距离不足不得分
三、质量与安全(50分)	安全管理	1.各转载点设喷雾灭尘装置,带式输送机机头、乳化液泵站、配电点等场所配齐消防器材和设施	2	查现场。1处不符合要求扣0.5分
三、质量与安全(50分)	安全管理	2.设备转动外露部位、溜煤井上口等人员通过的地点有可靠的安全防护设施	2	查现场。1处不符合要求不得分
三、质量与安全(50分)	安全管理	3.工作面倾角超过15°时,液压支架有防倒、防滑措施,其他设备有防滑措施;倾角在25°以上时,还必须有防止煤(矸)窜出刮板输送机伤人的措施;单体液压支柱有防倒措施	3	查现场。1处不符合要求扣1分
三、质量与安全(50分)	安全管理	4.运输机机尾要加盖板;运输机行人跨越处要有过桥;安全间距符合规定;工作面刮板输送机信号闭锁符合要求;运输机机尾、小绞车有压柱和地锚	3	查现场。1处不符合要求扣1分
四、机电设备(15分)	设备选型	1.液压支架技术性能与工作面条件相适应;支护参数应根据矿压和地质资料等进行科学计算和选择;支架工作阻力满足设计要求	2	查现场支护状况、矿压、地质资料和支护设计。不符合要求不得分
四、机电设备(15分)	设备选型	2.采煤机选型应满足煤层采高、截割的难易程度、地质构造发育程度和能力要求;具备遥控控制功能	2	查现场。对采煤机选型不满足要求的,不得分;无遥控功能的,扣1分
四、机电设备(15分)	设备选型	3.落煤、装煤、运煤、支护等工艺装备能力匹配,无制约因素	2	查现场和资料。1处不符合要求不得分

续表

项目	内容	基本要求和标准	分值	评分方法
	设备管理	1.支架液压系统无漏、窜液、管路无挤压；控制阀有效；支架部件不缺损；采煤机、刮板输送机、胶带输送机、转载机、破碎机等设备完好，保护齐全，运行可靠，符合机电设备的管理规定；采煤机喷雾装置符合规定，内外喷雾有效；有机载瓦斯报警断电装置	4	查现场。1处不符合要求扣1分
		2.乳化液泵站、管路系统完好，乳化液浓度3%~5%，泵站压力不小于30MPa；现场有乳化液浓度检测手段，并定期对泵站清洗和检修	2	查现场。1处不符合要求扣1分
		3.开关上架；电气设备不被淋水	1	查现场。1处不符合要求不得分
		4.通信系统畅通可靠；监测、监控设备运行正常，安放位置符合规定	1	查现场。1处不符合要求扣0.5分
		5.辅助运输设备完好，保护齐全，制动可靠，安设符合要求，声光信号齐全；轨道铺设符合要求；钢丝绳及其使用符合《煤矿安全规程》要求，检验合格	1	查现场。1处不符合要求不得分
五、变化管理(5分)	管理制度	建立健全变化管理工作制度	2	查文件、台账和资料。无制度不得分
	现场管理	管理部门、区队和班组每天排查人员、时段、工艺、工具、工序、系统和环境等变化情况，发现问题及时处理	2	查现场和资料。缺1次或1项扣1分
	预控措施	对设计和地质、水文、冲击地压、通风、运输、设备、人员等变化，超前分析，采取措施	1	询问并查记录。缺1次或1项扣1分
六、文明生产(5分)	面外环境	1.主要巷道、泵站、油脂库、转载点、休息地点等场所有照明；图牌板齐全、清晰整洁；巷道交叉口有路线指示牌、避灾标识牌	1	查现场。1项不符合要求扣0.5分
		2.巷道净高不低于2.6m，行人宽度不低于0.8m；支护完整，作业范围内无失修巷道；安全距离符合规定	1	查现场。1处不符合要求扣0.5分
		3.巷道及硐室底板平整，管线、电缆吊挂整齐，无浮碴及杂物、无淤泥、无积水；管路、设备无积尘；物料分类码放整齐，有标志牌；设备、物料放置地点与通风设施距离大于5m	1	查现场。1处不符合要求扣0.5分
	面内环境	1.工作面内管线、电缆敷设整齐；支架内无浮煤、积矸；照明符合规定	1	查现场。1处不符合要求扣0.5分
		2.瓦斯及其他有毒有害气体浓度不超限；工作面温度超过26℃应采取降温措施	1	查现场。1项不符合要求不得分

表10-3　　高档普采采煤安全质量标准化标准和评分表

项目	内容	基本要求和标准	分值	评分方法
一、基础管理(15分)	监测预报	1.监测支护质量和顶板动态,建立分析和处理制度,监测、分析和处理闭合,记录资料齐全	3	查现场和资料。未开展动态监测和建立制度的,不得分;资料缺1项,扣1分
		2.对工作面地质及水文地质,每月至少进行1次预报,并经矿总工程师(矿技术负责人)审查签字后,向矿相关部门和施工单位报告	3	查记录资料。未开展预报的,不得分;有1项不符合要求,扣1分
	规程措施	1.作业规程符合《煤矿安全规程》和技术规范要求,并结合实际和变化情况,及时进行修订; 2.作业规程编制、审批、贯彻、实施管理制度健全,矿总工程师(矿技术负责人)每月至少组织1次复审,并有复审意见; 3.工作面安装、初次放顶、收尾、回撤、过地质构造带、过老巷、过煤柱、冒顶区时,必须制定专项措施; 4.生产现场有安全技术措施,各种图牌板(设备布置图、通风系统图、监测通信系统图、供电系统图、工作面支护示意图、正规作业循环图表、避灾路线图等)清晰规范; 5.开采三角煤和残留煤柱时,必须编制专项安全技术措施,并报上一级主管部门批准	7	查现场和资料。缺1项扣1分,1项不符合要求扣0.5分
	支护材料	支护材料实行台账管理(规格、型号、数量及合格证等),不超期使用,并定期检修;现场备用支护材料和备件符合作业规程要求	2	查现场和资料。备用材料和备件不足,不得分;其他缺1项,扣0.5分
二、岗位规范(10分)	持证上岗	管理人员按规定要求取得安全资格证,新工人经培训合格后上岗,特种作业人员持证上岗	2	查资料。1人不符合要求不得分
	规范作业	现场作业人员操作规范,执行"敲帮问顶"制度和开工前安全确认制度,无"三违"行为;零星工程施工有针对性措施、有跟班干部	3	查现场和资料。有1项不符合要求,扣1分
	专业技能	管理和技术人员掌握专业技术,作业人员掌握本岗位规程和技术措施	2	随机抽考。有1人不达要求,扣0.5分
	隐患排查	作业前进行隐患排查,实行闭合管理,并建立隐患排查整改记录	3	查现场和记录。作业现场存在隐患,不得分;隐患未实行闭合管理,扣2分;无整改记录,扣1分

续表

项目	内容	基本要求和标准	分值	评分方法
三、质量与安全(50分)	顶板管理	1.悬移(网格式、整体顶梁)支架初撑力不应低于泵站额定值的80%,工作面支架必须安装测压表;单体液压支柱初撑力符合《煤矿安全规程》要求,有现场检测手段	3	查现场。沿工作面均匀选5点,并在某两点间再任选5点,1点不合格扣1分
		2.悬移(网格式、整体顶梁)支架的中心距(单体支柱间距)误差不超过100mm;架间间隙不超过200mm;支架(单体支柱)排距误差不超过-50~50mm	3	查现场。沿工作面均匀选5点,并在某两点间再任选5点,1点不合格扣1分
		3.支架(支柱)不超高使用;悬移(网格式、整体顶梁)支架接顶严实;顶梁平整,最大仰、俯角不超过7°;相邻支架错茬不超过100mm;支架不挤、不咬;无压死的支架	3	查现场。1处不符合要求扣1分
		4.工作面应做到“三直一平”;支架(支柱顶梁)端面距应符合作业规程规定。工作面伞檐长度大于1m时,其最大突出部分应为,薄煤层不超过150mm,中厚以上煤层不超过200mm;伞檐长度在1m以下时,最突出部分应为,薄煤层不超过200mm,中厚煤层不超过250mm	4	查现场和资料。1处不符合要求扣1分
		5.支架(支柱)应编号管理,牌号清晰;操纵阀手有限位装置;单体支柱注液口方向朝向落山侧	2	查现场。1处不符合要求扣0.5分
		6.工作面内特殊支护齐全;局部悬顶和冒落不充分(面积小于2m×5m)的应采取措施,超过的应进行强制放顶。特殊情况下不能强制放顶时,应有加强支护的可靠措施和矿压观测监测手段	3	查现场和资料。1处不符合要求该项不得分
		7.不任意丢失顶煤和底煤。留顶(底)煤、托夹矸开采,应有审查批准的专项安全技术措施	3	查现场和资料。1处不符合要求扣0.5分,留煤顶、托夹矸开采时无安全措施的不得分
		8.机道梁端至煤壁顶板冒落高度不大于200mm;工作面因顶板破碎局部冒落或分层开采,需要铺设假顶时,按作业规程的规定执行	2	查现场和资料。未采取措施或未按规定铺设假顶,该项不得分
		9.对工作面工程质量、顶板管理、规程落实及安全隐患整改情况进行每班评估,并做好记录	1	查现场和记录。未进行每班评估不得分,记录不符合要求扣0.5分

续表

项目	内容	基本要求和标准	分值	评分方法
		10.工作面控顶范围内顶底板移近量不大于100mm/m；工作面及两巷底板松软时，支柱应穿柱鞋，确保钻底小于100mm；工作面顶板不应出现台阶下沉	2	查现场。1处不符合要求扣0.5分
		11.工作面上、下出口控顶距符合作业规程规定；进、回巷与工作面放顶线放齐；挡矸有效	2	查现场和资料。1处不符合要求扣1分
		12.工作面不得使用不同类型和不同性能的支架（支柱），严禁出现单梁、单柱，无卸载支架（支柱）	2	查现场。对工作面使用不同类型和不同性能的支架（支柱）的，不得分；对工作面出现单梁、单柱或卸载支架（支柱）的，有1处扣1分
三、质量与安全（50分）	安全出口与端头支护	1.工作面安全出口畅通；工作面安全出口高度不小于1.8m；人行道宽度不低于0.8m；工作面机头（尾）必须保证在有效支护范围内，其移动步距及支护方式必须在作业规程中明确规定	4	查现场。安全出口不畅通该项不得分；其他1处不符合要求扣2分
		2.超前支护距离不小于20m，支柱柱距、排距允许偏差±100mm，初撑力符合作业规程规定，并进行现场检测	4	查现场和资料。超前支护距离不符合要求不得分；上下超前支护段均匀各选5点，有1点不符合要求扣1分
		3.架棚巷道超前替换距离、锚杆（索）支护巷道退锚距离符合作业规程规定	2	查现场和资料。距离不足不得分
	安全管理	1.各转载点设喷雾灭尘装置，带式输送机机头、乳化液泵站、配电点等场所配齐消防器材和设施	2	查现场。1处不符合要求扣0.5分
		2.设备转动外露部位、溜煤井上口等人员通过的地点有可靠的安全防护设施	2	查现场。1处不符合要求扣1分
		3.单体支柱有防倒措施；工作面倾角超过15°时，悬移（网格式、整体顶梁）支架要有防倒、防滑措施，其他设备有防滑措施；倾角在25°以上时，工作面有防止煤（矸）窜出刮板输送机伤人的措施	3	查现场。1处不符合要求扣1分
		4.运输机机尾要加盖板；运输机行人跨越处要有过桥；安全间距符合规定；工作面刮板输送机信号闭锁符合要求，输送机机头机尾、两巷小绞车有牢固的压柱和地锚	3	查现场。1处不符合要求扣1分

续表

<table>
<tr><th>项目</th><th>内容</th><th>基本要求和标准</th><th>分值</th><th>评分方法</th></tr>
<tr><td rowspan="8">四、机电设备(15分)</td><td rowspan="3">设备选型</td><td>1.悬移(网格式、整体顶梁)支架(单体支柱)的性能应与工作面条件相适应;支护参数应依据矿压和地质资料进行科学计算和选择;支架工作阻力满足设计要求</td><td>2</td><td>查现场支护状况、矿压、地质资料和支护设计。不符合要求不得分</td></tr>
<tr><td>2.采煤机选型应满足煤层采高、截割的难易程度、地质构造发育程度和能力要求;具备遥控控制功能</td><td>2</td><td>查现场。对采煤机选型不满足要求的,不得分;无遥控功能的,扣1分</td></tr>
<tr><td>3.落煤、装煤、运煤、支护等工艺装备能力匹配,无制约因素</td><td>2</td><td>查现场和资料。1处不符合要求不得分</td></tr>
<tr><td rowspan="5">设备管理</td><td>1.支架液压系统无漏、窜液、管路无挤压;控制阀有效;支架部件不缺损;采煤机、刮板输送机、胶带输送机、转载机、破碎机等设备完好,保护齐全,运行可靠,符合机电设备的管理规定;采煤机喷雾装置符合规定,内外喷雾有效;有机载瓦斯报警断电装置</td><td>4</td><td>查现场。1处不符合要求扣1分</td></tr>
<tr><td>2.乳化液泵站、管路系统完好,乳化液浓度2%~3%,泵站压力不小于18MPa;现场有乳化液浓度检测手段,并定期对泵站清洗和检修</td><td>2</td><td>查现场。1处不符合要求扣1分</td></tr>
<tr><td>3.开关上架;电气设备不被淋水</td><td>1</td><td>查现场。1处不符合要求要求扣1分</td></tr>
<tr><td>4.通信系统畅通可靠,监测、监控设备运行正常,安放位置符合规定</td><td>1</td><td>查现场。1处不符合要求扣0.5分</td></tr>
<tr><td>5.辅助运输设备完好,保护齐全,制动可靠,安设符合要求,声光信号齐全。轨道铺设符合要求;钢丝绳及其使用符合《煤矿安全规程》要求,检验合格</td><td>1</td><td>现场检查。1处不符合要求扣0.5分</td></tr>
<tr><td rowspan="3">五、变化管理(5分)</td><td>管理制度</td><td>建立健全变化管理工作制度</td><td>2</td><td>查文件、台账和资料。无制度不得分</td></tr>
<tr><td>现场管理</td><td>管理部门、区队和班组每天排查人员、时段、工艺、工具、工序、系统和环境等变化情况,发现问题及时处理</td><td>2</td><td>查现场和资料。缺1次或1项扣1分</td></tr>
<tr><td>预控措施</td><td>对设计和地质、水文、冲击地压、通风、运输、设备、人员等变化,超前分析,采取措施</td><td>1</td><td>询问并查记录。缺1次或1项扣1分</td></tr>
</table>

续表

项目	内容	基本要求和标准	分值	评分方法
六、文明生产（5分）	面外环境	1.主要巷道、泵站、油脂库、转载点、休息地点等场所有照明；图牌板齐全、清晰整洁；巷道交叉口有路线指示牌、避灾标识牌	1	查现场。1项不符合要求扣0.5分
		2.巷道净高不低于2.0m，行人宽度不低于0.8m；支护完整，作业范围内无失修巷道；安全距离符合规定	1	查现场。1处不符合要求扣0.5分
		3.巷道及硐室底板平整，管线、电缆吊挂整齐，无浮碴及杂物、无淤泥、无积水；管路、设备无积尘；物料分类码放整齐，有标志牌；设备、物料放置地点与通风设施距离大于5m	1	查现场。1处不符合要求扣0.5分
	面内环境	1.工作面内管线、电缆敷设整齐；支架内无浮煤、积矸；照明符合规定	1	查现场。1处不符合要求扣0.5分
		2.瓦斯及其他有毒有害气体浓度不超限；工作面温度超过26℃采取降温措施	1	查现场。1项不符合要求扣0.5分

表10-4　　水力采煤安全质量标准化标准和评分表

<table>
<tr><th>项目</th><th>内容</th><th>基本要求和标准</th><th>分值</th><th>评分方法</th></tr>
<tr><td rowspan="4">一、基础管理(15分)</td><td rowspan="2">监测预报</td><td>1.监测支护质量和顶板动态,建立分析和处理制度,监测、分析和处理闭合,记录资料齐全</td><td>3</td><td>查现场和资料。未开展动态监测和建立制度的,不得分;资料缺1项,扣1分</td></tr>
<tr><td>2.对工作面地质及水文地质,每月至少进行1次预报,并经矿总工程师(矿技术负责人)审查签字后,向矿相关部门和施工单位报告</td><td>3</td><td>查记录资料。未开展预报的,不得分;有1项不符合要求,扣1分</td></tr>
<tr><td>规程措施</td><td>1.作业规程符合《煤矿安全规程》和技术规范要求,并结合实际和变化情况,及时进行修订;
2.作业规程编制、审批、贯彻、实施等管理制度健全,矿总工程师(矿技术负责人)每月至少组织1次复审,并有复审意见;
3.发生窝水、水枪被埋或处理溜煤眼(巷道)、明槽堵塞事故时,必须制定专项措施;
4.生产现场有安全技术措施,各种图牌板(设备布置图、通风系统图、监测通信系统图、工作面支护示意图、正规作业循环图表、避灾路线图等)清晰规范;
5.水力采煤工作面,要编制工作面开采设计,并报上一级主管部门批准;
6.开采三角煤和残留煤柱时,必须编制专项安全技术措施,并报上一级主管部门批准</td><td>7</td><td>查现场和资料,缺1项扣1分,1项不符合要求扣0.5分</td></tr>
<tr><td>支护材料</td><td>支护材料实行台账管理(规格、型号、数量及合格证等),不超期使用,并定期检修;现场备用支护材料和备件符合作业规程要求</td><td>2</td><td>查现场和资料。备用材料和备件不足,不得分;其他缺1项,扣0.5分</td></tr>
<tr><td rowspan="4">二、岗位规范(10分)</td><td>持证上岗</td><td>管理人员按规定要求取得安全资格证,新工人经培训合格后上岗,特种作业人员持证上岗</td><td>2</td><td>查资料。有1人不符合要求不得分</td></tr>
<tr><td>规范作业</td><td>现场作业人员操作规范,执行“敲帮问顶”制度和开工前安全确认制度,无“三违”行为;零星工程施工有针对性措施、有跟班干部</td><td>3</td><td>查现场和资料。有1项不符合要求,扣1分</td></tr>
<tr><td>专业技能</td><td>管理和技术人员掌握专业技术,作业人员掌握本岗位规程和技术措施</td><td>2</td><td>随机抽考。1人不达要求扣0.5分</td></tr>
<tr><td>隐患排查</td><td>作业前进行隐患排查,实行闭合管理,并建立隐患排查整改记录</td><td>3</td><td>查现场和记录。作业现场存在隐患,不得分;隐患未实行闭合管理,扣2分;无整改记录,扣1分</td></tr>
</table>

续表

项目	内容	基本要求和标准	分值	评分方法
三、质量与安全(50分)	顶板管理	1.相邻2个小阶段巷道之间和漏斗式采煤的相邻2个上山眼之间,必须开凿联络巷,用以通风、行人和运料。联络巷间距和支护形式必须在作业规程中规定	5	查现场和资料。1处不符合要求不得分
		2.水枪附近必须架设护枪台棚;护枪方式必须在作业规程中明确规定;煤层倾角超过15° 的漏斗式采煤工作面,必须在水枪处设挡矸斜戗柱或挡矸板	5	查现场和资料。1处不符合要求扣1分
		3.水枪后20m范围内巷道支护完整牢固;无断梁折柱;柱排距符合作业规程规定	5	查现场和资料。1处不符合要求扣1分
		4.在顶板破碎或压力较大的煤层中,漏斗式采煤时,上山两侧的回采煤垛应上下错开,左右交替采煤	5	查现场。1处不符合要求不得分
	安全出口与端头支护	1.工作面安全出口畅通;安全出口高度不小于1.8m,人行道宽度不小于0.8m	5	查现场。安全出口不畅通不得分,其他1处不符合要求扣2分
		2.在巷道交叉口必须架设双口棚	5	查现场。1处不符合要求扣0.5分
	安全管理	1.行人横过明槽处必须设过桥;必须制定防止窝水和人员掉入明槽的措施;风筒必须设在溜煤侧	4	查现场。1处不符合要求扣1分
		2.水枪附近必须有直通高压泵房或调度站的声光兼备的信号装置,并保持通讯畅通;距水枪不得大于10m;安全绳按规定设齐,长度不得少于10m;跟枪闸门距水枪不得大于5m	4	查现场。1处不符合要求扣1分
		3.用明槽输送煤浆时,倾角超过25° 的巷道,明槽必须封闭,否则禁止行人。倾角在15° ~25° 时,人行道与明槽之间必须加设1m以上的挡板或挡墙,设置台阶扶手;在拐弯、倾角突然变大以及有煤浆溅出的地点,在明槽处应加高挡板或加盖	4	查现场。1处不符合要求扣1分
		4.打开盲管堵板、水枪倒枪转水、拆除和检修高压水管时必须制定安全措施	4	查资料和现场。1处不符合要求不得分
		5.从事水力采煤工作的人员,必须佩戴防潮和防寒的劳动保护用品;水枪司机必须佩戴防止反溅煤水伤人的劳动保护用品	4	查现场。1处不符合要求不得分

续表

项目	内容	基本要求和标准	分值	评分方法
四、机电设备(15分)	设备选型	1.水枪、高压泵、渣浆泵选型应满足能力要求	2	查现场。1处不符合要求扣1分
		2.高压供水管、煤水管选型要结合具体条件	2	查现场。1处不符合要求扣1分
		3.工作面工艺与运煤装备能力匹配,无制约因素	2	查现场。1处不符合要求扣1分
	设备管理	1.高压泵、渣浆泵等设备完好,保护齐全,符合规程要求	2	查现场。1处不符合要求扣1分
		2.管路铺设必须设在巷道上帮一侧,高压管路快速接头楔铁的方向一致;高压管路不漏水	2	查现场。1处不符合要求扣1分
		3.快速接头连接的高压水管和煤水管及焊接的高压水管、煤水管在安装和使用前必须进行耐压试验,试验压力不小于使用压力的1.5倍;定期测定水管管壁厚度	2	查现场和资料。1处不符合要求扣1分
		4,水枪完好,操作灵活;定期对使用水枪进行耐压试验;严禁使用枪筒中心线偏心距离超过设计规定的水枪	2	查现场和资料。1处不符合要求扣1分
		5,通信系统畅通可靠;监测、监控设备运行正常,安放位置符合规定开关上架;电气设备不被淋水	1	查现场。1处不符合要求扣0.5分
五、变化管理(5分)	管理制度	建立健全变化管理工作制度	2	查文件、台账和资料。无制度不得分
	现场管理	管理部门、区队和班组每天排查人员、时段、工艺、工具、工序、系统和环境等变化情况,发现问题及时处理	2	查现场和资料。缺1次或1项扣1分
	预控措施	对设计和地质、水文、冲击地压、通风、运输、设备、人员等变化,超前分析,采取措施	1	询问并查记录。缺1次或1项扣1分

续表

项目	内容	基本要求和标准	分值	评分方法
六、文明生产(5分)	面外环境	1.设备硐室、主要巷道、休息地点等场所有照明;图牌板齐全、清晰整洁;巷道交叉口有路线指示牌、避灾标识牌	1	查现场。1项不符合要求扣0.5分
		2.主要巷道净高不低于2m,行人宽度不低于0.8m;支护完整;作业范围内无失修巷道;安全距离符合规定	1	查现场。1处不符合要求扣0.5分
		3.巷道及硐室底板平整,无浮碴及杂物、无淤泥、无积水;管路、设备无积尘;物料分类码放整齐,有标志牌;设备、物料放置地点与通风设施距离大于5m;管线吊挂整齐	1	查现场。1处不符合要求扣0.5分
	面内环境	1.工作面内管路敷设整齐;无积矸、杂物;照明符合规定	1	查现场。1处不符合要求扣0.5分
		2.瓦斯及其他有毒有害气体浓度不超限,工作面温度超过26℃采取降温措施	1	查现场。1项不符合要求扣0.5分

第三节 “人人都是通风员”

通风管理是煤矿安全生产的关键环节。为有效防范和坚决遏制煤矿生产安全事故,省煤炭厅决定,在全省煤矿推行“人人都是通风员”理念,现提出以下指导意见:

一、推行“人人都是通风员”理念的重要意义

“人人都是通风员”理念的精神实质是以人为本、安全发展,本质内涵是人人有责、齐抓共管,核心要素是通风管理、全员参与,根本要求是过程控制、超前预防。这一理念不仅强调“通风”是煤矿安全生产的重要内容,而且突出“人人”在煤矿安全工作中的主体地位,是对新时期煤矿通风管理客观规律的科学认识和准确把握,是对新时期煤矿通风管理实践经验的基本概括和高度总结。在全省煤矿推行“人人都是通风员”理念,是着眼于煤矿瓦斯等级管理的新要求,加强通风管理和瓦斯防治的重要举措;是着眼于提升员工素质预防事故的新需要,增强全员通风知识和管理能力的有效手段;是着眼于当前建设现代化矿井的新形势,强化安全责任全员化和现场管理标准化的根本措施,对于加强煤矿安全生产工作具有现实意义。

二、推行“人人都是通风员”理念的目标要求

推行“人人都是通风员”理念,重点要围绕人人都懂通风知识、人人都会通风管理、人人

都抓通风安全的工作目标，按照人人都懂通风基础知识、懂瓦斯基本常识、懂瓦斯防治标准，人人都会使用瓦检仪器、会识别瓦斯隐患、会采取避灾措施和人人都能做到无风微风不作业、做到瓦斯超限不作业、做到粉尘超标不作业的岗位标准，以井下作业人员为重点，全面覆盖从业人员，具体达到以下要求：

(1)普及通风知识，提高全员安全素质。将《人人都是通风员·煤矿安全新论》和《煤矿安全规程》作为基本教材，把煤矿“一通三防”的系统理论、管理规定、专业技能、岗位责任、瓦检仪器使用、瓦斯治理技术、典型事故案例、事故防范措施和井下电气知识等作为基础内容，开展通风知识大培训。

(2)主动排查隐患，解决现场安全问题。坚持把隐患排查治理作为安全生产的有效手段，运用所学知识，能主动识别瓦斯隐患，采取安全防范措施，及时消除事故隐患，自觉做到不安全不生产，预防和减少事故发生。

(3)强化责任落实，构建齐抓共管格局。紧紧抓住责任落实这个关键环节，建立健全各项政策规定和规章制度，使管安全、抓落实成为员工的行为准则和自觉行动，构建起以“专人专管”为基础、“全员参与”为导向的安全工作大格局。

(4)形成长效机制，促进企业安全发展。始终坚持用“人人都是通风员”理念指导安全生产工作，形成人人有责、人人负责、人人尽责的安全生产长效机制，促进煤矿企业健康可持续发展，加快实现煤矿安全生产形势根本好转。

三、推行“人人都是通风员”理念的途径步骤

推行“人人都是通风员”理念的具体途径，是宣传认知、培训教育、现场实践和拓展延伸。从2013年4月起开始，按照统一组织、分步实施原则，积极稳妥地开展理念实践活动。

第一步：宣传认知(4月)。集中1个月时间，对“人人都是通风员”理念进行广泛宣传阐释，让煤矿员工熟知理念的主要内容和现实意义，引导员工加深对理念的理解和认同，激发员工参与的积极性和主动性，能做到自觉自愿。

第二步：培训教育(5~10月)。按照“干什么学什么、缺什么补什么”的原则，分培训主体、分培训层次、分培训内容开展全员培训，重点要突出岗位操作技能、瓦检仪器使用、隐患识别排查和自救互救能力等内容的培训，真正是学懂弄通。

第三步：现场实践(7~12月)。要把理念运用于实践，自觉以查隐患为手段、促整改为重点、防事故为目标，做到人人主动工作、人人行为规范、人人超前预防，在现场实践中解决问题，及时消除事故隐患，发挥好实践作用。

第四步：拓展延伸(12月)。认真总结理念实践活动的做法和成果，分析存在的问题和差距，针对性地提出实践活动的拓展专业和延伸内容，将理念根植在全员心中，贯穿于安全工作的全方位，体现到安全生产的全过程，建立起长效机制。

参考文献

1.煤炭工业部.煤炭工业技术政策.北京:煤炭工业出版社,1988

2.国家安全生产监督管理局,国家煤矿安全监察局.煤矿安全规程.北京:煤炭工业出版社,2010

3.中华人民共和国国家标准.煤矿工业矿井设计规范.北京:中国规划出版社,2006

4.国家煤矿安全监察局,中国煤炭工业协会.煤矿安全质量标准化标准及考核评级办法(试行).北京:煤炭工业出版社,2004

5.曹允伟,王春城等.煤矿开采方法.北京:煤炭工业出版社,2007

6.焦作矿业学院,阜新矿业学院.采煤概论.北京:煤炭工业出版社,1986

7.杨孟达.煤矿地质学.北京:煤炭工业出版社,2000

8.徐永圻.采矿学.徐州:中国矿业大学出版社,2003

9.张希峻.煤矿开采方法.徐州:中国矿业大学出版社,1993

10.冯耀挺,闫光准.矿图.北京:煤炭工业出版社,2005

11.国家煤矿安全监察局.顶板灾害防治.徐州:中国矿业大学出版社,2002

12.任洞天.矿井通风与安全.北京:煤炭工业出版社,1993

13.全国煤炭技工教材编委会.矿井通风与安全.北京:煤炭工业出版社,2002

14.张国枢.通风安全学.徐州:中国矿业大学出版社,2000

15.王永安,李永怀.矿井通风与安全.北京:煤炭工业出版社,2005

16.谢广元.选矿学.徐州:中国矿业大学出版社,2001

17.王省身.矿井灾害防治理论与技术.徐州:中国矿业学院出版社,1986

18.郝临山.洁净煤技术.北京:化学工业出版社,2009

19.黄元平.矿井通风.徐州:中国矿业大学出版社,1986

20.严建华.采煤概论.北京:煤炭工业出版社,2006

21.周英.采煤概论.北京:煤炭工业出版社,2006

22.陶昆,王向阳.煤矿地质.徐州:中国矿业大学出版社,2006

23.钱鸣高,石平五.矿山压力与岩层控制.徐州:中国矿业大学出版社,2003